TGAU ASTUDIO'R CYFRYNGAU CBAC

Mandy Esseen
Martin Phillips
John Ashton: Prif Arholwr
Mike Edwards

Cyhoeddwyd dan nawdd Cynllun Adnoddau Addysgu a Dysgu CBAC

Cynnwys

Cerddoriaeth bop 123

Hysbysebu a marchnata 145

Radio 171

Asesu Allanol 181

Asesiad dan Reolaeth 188

Rhestr Termau 229

Cynnwys y CD-ROM

Yng nghefn y llyfr hwn, fe welwch CD-ROM. Arno mae fersiwn electronig o'r llyfr hwn yn Saesneg, sef *WJEC GCSE Media Studies*, ac amryw o adnoddau i'ch helpu gyda'ch cwrs TGAU Astudio'r Cyfryngau. Lle bynnag y mae adnodd ar gael, bydd manylion amdano yn cael eu cynnwys yn y llyfr hwn dan y teitl 'CD-ROM Am Ragor!'. **Mae deunyddiau ychwanegol Cymraeg/Cymreig hefyd ar www.ngfl-cymru.org.uk**

Posteri Ffilm

Agorwch y CD yng nghefn y llyfr hwn a chliciwch ar yr eicon isod i weld enghreifftiau o bosteri ffilm.

Rhagymadrodd

Croeso i TGAU Astudio'r Cyfryngau CBAC. Rydych wedi dewis cychwyn ar siwrnai gyffrous, yn ymchwilio a chreu, ym myd cyfnewidiol y cyfryngau modern. Ein gobaith yw y bydd y cwrs yn rhoi i chi'r wybodaeth a'r sgiliau i ddeall yn well sut yr ydych yn rhyngweithio â'r cyfryngau modern fel defnyddiwr ac, yn dyngedfennol, yn datblygu'ch sgiliau i greu eich cyfryngau eich hun, y gall eraill eu defnyddio.

Beth fyddwch chi'n ei astudio?

Mae'r adran isod yn amlinellu beth mae cwrs TGAU Astudio'r Cyfryngau CBAC yn ei gynnwys.

Cysyniadau a Syniadau'r Cyfryngau

Byddwch yn dysgu am y rhain ac yn dod yn ôl atynt yn gyson yn ystod eich cwrs. Y Cysyniadau a'r Syniadau hyn yw:

- Testunau'r cyfryngau: *genre*, naratif a chynrychioli
- Sefydliadau'r cyfryngau
- Cynulleidfaoedd a defnyddwyr y cyfryngau.

Drwy'ch holl ymchwiliadau i destunau'r cyfryngau a'ch gwaith cynhyrchu ymarferol, byddwch yn gweithio gyda'r Cysyniadau Allweddol hyn ac yn eu pwyso a'u mesur yn barhaus.

Y ddau brif weithgaredd a chyfryngau cydgyfeiriol

Mae'r cwrs wedi'i seilio ar ddau brif weithgaredd: *meddwl am* y cyfryngau a *chreu'r* cyfryngau.

1. Meddwl am y cyfryngau

Byddwch yn gwneud hyn drwy ymchwiliadau testunol, boed hynny ym maes print, darlledu neu'r amgylchedd ar-lein. Byddwch yn ysgrifennu'ch ymchwiliadau, yn siarad amdanynt ac yn eu cyflwyno mewn amrywiaeth eang o ffyrdd. Yn aml, byddwch yn defnyddio'r technolegau newydd i adrodd ar yr hyn yr ydych wedi'i ganfod.

2. Creu'r cyfryngau

Byddwch wrthi'n ymarferol yn creu eich cyfryngau eich hun drwy:

- ymchwilio i destunau a chynulleidfaoedd
- ymchwilio'n weledol
- creu stori-fyrddau
- sgriptio
- cynllunio dyluniadau ac arddangosfeydd ar gyfer cyfryngau print ac electronig
- cynnig syniadau a chrynodebau ohonynt.

Cynhyrchu:

- gwneud ffilmiau ac animeiddiadau byr
- gwneud papurau newydd neu gylchgronau
- creu posteri ffilm neu gloriau CD
- gwneud tudalennau gwe
- gwneud podlediadau.

Golygu eich cynyrchiadau:

- eu targedu at gynulleidfaoedd a defnyddwyr
- meddwl yn ofalus am ganlyniadau creu eich cyfryngau eich hun mewn amgylchedd o gyfryngau cydgyfeiriol ac am y defnydd a wnaiff pobl eraill o'ch cynnyrch cyfryngol
- pwyso a mesur sut yr aethoch ati i gynhyrchu eich testunau cyfryngol cydgyfeiriol eich hun.

Mae'r ddau weithgaredd hyn, sef *meddwl am* y cyfryngau a *chreu'r* cyfryngau, wedi'u gosod yng nghyd-destun yr hyn sy'n cael ei alw'n **gyfryngau cydgyfeiriol**. Ystyr hyn yw bod y rhan fwyaf o destunau cyfryngol, pa un a ydynt yn ffilmiau, papurau newydd, teledu neu gerddoriaeth boblogaidd, yn cael eu profi gan y defnyddiwr erbyn hyn mewn amryw o ffyrdd, yn fwyaf aml drwy'r Rhyngrwyd neu blatfformau amlgyfrwng. Dylai'r holl bynciau y byddwch yn eu hastudio adlewyrchu'r nodwedd gydgyfeiriol honno felly ac, yn wir, bydd angen i'ch gwaith cynhyrchu hefyd adlewyrchu hyn.

Mae'r Astudiaethau Achos yn y llyfr hwn yn canolbwyntio'n rheolaidd ac yn benodol ar gyfryngau cydgyfeiriol yng nghyd-destun y bennod dan sylw.

Termau allweddol

Cyfryngau cydgyfeiriol
Lle caiff mwy nag un cyfrwng ei ddefnyddio i gyfleu neges.

Sut byddwch chi'n cael eich asesu?

Caiff cwrs TGAU Astudio'r Cyfryngau CBAC ei asesu mewn dwy brif ran: Asesiad dan Reolaeth ac Asesiad Allanol. Yn fyr, mae'ch cwrs yn edrych fel hyn:

Elfennau'r cwrs ac amlinelliad	% o'ch TGAU	Marciau (a'r Nodau Asesu)
Asesiad dan Reolaeth **Dau ymchwiliad testunol:** • Yn ymdrin â dau faes gwahanol o'r cyfryngau (rhaid i un fod yn seiliedig ar brint) • Gyda'i gilydd maent yn werth 20% o'ch TGAU **Un cynhyrchiad cyfryngol:** • Yn cynnwys ymchwilio, cynllunio, y cynhyrchu a gwerthusiad • Gwerth 40% o'ch TGAU	60%	• Ymchwiliadau testunol: 40 marc i gyd (AO2) • Gwaith cynhyrchu ar gyfer y cyfryngau: 80 marc i gyd (AO3 ac AO4)
Asesiad Allanol: • Ymchwilio – pedwar cwestiwn • Cynllunio – cyfres o dasgau	40%	• 80 o farciau i gyd (AO1, AO2, AO3)

Asesiad dan Reolaeth

Yn ystod eich cwrs, byddwch yn cynhyrchu dau ymchwiliad testunol ac yn cynhyrchu darn ar gyfer y cyfryngau fel rhan o'r Asesiad dan Reolaeth.

Chi a'ch athro fydd yn penderfynu ar y testunau y byddwch yn eu hastudio a'r testunau y byddwch yn ymchwilio iddynt, yn eu cynllunio ac yn eu creu. Mae hyn yn golygu y bydd gan y naill a'r llall ohonoch rywfaint o reolaeth dros yr hyn yr ydych yn ei astudio ac y gallwch ddylanwadu ar gynnwys eich cwrs, felly byddwch yn barod i awgrymu syniadau ac adnoddau y bydd modd eu defnyddio.

Y ddau ymchwiliad testunol

Bydd eich athro yn rhoi teitlau i chi ar gyfer y ddau ymchwiliad. Gyda'r naill ymchwiliad a'r llall, byddwch yn cynhyrchu casgliadau am un prif destun a chasgliadau o destunau cysylltiedig eraill. Byddwch yn cyflwyno'r casgliadau hyn mewn modd priodol, er enghraifft, adroddiad ysgrifenedig (gyda neu heb graffigwaith), neu gyflwyniad amlgyfrwng (gyda neu heb sain). Bydd cyflwyniadau mwy trefnus yn cael gwell marciau.

Bydd eich athro'n rhoi canllawiau i chi ynglŷn â faint o dystiolaeth i'w chyflwyno.

Cynhyrchu darn ar gyfer y cyfryngau

Mae'r gwaith cynhyrchu yn cynnwys pedair elfen:

1. **Ymchwil** (10 marc)
   - Byddwch yn darparu tystiolaeth – rhaid iddi gynnwys o leiaf ddau ddarn a dim mwy na phedwar darn o ymchwil.
   - Rhaid i chi beidio â chyflwyno'r un casgliadau ag ymgeiswyr eraill, ond gallwch ddefnyddio'r un dulliau ymchwil.
   - Gallwch ddefnyddio dulliau ymchwil fel: anodi testun, ymchwil i gynulleidfaoedd ar ffurf holiaduron ac arolygon, ymchwil ar raddfa fach gyda grwpiau ffocws (4-6 yn cymryd rhan).
   - Cewch well marciau os byddwch yn egluro sut mae'r casgliadau wedi cael eu defnyddio yn y gwaith cynhyrchu terfynol a thrwy ddefnyddio'r derminoleg sy'n briodol i'r testun.

2. **Cynllunio** (10 marc)
   - Byddwch yn darparu tystiolaeth eich bod wedi defnyddio o leiaf ddwy dechneg gynllunio a dim mwy na phedair.
   - Rhaid i chi beidio â mynd ati i gynllunio yn yr un ffordd ag ymgeiswyr eraill, er y cewch ddefnyddio'r un dechneg.
   - Bydd eich athro yn eich helpu gyda thechnegau priodol eraill y gallwch eu defnyddio.
   - Cewch well marciau drwy egluro sut y cafodd y technegau eu defnyddio i ddatblygu'r cynhyrchiad terfynol a thrwy ddefnyddio'r derminoleg sy'n briodol i'r testun.
3. **Cynhyrchu** (50 marc)
   - Byddwch yn creu eich testun eich hun ar gyfer y cyfryngau – gall fod yn brint, yn rhyngweithiol neu'n seiliedig ar ddarlledu.
   - Bydd eich athro'n dweud wrthych faint o destun a pha hyd o destun y dylech ei gynhyrchu a bydd yn rhoi rhestr o opsiynau i chi i ddewis o'u plith.
   - Dim ond ar gyfer cynhyrchiad sain a chlyweled y cewch fod mewn grŵp.
   - Byddwch yn cael gwell marciau am ymdrin â'r cynhyrchiad mewn ffordd wreiddiol yn hytrach na chopïo testunau eraill yn slafaidd.
   - Dylech bob amser geisio creu eich delweddau eich hun (wedi'u tynnu â llaw, â chamera, â chyfrifiadur neu wedi'u ffilmio). Lle nad yw hyn yn bosibl, gallwch ddefnyddio delweddau yr ydych wedi 'dod o hyd iddynt' (un ai trwy eu sganio neu eu llwytho i lawr), er y disgwylir lefel uchel o addasu creadigol i gael marciau ar y lefelau uwch.
4. **Gwerthuso** (10 marc)

   Mae angen i chi egluro sut mae'ch cynhyrchiad:
   - wedi cyflawni eich nodau a'ch pwrpasau
   - wedi defnyddio codau a chonfensiynau priodol
   - wedi defnyddio cynrychioliadau
   - wedi cael ei drefnu fel ei fod yn apelio at y gynulleidfa/defnyddiwr ac yn creu perthynas ag ef
   - wedi archwilio rhai o'r materion trefniadaeth a godir gan y testun.

   Cewch fwy o farciau drwy gyflwyno'ch safbwyntiau yn glir ac yn gryno.

Asesiad Allanol

Arholiad ysgrifenedig sy'n para 2¼ awr yw'r Asesiad Allanol. Mae mewn dwy ran:

- **Adran A**: Bydd hon yn seiliedig ar bwnc y byddwch wedi'i astudio yn ystod eich cwrs. Yn arbennig, mae'n canolbwyntio ar y ffordd y mae cyfryngau cyfoes yn cydgyfeirio.
- **Adran B**: Yma, bydd gofyn i chi ddangos sgiliau cynllunio a sgiliau creadigol. Eto, canolbwyntir yn arbennig ar natur gydgyfeiriol cyfryngau cyfoes.

Y Pwnc Asesu Allanol

Ar gyfer Adran A yr Asesiad Allanol, byddwch yn astudio un o'r pynciau a restrir isod am ran o'ch cwrs. Byddwch yn datblygu'ch sgiliau ymchwilio drwy feddwl am ac astudio ystod eang o destunau cyfryngol o amrywiaeth o wahanol *genres* a ffurfiau. Y pynciau yw:

- cerddoriaeth
- drama deledu
- hysbysebu
- animeiddio
- ffilm ffuglen wyddonol
- ffordd o fyw ac enwogion
- newyddion
- comedi.

Sylwch fod y Corff Dyfarnu, CBAC, yn gosod pwnc newydd ar gyfer yr Asesiad Allanol bob dwy flynedd, ond bydd yn un o'r pynciau ar y rhestr uchod.

Nodau Asesu

Y Nodau Asesu yw'r meini prawf y mae'r Corff Dyfarnu, CBAC, yn eu defnyddio i asesu'ch gallu. Mae pedwar Nod Asesu yn TGAU Astudio'r Cyfryngau. Mae'n dda o beth eu cadw mewn cof i wneud yn siŵr eich bod yn rhoi sylw iddynt wrth baratoi ar gyfer eich arholiad a gweithio ar eich ymchwiliadau testunol a'r darn yr ydych yn ei gynhyrchu ar gyfer y cyfryngau. Y nodau yw:

- **NA1: Gwybodaeth a Dealltwriaeth** – sef yr hyn y gallwch ei gofio a'r ffordd yr ydych yn cyflwyno'ch gwaith. Defnyddio'r derminoleg gywir, er enghraifft, neu eich bod yn gallu dadelfennu testun cyfryngol yn drylwyr.
- **NA2: Dadansoddi ac Ymateb** – mae hyn yn golygu gallu ymchwilio i rywbeth a'i archwilio, yn hytrach na dim ond ei ddisgrifio, a llunio'ch ymateb eich hun i'r cyfryngau yr ydych yn eu hastudio.
- **NA3: Ymchwil a Chynllunio** – mae hyn yn cwmpasu'r holl gynllunio a wnewch i ddeall sut a pham y cafodd rhywbeth ei greu er mwyn i'r gynulleidfa ei brofi a'i ddefnyddio.
- **NA4: Cynhyrchu a Gwerthuso** – yma bydd disgwyl i chi greu testunau cyfryngol a gallu eu gwerthuso'n feirniadol.

Gall eich athro egluro wrthych yn fanylach sut mae'r Nodau Asesu hyn yn gweithio, ond peidiwch ag anghofio amdanynt a chofiwch mai dyma'r nodau y byddwch yn cael eich profi yn eu herbyn.

Ac yn olaf ...

Fel myfyrwyr sy'n astudio'r cyfryngau, wrth i chi ymchwilio i'r cyfryngau bydd gofyn yn aml ar i chi wneud yr hyn sy'n gyfarwydd yn anghyfarwydd; i drin y ffilmiau, y cylchgronau, y rhaglenni teledu, y gemau cyfrifiadurol neu'r tudalennau gwe hynny yr ydych yn eu gweld o ddydd i ddydd fel gwrthrychau i'w hastudio a chymhwyso'r cysyniadau a'r syniadau a amlinellir yn y llyfr hwn.

Wrth wneud eich testunau cyfryngol eich hun, byddwch yn defnyddio'r ymchwiliadau hyn i greu cynyrchiadau cyfryngol cyffrous a allai gynnwys ffilmiau byr, hysbysebion, papurau newydd a chylchgronau neu dudalennau gwe. Mae amryw o dechnolegau digidol ar gael i chi, yn amrywio o bethau cyfarwydd fel ffonau symudol gyda chamera (gallech greu storïau digidol, neu ddefnyddio Bluetooth i droi'ch lluniau yn 'fywyd comig' er mwyn creu eich comics eich hun) i Photoshop, i greu cloriau CD neu bosteri ffilm trawiadol.

Felly, mwynhewch ymchwilio a chreu. Bwriwch iddi, dechreuwch feddwl, ewch ati i wneud!

Ffilm

Eich dysgu chi

Yn y bennod hon byddwch yn dysgu am:

- theori ffilm: *genre*, naratif, cynrychioli
- technoleg ffilm yng nghyswllt gwneud ffilmiau, marchnata a gwylio
- hyrwyddo ffilmiau, gan edrych yn arbennig ar bosteri, rhaghysbysebion a gwefannau
- natur gydgyfeiriol y cyfryngau sy'n gysylltiedig â ffilm, yn cynnwys marchnata a dosbarthu, hysbysebu, cylchgronau, y Rhyngrwyd a'r teledu
- astudio ffilmiau: gwneud ffilmiau ac ymchwilio testunol – gweithio drwy astudiaethau achos.

Genre

Mewn ffilm, mae'n bwysig edrych ar sut y caiff **confensiynau** neu **nodweddion** arbennig eu defnyddio i greu arddull ac apêl.

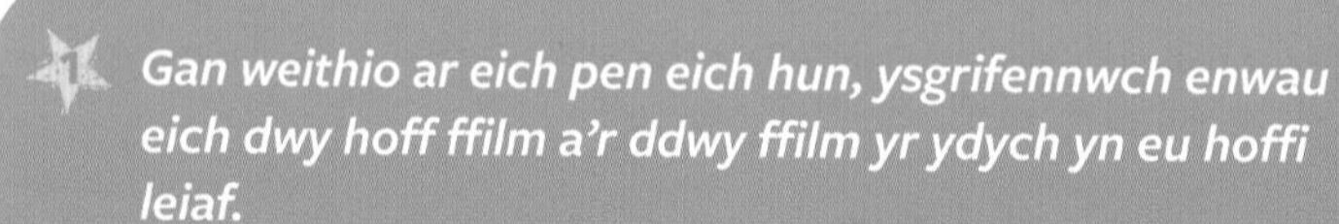

1. ***Gan weithio ar eich pen eich hun, ysgrifennwch enwau eich dwy hoff ffilm a'r ddwy ffilm yr ydych yn eu hoffi leiaf.***
2. ***Nawr, rhowch y ffilmiau yr ydych wedi'u dewis gyda'i gilydd i greu dwy restr dosbarth.***
   - ***Ydy'r un mathau o ffilmiau – antur, ffantasi, ffuglen wyddonol, comedi ramantaidd a ffilmiau cowbois – yn ymddangos ar y ddwy restr?***
   - ***A oedd yr un mathau o ffilmiau yn boblogaidd gyda bechgyn a merched?***

Ydych chi'n ei chael hi'n hawdd dweud pa fathau o ffilmiau yw'ch ffefrynnau? Os felly, y rheswm mwy na thebyg yw eich bod yn gwybod llawer yn barod am ***genre*** (gair Ffrangeg sy'n golygu 'math'). Mwy na thebyg eich bod yn gallu dweud, o weld rhai eiliadau o raghysbyseb ar y teledu neu hyd yn oed o boster, i ba *genre* y mae ffilm newydd yn debygol o berthyn, a bydd gennych ddisgwyliadau penodol yn sgil hynny.

Pa *genre* ffilm y mae'r geiriau isod yn ei awgrymu:

- ffrwydradau
- helfa geir
- pwysau amser?

Mae'n siŵr i chi feddwl 'Llawn mynd' cyn i chi ddarllen yr ail air hyd yn oed! Mae cynhyrchwyr yn dibynnu ar eich gallu i adnabod *genre* pan fyddant yn hyrwyddo ffilmiau newydd, i ysgogi diddordeb a disgwyliadau'r **gynulleidfa** a'i hawch i weld y ffilm.

Termau allweddol

Nodweddion neu **gonfensiynau *genre*** Mae'r nodweddion nodweddiadol mewn ffilm yn dangos i'r gynulleidfa pa *genre* ydyw.

Genre Math o destun cyfryngol (rhaglen, ffilm, clawr CD ac ati) sydd â rhai nodweddion y gellir eu rhagweld.

Cynulleidfa Pobl sy'n darllen testun cyfryngol, yn edrych neu wrando arno neu'n ei ddefnyddio.

Yn aml, mae ffilmiau'n gymysgedd o sawl *genres* – fe'u gelwir yn traws-*genre* neu *hybrid* – er mwyn denu'r gynulleidfa darged ehangaf bosibl. Er enghraifft, ar yr wyneb, ffilm lawn mynd syml wedi'i hanelu at gefnogwyr y *genre* llawn mynd yw *Cloverfield* (2008). Fodd bynnag, mae hefyd yn defnyddio nodweddion *genre*:

- ffuglen wyddonol – anghenfil estron yw'r bygythiad na welir llawer ohono
- ffilm ddogfen – gwnaed y ffilmio gyda chamera llaw, yn arddull ffilm ddogfen
- ffilm arswyd i'r rhai yn eu harddegau – pobl ifanc sy'n wynebu bygythiadau annisgwyl, llawn tensiwn, yw'r cymeriadau i gyd.

Termau allweddol

Hybrid Pan fydd o leiaf ddau *genre* yn dod ynghyd, er enghraifft, mae ffilmiau am archarwyr yn cyfuno *genres* comics archarwyr a ffilmiau llawn mynd.

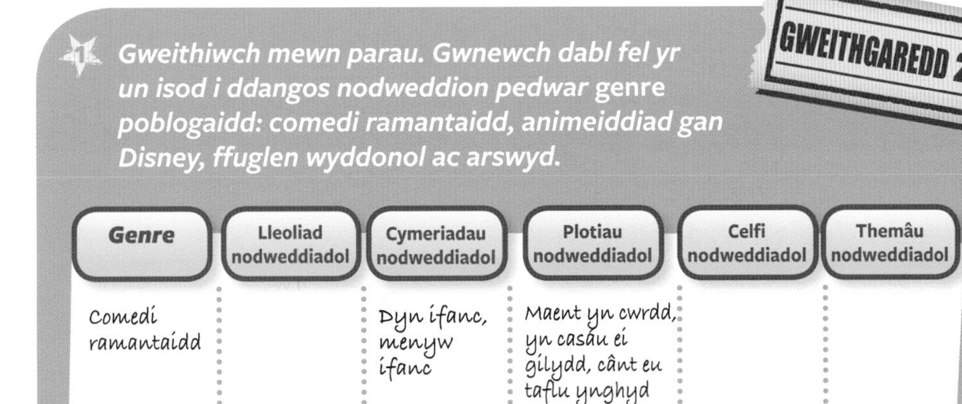

GWEITHGAREDD 2

1. ***Gweithiwch mewn parau. Gwnewch dabl fel yr un isod i ddangos nodweddion pedwar genre poblogaidd: comedi ramantaidd, animeiddiad gan Disney, ffuglen wyddonol ac arswyd.***

Genre	Lleoliad nodweddiadol	Cymeriadau nodweddiadol	Plotiau nodweddiadol	Celfi nodweddiadol	Themâu nodweddiadol
Comedi ramantaidd		Dyn ifanc, menyw ifanc	Maent yn cwrdd, yn casáu ei gilydd, cânt eu taflu ynghyd gan gyd-ddigwyddiadau		

2. ***Nawr, rhannwch eich atebion gyda phâr arall. Ychwanegwch unrhyw syniadau da a fethoch chi.***

CD-ROM

Am Ragor!

Rhaghysbysebion

Agorwch y CD yng nghefn y llyfr hwn a chliciwch ar yr eicon isod i weld enghreifftiau o raghysbysebion.

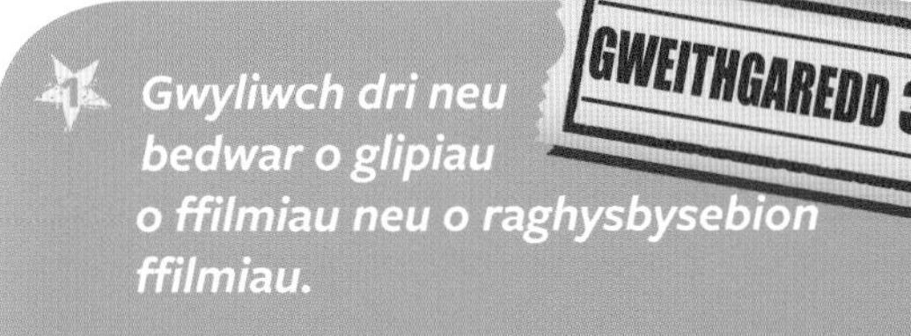

GWEITHGAREDD 3

1. ***Gwyliwch dri neu bedwar o glipiau o ffilmiau neu o raghysbysebion ffilmiau.***
   - ***Pa mor fuan y gallwch ddweud i ba genre y mae pob un yn perthyn?***
   - ***A oes nodweddion traws-genre (hybrid) i'w gweld?***
   - ***Pa fath o gynulleidfaoedd y bydd pob un yn ei denu? Er enghraifft, ifanc ynteu hen, gwryw ynteu fenyw?***

THE MATRIX

MUSIC FROM THE MOTION PICTURE

Mae ffuglen wyddonol yn *genre* sydd wedi'i seilio ar ryw fath o dechnoleg nad yw'n bosibl eto, ond a allai fod ryw ddydd. Mae'n *genre* poblogaidd, er nad yw wastad wedi denu'r cynulleidfaoedd enfawr a wna heddiw. Am y rheswm hwnnw, mae'n *genre* diddorol i'w astudio, i weld sut y mae wedi datblygu ac o ba wreiddiau.

Gwreiddiau ffuglen wyddonol

Treftadaeth lenyddol

Roedd nofelau ffuglen wyddonol yn boblogaidd ymhell cyn i ffilm gael ei dyfeisio hyd yn oed. Ymysg y nofelau ffuglen wyddonol cynnar mae *Twenty Thousand Leagues Under the Sea* gan Jules Verne (1870) a *The Time Machine* (1895) gan H.G. Wells. Yn gynharach fyth, cyhoeddwyd ***Frankenstein*** Frankenstein gan Mary Shelley yn 1818 pan nad oedd ond yn 21 oed. Mae'n enghraifft gynnar o *hybrid*, gan ei bod yn rhannol yn nofel arswyd ac yn rhannol yn ffuglen wyddonol. Mae'n adrodd stori gwyddonydd sydd wedi darganfod sut mae creu bywyd ac mae'n cynhyrchu creadur tebyg iddo'i hun, gyda chanlyniadau arswydus.

Ffilmiau ffuglen wyddonol cynnar

Gyda'u bydoedd rhyfeddol, eu technoleg ddieithr a'u digwyddiadau lledrithiol bron, cynigiai nofelau ffuglen wyddonol ddeunydd cyfoethog i'r gwneuthurwyr ffilmiau cynnar. Mae rhai, fel *Frankenstein*, wedi cael eu gwneud a'u hail-wneud dro ar ôl tro wrth i dechnoleg ffilm ddatblygu a chynnig effeithiau sy'n dod yn fwy a mwy soffistigedig a realistig. Pe bai pawb yn eich dosbarth yn tynnu llun o anghenfil Frankenstein, mwy na thebyg y byddai'r lluniau'n debyg iawn i'w gilydd (gydag ysgwyddau sgwâr a bollt drwy'r gwddf!), wedi'u seilio ar y portread ffilm cyntaf o'r anghenfil, a chwaraewyd gan Boris Karloff yn 1933!

Ffuglen wyddonol fel symbol cymdeithasol

Gan fod naratifau ffuglen wyddonol yn aml yn cynnwys archwilio, perygl a thechnoleg newydd, maent wedi cael eu defnyddio i edrych yn fanwl ar faterion sy'n peri pryder mewn cymdeithas. Er enghraifft:

- Ar yr wyneb, ffilm am oresgyniad gan estroniaid oedd *Invasion of the Bodysnatchers* (1956), ond roedd hefyd yn ymdrin â threialon McCarthy yn yr 1950au pan gafodd llawer o ddinasyddion America eu holi am eu cefnogaeth bosibl i Gomiwnyddiaeth.
- Edrychai ffilmiau ffuglen wyddonol Americanaidd yn yr 1950au a'r 1960au, megis *Dr Strangelove or: How I Learned to Stop Worrying and Love the Bomb* (1964),), ar yr ofn y byddai technoleg niwclear yn arwain at ddifa'r byd.
- Mae comics X-Men, a'r drioleg ffilmiau'n ddiweddarach, yn sôn yn ôl pob golwg am fodau dynol a mwtanau, ond maent hefyd yn destunau sydd wedi cael eu defnyddio i edrych ar agweddau at ragfarn, megis casineb hiliol.

Os medrwch chi, edrychwch ar rai comics X-Men ynghyd â rhai golygfeydd o'r ffilm, X-Men. Sut mae'r testunau ffuglen wyddonol hyn yn cyfleu negeseuon am ragfarn ddynol?

Blocbyster o ffilm ffuglen wyddonol

Tan ddechrau'r 1990au, roedd ffilmiau ffuglen wyddonol yn cael eu hystyried yn *genre* lleiafrifol nad oedd ond cefnogwyr selog y *genre* yn eu gwylio. Yna, yn 1991, cynhyrchodd James Cameron *Terminator 2*, a ddibynnai'n helaeth ar effeithiau arbennig; cynhyrchodd Steven Spielberg *Jurassic Park* yn 1993 ac ysgrifennodd a chyfarwyddodd Roland Emmerich *Stargate* yn 1994. Cafodd y ffilmiau hyn i gyd eu marchnata fel traws-*genres* – cymysgedd o ffilmiau llawn mynd a ffuglen wyddonol. Gyda chyllideb fawr ac effeithiau arbennig, yn dynn ar sodlau *Stargate* ymddangosodd *Independence Day*, yn 1996, eto gan Emmerich, ac roedd ffuglen wyddonol wedi cael ei sefydlu fel *genre* hynod o gyffrous, llawn mynd, ar gyfer pobl yn eu harddegau.

Termau allweddol

Blocbyster Ffilm sydd â chyllideb enfawr, y disgwylir iddi fod yn llwyddiant mawr; mae'r enw'n deillio o'r rhesi hir o bobl yn aros mewn ciw o amgylch y bloc i weld ffilmiau llwyddiannus.

Mae ffilmiau ffuglen wyddonol yn dal i lwyddo'n aruthrol heddiw

GWEITHGAREDD 5

1. *Gan ddefnyddio'r Rhyngrwyd fel man cychwyn, ewch ati i ddysgu cymaint ag y gallwch am ffilmiau ffuglen wyddonol blocbyster mawr y blynyddoedd diwethaf. Pa gyfarwyddwyr a sêr yr ydym ni'n eu cysylltu â ffilmiau ffuglen wyddonol?*
2. *Pa ffilmiau ffuglen wyddonol sydd orau gan y rhan fwyaf o bobl ifanc yn eu harddegau, yn eich barn chi? Allwch chi egluro pam?*
3. *Ceisiwch benderfynu pa bum prif gynhwysyn sy'n gwneud ffilm ffuglen wyddonol yn wirioneddol boblogaidd.*

Cynrychioliadau mewn ffuglen wyddonol

Termau allweddol

Cynrychioli Sut mae pobl, lleoedd, digwyddiadau neu syniadau yn cael eu darlunio neu eu portreadu i gynulleidfaoedd mewn testunau cyfryngol. Weithiau, gwneir hyn yn syml drwy stereoteipiau fel y gall y gynulleidfa weld beth a olygir ar unwaith, ac weithiau mae'r ystyron yn llai amlwg.

Stereoteipiol Dangos grwpiau o bobl drwy gyfrwng rhai nodweddion y maent yn eu rhannu ond sydd wedi'u gorsymleiddio, e.e. dangos menywod fel gwragedd tŷ sy'n cecru'n barhaus.

Mae **cynrychioli** yn air pwysig wrth astudio'r cyfryngau. Fel arfer, mae'r cynrychioliadau o bobl wedi'u bwriadu i'w gwneud mor gredadwy â phosibl, ond os edrychwch chi'n fanwl ar y cynrychioliadau o grwpiau cymdeithasol allweddol fel menywod, dynion, pobl ifanc yn eu harddegau, grwpiau ethnig, hen bobl, fe welwch eu bod yn aml wedi'u **stereoteipio** i raddau sylweddol. Mae llawer o'r cynrychioliadau o bobl ifanc yn eu dangos fel pobl amharchus, oriog a hunanol – yn amlwg, mae hwn yn ddarlun cul iawn o bobl ifanc!

GWEITHGAREDD 6

1. *Edrychwch ar amryw o glipiau o ffilmiau mewn dwy neu dair ffilm ffuglen wyddonol. Ceisiwch nodi ffyrdd gwahanol o gynrychioli pobl.*
2. *Yn awr, mireiniwch eich arsylwadau drwy lunio rhestr i ddangos sut mae grwpiau cymdeithasol tebyg i'w gilydd (menywod, dynion, pobl ifanc, grwpiau ethnig, hen bobl) yn cael eu cynrychioli'n gyffredinol.*
3. *Ceisiwch awgrymu enghreifftiau o gynrychioliadau nad ydynt yn stereoteipiau ond sydd fel pe baent yn argyhoeddi o ddifrif ac yn 'realistig'.*

Wrth drafod cymeriad, mae'n werth ystyried barn Vladimir Propp, damcaniaethwr a ysgrifennodd am y cymeriadau mewn naratifau. Awgrymodd fod gan bob stori gymeriadau sy'n chwarae rhai rhannau; yr arwr, yr arwres neu'r dywysoges, y dihiryn, rhoddwr neu fentor a chynorthwywr (edrychwch isod i ganfod rhagor am y swyddogaethau hyn). Gall ffuglen wyddonol gynrychioli grwpiau o bobl mewn ffyrdd anarferol drwy ganiatáu iddynt gyflawni swyddogaethau annisgwyl mewn cymdeithasau sy'n ffrwyth dychymyg llwyr, megis cymeriad yr estron.

Cynrychioliadau o fenywod

Mae ffuglen wyddonol wedi cynnig y cyfle i fenywod i ddianc rhag rhan stereoteipiol y 'dywysoges' ddiymadferth, y mae angen iddi gael ei hachub gan yr arwr. Rhoddwyd prif rannau i Ripley yn *Alien*, ffilm Ridley Scott (1979), ac i Sarah Connor yn *Terminator* (1984) – roedd ganddynt rym a chryfder gwirioneddol ac roeddent yn aml yn ganolog i ystyr a datblygiad y naratif. Gellid dadlau bod menywod o'r fath yn chwarae rhan yr arwr yn hytrach na'r arwres.

Mewn grwpiau bach, ewch ati i ganfod gwybodaeth am rai neu am bob un o'r cymeriadau hyn. Cyflwynwch eich canfyddiadau fel arddangosfa o ddelweddau, ynghyd â ffeiliau-o-ffeithiau.

- Lara Croft yn *Tomb Raider* (2001)
- Sarah Connor yn *Terminator 2* (1991)
- Ripley yn *Alien Resurrection* (1997)
- Lyndsay yn *The Abyss* (1989)
- Y Dywysoges Amidala yn *Star Wars I, II* a *III* (1999, 2002 and 2005)
- Trinity yn nhrioleg *The Matrix* (1999–2003)

Lara Croft yn *Tomb Raider* – arwr nid arwres?

Cynrychioliadau o estroniaid

Un o gonfensiynau mwyaf diddorol ffuglen wyddonol yw presenoldeb estroniaid (*aliens*) rhyfeddol o gofiadwy! Ceisiwch restru cynifer â phosibl mewn munud.

Mae estroniaid, sydd weithiau ar ffurf bodau 'dynol', weithiau'n robotiaid ac weithiau'n fodau byw dychmygus o blanedau eraill, yn caniatáu i wneuthurwyr ffilmiau archwilio gwahanol batrymau ymddygiad, iaith ac arferion. Y peth hanfodol am estroniaid yw eu bod yn wahanol i ni. Nid yw'n anodd gweld pam mae estroniaid yn cael eu defnyddio'n aml fel symbol o themâu perthyn a bod yn wahanol. Gallant hefyd fod yn ffordd i wneuthurwyr ffilmiau archwilio problemau cymdeithasol, megis rhagfarn, mewn ffordd gynnil.

GWEITHGAREDD 8

1. ***Crëwch eich estron eich hun. Gallwch ei wneud yn gyfeillgar neu'n elyniaethus, ond rhaid i chi labelu eich dyluniad drwy dynnu sylw at y nodweddion allweddol sy'n ei wneud yn wahanol i fod dynol. Cyn dechrau, ystyriwch yr hyn yr ydych wedi'i ddysgu'n barod am gynrychioli estroniaid!***
2. ***Ymhelaethwch ar eich dyluniad drwy ysgrifennu paragraff sy'n disgrifio sut mae'r estron yn ymateb i fodau dynol, a beth fyddai'n digwydd pe bai'n dod i'r Ddaear.***
3. ***Dyma gynrychioliadau eraill a geir yn gyffredin mewn ffilmiau ffuglen wyddonol: gwyddonwyr, cymeriadau stoc a chapteiniaid neu ffigurau eraill sy'n arweinwyr. Dewiswch un o'r cynrychioliadau hyn a dadansoddwch ei rôl mewn un neu ddwy ffilm o'ch dewis chi, gan rannu eich casgliadau gyda'r dosbarth fel cyflwyniad neu arddangosiad.***

Termau allweddol

Cymeriad stoc
Cymeriad cynorthwyol sydd yn aml yn dipyn o stereoteip – ei waith yw helpu'r prif gymeriadau, cael ei achub ganddynt neu farw!

Ymchwilio i ffilmiau ffuglen wyddonol

Mae ymchwilio i ffilm yn debyg i ddarllen llyfr a rhaid cael yr un math o sgiliau dadansoddi. Yn gyntaf, rhaid i chi wybod nodweddion allweddol iaith ffilm, ac yna allu gweithio allan beth y mae'n ei olygu. Defnyddiwch y rhestr gyfeirio hon i'ch helpu i chwilio am y nodweddion pwysicaf mewn ffilm ffuglen wyddonol:

- *Cymeriadau* (yn cynnwys estroniaid) – bydd ganddynt rannau a phwrpasau clir yn y naratif.
- Mae'r *gwisgoedd* yn bwysig – yn enwedig mewn bydoedd sydd yn y dyfodol.
- Mae'r *lleoliadau* (y mannau lle bydd y stori ar waith) yn rhan o'r byd a grëwyd ac maent yn aml yn cynnwys **effeithiau arbennig**.
- Mae *lliwiau* yn bwysig ac maent yn symbolaidd yn aml. Er enghraifft, mae gwyrdd neon yn aml yn symboleiddio'r 'estron'.
- Mae'r *trac sain* yn gliw hollbwysig i awgrymu naws, thema ac adegau allweddol.
- Mae *confensiynau* megis y gofod, jargon, dyfeisiau, arfau, ac ati, i gyd yn cyfrannu tuag at ddeall y naratif.
- Gall *effeithiau arbennig* chwarae rhan enfawr – edrychwch am animeiddio, delweddau a gynhyrchir gan gyfrifiaduron (CGI – gweler tudalen 117), defnydd clyfar o onglau camera, dilyniannau llawn mynd.

Termau allweddol

Effeithiau arbennig
Effeithiau gweledol neu sain, cyffrous a dynamig, a ddefnyddir i greu argraff mewn ffilmiau.

Awgrym yr arholwr

Gallai'ch ymchwiliad o glipiau ffuglen wyddonol fod yn sail i ddarn rhagorol o waith yn ymchwilio i *genre* neu gynrychioli ar gyfer rhan o'r Asesiad dan Reolaeth.

GWEITHGAREDD 9

Ewch ati i ymarfer eich sgiliau ymchwilio ym maes ffuglen wyddonol. Gwyliwch glipiau o amryw o ffilmiau ffuglen wyddonol. Gwnewch nodiadau am y confensiynau, y themâu a'r cymeriadau wrth fynd yn eich blaen, gan ddefnyddio tabl fel yr un isod. Dyma enghraifft i'ch rhoi ar ben y ffordd.

Enw'r ffilm	Confensiynau	Themâu	Cymeriadau
Sunshine	Teithio yn y gofod Wedi'u gwahanu oddi wrth y Ddaear	Pa mor bell yr aiff pobl i gael profiadau newydd	Capten Criw gofod

Gallech gyflwyno'ch nodiadau fel traethawd, adroddiad neu gyflwyniad. Ceisiwch egluro pa themâu cyffredin y gwnaethoch eu hadnabod, beth y sylwoch arno ynglŷn â'r cymeriadau ac unrhyw beth y sylwoch arno ynglŷn â ffyrdd gwahanol o ymdrin â'r *genre* ffuglen wyddonol.

Termau allweddol

Cynnig syniad ffilm Syniad am ffilm newydd a gyflwynir i gynhyrchwyr ffilm. Fel arfer mae'n cynnwys syniadau am blot, actorion posibl, hyrwyddo a marchnata.

Paratowch gynnig syniad ffilm datblygedig, wedi'i seilio ar y syniad isod:

Mae technoleg newydd wedi ei gwneud yn haws fyth teithio yn y gofod. Dan arweiniad Capten benyw a Phrif Swyddog gwryw, mae NASA'n lansio llong ofod chwyldroadol sy'n gallu teithio drwy'r bydysawd gan ddefnyddio'r dechneg 'plygu gofod' sy'n ei gwneud yn bosibl teithio pellteroedd aruthrol. Mae'r siwrnai'n gyffrous iawn, ac mae'n mynd â'r criw i fyd newydd lle mae gan y trigolion arferion rhyfedd ond heddychlon, yn ôl pob golwg. Wedyn, mae'r bodau dynol yn sylweddoli nad yw popeth fel yr oedd yn ymddangos ar y dechrau a rhaid iddynt ddyfeisio cynllun i ddianc a chyrraedd yn ôl i'r Ddaear – ond nid heb drasiedi, cariad a thro ffawd annisgwyl cyn diwedd y ffilm.

1. ***Rhowch deitl i'ch ffilm ac eglurwch ei ystyr.***
2. ***Castiwch y prif rannau ac eglurwch eich dewisiadau.***
3. ***Amlinellwch y naratif yn llawnach, gan egluro'r holl fanylion diddorol.***
4. ***Dyluniwch y poster ar gyfer y ffilm.***
5. ***Os ydych yn mynd i ddatblygu'r gwaith hwn yn ddarn ar gyfer yr Asesiad dan Reolaeth, cynlluniwch yr ymgyrch hyrwyddo ar gyfer y ffilm. Gallai hon gynnwys: stori-fwrdd neu raghysbyseb, dyluniadau ar gyfer nwyddau masnachol, trac sain, clawr CD a chlawr DVD.***

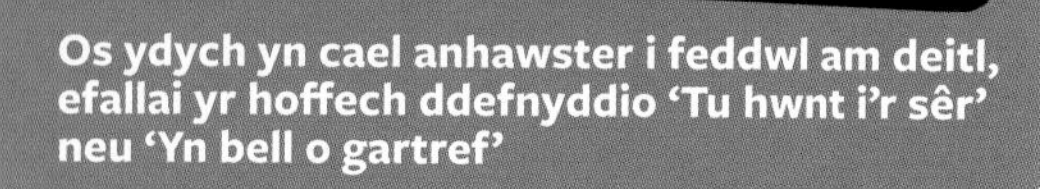

Os ydych yn cael anhawster i feddwl am deitl, efallai yr hoffech ddefnyddio 'Tu hwnt i'r sêr' neu 'Yn bell o gartref'

Naratif

Mae deall **naratif** yn rhan bwysig o unrhyw gwrs Astudio'r Cyfryngau – mae hyn yn wir am lawer o destunau cyfryngol, nid dim ond ffilm.

Termau allweddol

Naratif Stori neu hanes.

Sut caiff naratifau eu trefnu

Wrth drafod naratif, mae'n werth ystyried y damcaniaethwr Rwsiaidd, Tzvetan Todorov. Dyfeisiodd ddull o ddadansoddi naratif yn ôl y ffordd y mae'n symud ymlaen drwy wahanol gamau. Awgrymodd Todorov fod modd gyda llawer o naratifau, waeth beth fo'u *genre*, eu torri i lawr yn gamau penodol i'r diben o'u dadansoddi. Darllenwch y camau isod ac yna'r dyfyniad oddi tanynt.

Camau Naratif Todorov

Cydbwysedd – mae'r lleoliad wedi'i sefydlu, mae'r cymeriad neu gymeriadau allweddol wedi cael eu cyflwyno a rhediad y stori wedi ei sefydlu.

Tarfiad – mae gwrthgymeriad(au) yn ymddangos ac mae'r stori'n mynd i gyfeiriad neilltuol.

Cydnabod y tarfiad – mae bywydau'r cymeriadau a'r digwyddiadau yn cydblethu. Mae'r tensiwn yn adeiladu drwy'r adran hon – yr adran hiraf yn aml.

Ymgais i gywiro'r tarfiad – mae'r tensiwn yn cyrraedd uchafbwynt, yna mae newid yn y ddeinameg.

Adfer cydbwysedd – rhoi trefn ar bethau, datrys problemau ac ateb cwestiynau.

Roedd Eirian wedi cael hen ddigon ar wylio rhyw dywysogion tila yn ceisio cael gwared â'r ddraig leol, felly penderfynodd roi cynnig arni ei hun. Cyn bo hir daeth o hyd i'r ddraig, a oedd yn bwrw'i fflam ar draws pen bachgen oedd â brychni haul dros ei wyneb i gyd.

Gan ei bod yn dywysoges ddyfeisgar, gosododd Eirian drap i'r ddraig a thwyllodd hi i'w dilyn.

'Dwyt ti'n ddim ond hogan wirion, ac er nad yw prin yn werth y drafferth, rwy'n mynd i dy dostio di'n grimp a dy fwyta i bwdin!' taranodd y ddraig. Yr eiliad honno, torrodd y canghennau yr oedd yn sefyll arnynt, a syrthiodd i mewn i ffynnon ddofn iawn, gan ddiffodd ei thân unwaith ac am byth.

Trodd Eirian at y bachgen. 'Beth yw d'enw di?' gofynnodd.

'Y Tywysog Mathew' atebodd y bachgen.

'Fe wnaiff hynny'n iawn' medd Eirian. 'Ble rwyt ti'n byw?'

'Yn Hapus-Byth-Mwy,' atebodd.

'Fe wnaiff hynny'n iawn hefyd,' dywedodd Eirian. A gyda hynny, reidiodd hi a Mathew i ffwrdd gyda'i gilydd i Hapus-Byth-Mwy.

Pam, gallech ofyn, mae'r stori dylwyth teg i blant mewn llyfr ar TGAU Astudio'r Cyfryngau? Yr ateb yw bod y **strwythur naratif** a awgrymwyd gan Todorov yn gweddu'n berffaith i'r stori hon.

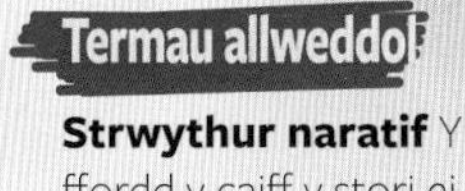

Termau allweddol

Strwythur naratif Y ffordd y caiff y stori ei threfnu a'i llunio o ran amser a digwyddiadau.

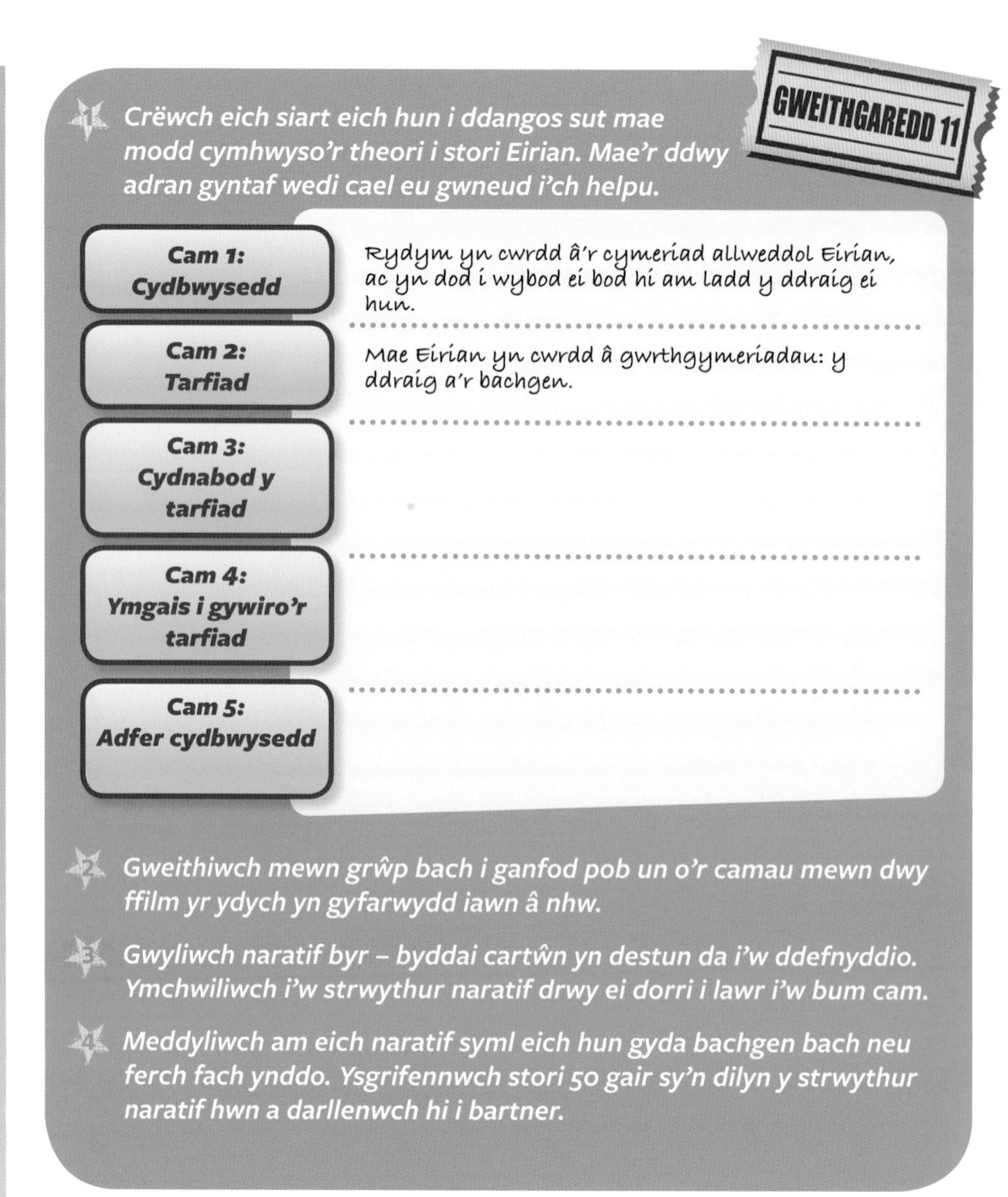

GWEITHGAREDD 11

1. Crëwch eich siart eich hun i ddangos sut mae modd cymhwyso'r theori i stori Eirian. Mae'r ddwy adran gyntaf wedi cael eu gwneud i'ch helpu.

Cam 1: Cydbwysedd	Rydym yn cwrdd â'r cymeriad allweddol Eirian, ac yn dod i wybod ei bod hi am ladd y ddraig ei hun.
Cam 2: Tarfiad	Mae Eirian yn cwrdd â gwrthgymeriadau: y ddraig a'r bachgen.
Cam 3: Cydnabod y tarfiad	
Cam 4: Ymgais i gywiro'r tarfiad	
Cam 5: Adfer cydbwysedd	

2. Gweithiwch mewn grŵp bach i ganfod pob un o'r camau mewn dwy ffilm yr ydych yn gyfarwydd iawn â nhw.

3. Gwyliwch naratif byr – byddai cartŵn yn destun da i'w ddefnyddio. Ymchwiliwch i'w strwythur naratif drwy ei dorri i lawr i'w bum cam.

4. Meddyliwch am eich naratif syml eich hun gyda bachgen bach neu ferch fach ynddo. Ysgrifennwch stori 50 gair sy'n dilyn y strwythur naratif hwn a darllenwch hi i bartner.

Chwarae gyda naratif

Nid yw pob naratif yn cyd-fynd â'r dilyniant syml a awgrymir gan Todorov, yn enwedig os yw'n ceisio gwneud rhywbeth gwahanol neu annisgwyl. Er enghraifft, yn y ffilm *Back To The Future* (1985) a gyfarwyddwyd gan Steven Spielberg, mae bachgen yn teithio'n ôl mewn amser i gwrdd â'r gwyddonydd a ddyfeisiodd deithio drwy amser. Nid yw camau'r naratif yn y ffilm hon mewn trefn gronolegol. Allwch chi feddwl am enghreifftiau eraill?

Y term cywir am rywbeth nad yw'n cyd-fynd â theori gydnabyddedig yw **tanseiliad**. Efallai y byddwch yn adnabod y technegau tanseilio hyn:

- *Ôl-fflach* – lle cyfeirir yn ôl at ddarn o'r ffilm, er enghraifft, *The Incredible Hulk* (2008)) a gyfarwyddwyd gan Louis Leterrier.
- *Blaen-fflach* – lle mae darn o'r ffilm o'r dyfodol yn cael ei ddangos cyn y byddai wedi digwydd fel arfer, er enghraifft, *Inside Man* (2006) a gyfarwyddwyd gan Spike Lee.
- *Tro* – lle nad oes modd rhagweld rhan o'r ffilm (y diwedd yn aml) neu ei fod yn syfrdanol, er enghraifft, *The Happening* (2008) a gyfarwyddwyd gan M. Night Shyamalan.

Termau allweddol

Tanseiliad Pan ddefnyddir techneg nad yw'n cyd-fynd â theori neu'r ffordd arferol o wneud rhywbeth (er enghraifft, pan fydd tro yn y naratif yn mynd ag ef i gyfeiriad newydd).

- *Naratifau cyfochrog* – lle mae bywydau'r cymeriadau yn symud ochr yn ochr â'i gilydd am ran o'r ffilm heb iddynt gwrdd, er enghraifft, *Crash* (2004) a gyfarwyddwyd gan Paul Haggis.

Cynnwys y gynulleidfa

Mae cynulleidfaoedd yn mwynhau testunau fwyaf pan fyddant yn cael eu tynnu i mewn iddynt yn llwyr. Pan fyddant yn ymgolli'n llwyr yn naratif a datblygiad y testun, mae fel pe bai ganddynt le ynddo eu hunain. Gallwch weld pam mae hyn mor bwysig – mae rhywun sy'n teimlo'n rhan o'r testun yn llawer llai tueddol o ddiffodd y ffilm neu ei rhoi'n ôl ar y silff.

Dyma rai technegau sy'n helpu cynulleidfaoedd i ddod yn rhan o ffilm neu destun teledu neu i greu eu lle eu hunain ynddynt.

- Saethiadau safbwynt – mae'r camera fel pe bai'n gymeriad yn y testun. Gall y saethiad fod yn un dros yr ysgwydd, yn edrych ar yr hyn y mae'r cymeriad yn edrych arno, neu'n saethiad o safbwynt y cymeriad. Mae hyn yn arbennig o rymus pan fydd y cymeriad yn teimlo emosiwn cryf – mae'r gwyliwr yn fwy tebygol o deimlo ei emosiwn wrth arddel ei safbwynt.
- Saethiadau ymateb – mae'r camera'n symud i roi golwg agos iawn o wyneb cymeriad i ddangos ei ymateb i rywbeth sydd wedi digwydd.
- Saethiadau mewnosod – mae'r dechneg hon yn rhoi gwybodaeth ychwanegol neu wybodaeth freintiedig nad yw un neu ragor o gymeriadau yn ei gwybod eto, er enghraifft mewn golygfa ddwy set gyda dau gymeriad mewn mannau gwahanol. Mae'r gynulleidfa'n gwybod beth sy'n digwydd i'r naill a'r llall ohonynt ond nid yw'r cymeriadau eu hunain yn gwybod.
- Saethiad gwrthsaethiad – mae'r camera'n symud yn ôl a blaen rhwng dau gymeriad i ddangos y berthynas sy'n datblygu rhyngddynt (boed honno'n gadarnhaol neu'n negyddol), yn aml wrth iddynt sgwrsio. Mae hon yn dechneg gyffredin iawn mewn dramâu lle mae'r gydberthynas rhwng y cymeriadau'n bwysig. Mae'r camera'n gweithredu fel trydydd person mewn saethiad gwrthsaethiad, gan roi'r argraff i'r gynulleidfa eu bod yn troi eu pennau oddi wrth un cymeriad at y llall.

Mae darllen mynegiant wyneb yn hanfodol i ddeall ymateb cymeriad

Mae'r tair delwedd hyn yn dangos y dechneg saethiad gwrthsaethiad

GWEITHGAREDD 12

Rhannwch yn grwpiau. Edrychwch eto ar stori Eirian ar dudalen 9. Dylai pob grŵp baratoi i ailadrodd y stori, gan ddefnyddio un neu fwy o dechnegau tanseilio. Newidiwch y fersiwn gwreiddiol fel nad yw'r naratif mwyach yn dilyn yr un llwybr. Efallai y bydd yr awgrymiadau isod o gymorth i chi:

- *Ôl-fflach – dechreuwch y stori o'r funud y mae Eirian yn wynebu'r ddraig.*
- *Blaen-fflach – dechreuwch y stori gyda dilyniant breuddwyd lle mae Eirian yn dod wyneb yn wyneb ag anghenfil sy'n anadlu tân.*
- *Tro – does dim rhaid i Eirian fod yn berson dynol!*
- *Naratifau cyfochrog – dywedwch stori Eirian ochr yn ochr â stori'r Tywysog Mathew (neu'r ddraig). Gallai hyn wneud i'r gynulleidfa deimlo'n wahanol tuag atynt.*

Camera mini

1. *Gwyliwch gyfres o glipiau ffilm – rhwng tri a phump – o genres ffuglen wyddonol, comedi ramantaidd ac arswyd. Nodwch gynifer o dechnegau lleoli'r gynulleidfa â phosibl.*
2. *Gan ddefnyddio camera llonydd, crëwch gyfres o saethiadau sy'n dangos pob un o'r technegau lleoli cynulleidfa. Ewch ati i'w harddangos yn eich ystafell ddosbarth gyda sefyllfa naratif ddychmygol wedi'i hysgrifennu o dan bob un. Mae enghraifft i'w gweld yn y ffotograffau ar dudalen 11.*

Termau a diffiniadau camera ychwanegol

Mae llawer iawn o amser yn cael ei dreulio yn paratoi pob golygfa mewn ffilm. Mae'n bwysig lleoli'r camerâu yn y ffordd iawn er mwyn dal ar ffilm yr hyn yn union y mae'r cyfarwyddwr am i'r gynulleidfa ei weld. Yn ychwanegol at y technegau sydd wedi'u crybwyll eisoes, dyma rai saethiadau camera eraill y gallwch eu hadnabod yn y ffilmiau yr ydych yn eu hastudio.

Sadio-cam

Term camera	Ystyr
Saethiad sefydlu	Mae'r camera wedi'i osod ymhell yn ôl i ddangos neu bwysleisio'r lleoliad yn hytrach na'r gwrthrych.
Arafu lluniau	Ennyd sy'n cael ei hailchwarae yn araf iawn.
Tremio	Mae'r camera'n symud yn llorweddol, gan sylwi ar yr holl fanylion ar y ffordd.
Saethiad cledru	Mae'r camera'n symud ochr yn ochr â'r cymeriadau un ai gan ddefnyddio techneg dal â llaw neu gledrau doli.
Tynhau a llacio'r lens	Mae'r camera'n closio at, neu'n ymbellhau oddi wrth wrthrych gan ddefnyddio lens deleffoto.
Camera mini	Lleolir camera bach iawn mewn man anarferol i greu effaith.
Sadio-cam	Dyfais i strapio camera a phwysau arno ar y sawl sy'n ei weithio fel bod modd symud dan reolaeth, gan ddal y cyfarpar â llaw.

Rhyngdestuniaeth

Ydych chi erioed wedi cael y wefr o wylio ffilm ac adnabod cyfeiriad at ffilm arall? Mae'r math hwn o ddolen gyswllt rhwng dau destun yn cael ei alw'n **gyfeiriad rhyngdestunol**.

Ydych chi'n adnabod yr ymadrodd *'I'll be back'*? Ble rydych wedi'i glywed? Mae'n cael ei ddefnyddio, wrth gwrs, yn y ffilmiau *Terminator* i gyd, ond mae hefyd wedi cael ei ddefnyddio'n rhyngdestunol mewn ffilmiau eraill fel *Last Action Hero* (1993) pan ddywed Arnold Schwarzenegger *'I'll be back... Ha! Bet you didn't expect me to say that!'*

Yn 2007, dywedodd Cyngor Ffilm y DU mai *'I'll be back'* yw'r llinell o ffilm sy'n cael ei defnyddio amlaf mewn sgyrsiau o ddydd i ddydd!

Gall cyfeiriadau rhyngdestunol fod yn weledol hefyd. Mae enghraifft dda o hyn i'w gweld yn *Toy Story 2* (1999). Mae'r teganau'n reidio o amgylch ysgubor deganau Al mewn car tywys Barbie Tour gyda Rex y dinosor yn rhedeg y tu cefn iddynt, ac mae ei adlewyrchiad i'w weld yn glir yn y drych ochr. Mae hwn yn gyfeiriad rhyngdestunol at yr olygfa yn *Jurassic Park* (1993) lle mae'r T-Rex i'w weld yn y drych ochr yn erlid cerbyd y daith dywys – yn yr achos hwn gyda'r bwriad o fwyta'r teithwyr!

Mae stori *Bridget Jones's Diary* (2001) yn llawn cyfeiriadau rhyngdestunol at *Pride and Prejudice*, gan Jane Austin, er mai prin y gallai'r lleoliadau a chymeriadau'r ddwy arwres fod yn fwy gwahanol. Mae'r stori sylfaenol yn debyg: mae'r ferch yn cwrdd â bachgen ac yn ei gasáu ond ar ôl aml i anffawd mae'n sylweddol ei wir werth ac yn ei briodi.

Termau allweddol

Cyfeiriad rhyngdestunol Pan fydd un testun cyfryngol yn dynwared neu'n cyfeirio at destun cyfryngol arall mewn ffordd y bydd llawer o ddefnyddwyr yn ei hadnabod.

AWGRYM

Bydd defnyddio siart, tabl neu anodiadau wrth gynllunio tasgau ac ymchwilio iddynt yn help i chi reoli'r ffordd y byddwch yn cyflwyno ymchwiliad testunol.

1. *Gwyliwch ddeng munud cyntaf un o'r ffilmiau hyn:* **Star Wars IV: A New Hope (1997), The Truman Show (1998)** *neu* **Saving Private Ryan (1998).** *Chwiliwch am dystiolaeth o nodweddion genre, strwythur naratif, lleoli'r gynulleidfa a gwaith camera sydd wedi'i baratoi yn ofalus.*
2. *Cyflwynwch eich casgliadau ar ffurf tabl, siart, adroddiad neu draethawd. Er enghraifft, gallech gyflwyno'ch casgliadau mewn tabl fel yr un isod.*

Ffilm	Nodweddion genre	Strwythur naratif	Lleoli'r gynulleidfa	Gwaith camera
The Truman Show	Cerddoriaeth gerddorfaol, lleoliad realistig a chodau gwisg sy'n argyhoeddi – maent yn awgrymu drama			Caiff y camera ei ddefnyddio mewn ffyrdd anarferol iawn – yn gyntaf, fel ffordd o leoli'r gynulleidfa, ond hefyd (drwy gamerâu mini cudd) i ddangos beth mae'r gynulleidfa deledu yn ei weld

Technoleg ffilm

Technoleg gwneud ffilm

Heddiw mae'r rhan fwyaf o gyfarwyddwyr yn defnyddio camerâu bach, ysgafn (hawdd iawn eu cario) i ffilmio. Mae'r rhain yn caniatáu iddynt ddefnyddio meddalwedd golygu digidol. Mae'r math hwn o olygu yn cael ei alw'n olygu aflinol, sy'n golygu bod modd saethu darn o ffilm, ei dorri a'i drefnu ar gyfrifiadur heb gadw at y dilyniant. Gan ei fod yn weddol hawdd ei ddefnyddio, mae wedi arwain at gynnydd enfawr mewn ffilmiau annibynnol a gynhyrchir ar gyllideb fach. Efallai eich bod yn wneuthurwr ffilmiau annibynnol eich hun, neu efallai fod gennych dechnoleg gwneud ffilm syml yn eich ysgol neu'ch coleg. (Trowch at y bennod Asesiad dan Reolaeth, tudalennau 194-199, sy'n cynnwys syniadau ac awgrymiadau ar wneud ffilmiau.)

Technoleg gwylio ffilm

Mae maint sgriniau, ansawdd y sain a pha mor gyfforddus y mae rhywun wrth wylio ffilmiau wedi newid yn rhyfeddol dros amser. Edrychwch ar y lluniau isod o dri lle gwahanol i wylio ffilmiau ynddynt. Sut mae'r lleoedd gwahanol hyn yn effeithio ar eich gwerthfawrogiad o'r ffilm?

Sinema Odeon draddodiadol

Sinema IMAX yn Llundain

System sinema gartref o'r radd flaenaf

Ôl-fflach ffilm

Wrth edrych ar unrhyw faes allweddol o fewn Astudio'r Cyfryngau, mae wastad yn syniad da deall y cefndir iddo. Gyda ffilm, mae'n bwysig cael rhyw syniad o'r ffordd y mae technoleg y diwydiant ffilm wedi newid dros amser mewn ymateb i'r newid ym mhatrymau ymateb a disgwyliadau'r gynulleidfa.

Charlie Chaplin yn y ffilm fud *The Gold Rush* (1925)

1894

Dangoswyd y lluniau symudol cyntaf i gynulleidfaoedd. Roeddent yn fyr iawn ac yn dangos digwyddiadau gwirioneddol, felly roeddent yn cael eu galw'n 'ddigwyddiadau ar y pryd'. Ymysg yr enghreifftiau roedd *The Sneeze* a *The Kiss*.

Dechrau'r 20fed ganrif

Daeth ffilmiau'n hirach, gan ddechrau dweud storïau. Roedd rhai hyd yn oed yn defnyddio effeithiau arbennig cynnar. Enghraifft dda yw *A Trip to the Moon* (1902) gan Georges Méliès. Ffilmiau mud oeddynt, gyda thestun ar y sgrin.

Dechreuodd Hollywood ennill lle blaenllaw ym maes cynhyrchu ffilmiau drwy sefydlu stiwdios ffilm grymus (a chyfoethog). Y System Stiwdio oedd yr enw ar hyn.

1927

Rhyddhawyd y ffilm 'lafar' gyntaf – *The Jazz Singer* – gan newid y byd cynhyrchu ffilmiau am byth.

1930au

Cynhyrchwyd y ffilmiau cyntaf i ddefnyddio *Technicolor*. Dwy enghraifft dda oedd *Gone with the Wind* a *The Wizard of Oz* yn 1939, ill dwy yn cystadlu am Oscars.

1950au

Oherwydd poblogrwydd ffilmiau epig cafodd y sgriniau eu gwneud yn fwy – math cynnar ar dechnoleg sgrin lydan ein dyddiau ni.

1977

Star Wars IV: A New Hope oedd y ffilm gyntaf i ddefnyddio sain amgylchol Dolby.

1982

Tron gan Disney, oedd y ffilm gyntaf i ddefnyddio CGI (delweddau a gynhyrchir gan gyfrifiaduron *Computer Generated Imagery*).

1999

Star Wars I: The Phantom Menace oedd y ffilm gyntaf i gael ei ffilmio'n bennaf gan ddefnyddio camerâu digidol – felly roedd golygu digidol yn cael ei ddefnyddio hefyd.

2001

Byddwn yn gweld rhagor o ddatblygiadau a fydd yn gwneud ffilmiau'n fwy realistig fyth. Bydd sgriniau 3D IMAX yn defnyddio technoleg Real-D stereosgopig newydd Sony i wneud y profiad o wylio ffilm yn brofiad rhith realiti!

2008

The Dark Knight gan Christopher Nolan oedd y ffilm gyntaf i ddefnyddio technoleg IMAX wrth saethu'r ffilm.

Yr 21ain ganrif

Defnyddiodd Peter Jackson dechnoleg CGI newydd sbon, a elwir yn animeiddio cipio-symud, i greu'r creadur realistig Gollum ar gyfer trioleg *The Lord of the Rings*. Gwnaeth hyn drwy roi synwyryddion ar yr actor Andy Serkis a recordio'i symudiadau ar gymeriad a gynhyrchwyd gan gyfrifiaduron.

Defnyddiwyd CGI i greu'r teigr ysgithrog hwn yn y ffilm *10,000 BC* yn 2008

Hyrwyddo a marchnata ffilmiau yn yr 21ain ganrif

Posteri ffilmiau

Mae posteri a rhaghysbysebion wedi cael eu defnyddio i hyrwyddo ffilmiau ers blynyddoedd lawer, ond mae natur marchnata a hyrwyddo ffilmiau wedi newid llawer iawn ers yr 1990au. Fodd bynnag, mae posteri'n dal yn rhan hanfodol o'r broses farchnata, felly mae bob amser yn werth astudio'u **confensiynau** allweddol.

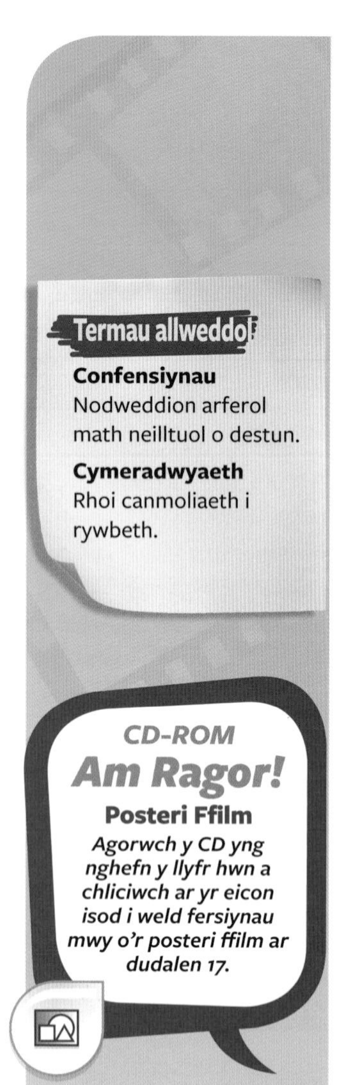

Termau allweddol

Confensiynau
Nodweddion arferol math neilltuol o destun.

Cymeradwyaeth
Rhoi canmoliaeth i rywbeth.

CD-ROM
Am Ragor!
Posteri Ffilm
Agorwch y CD yng nghefn y llyfr hwn a chliciwch ar yr eicon isod i weld fersiynau mwy o'r posteri ffilm ar dudalen 17.

Confensiynau posteri

- delwedd neu ddelweddau sy'n hoelio'r sylw – yn aml mae a wnelont â'r cymeriadau (a'r sêr yn y ffilm) neu â lleoliad y ffilm
- teitl y ffilm, sydd wedi'i lunio'n ofalus o safbwynt yr arddull ffont, lliw, maint a lleoliad: mae llawer o feddwl yn mynd i'r teitl – mae i fod yn gofiadwy, ac mae hefyd i fod i awgrymu *genre* y ffilm
- llinell hysbysebu ar gyfer y ffilm – yn debyg i'r sloganau bachog mewn hysbysebion – sy'n cynnig cliw arall ynglŷn â *genre* a phrif themâu neu gynnwys y ffilm
- enwau pobl adnabyddus neu allweddol sy'n gysylltiedig â'r ffilm. Y prif actorion yw'r rhain fel arfer ond gallent gynnwys y cyfarwyddwr neu'r cynhyrchydd
- **cymeradwyaeth** gan gynyrchiadau cyfryngol eraill (er enghraifft, cylchgrawn *Empire*) yn rhoi sylwadau megis 'ffilm na ddylech golli'r cyfle i'w gweld'
- manylion unrhyw enwebiadau am wobrau neu wobrau y mae'r ffilm eisoes wedi'u hennill. Bydd y rhain yn cael eu dangos yn glir ar y poster
- y wybodaeth gynhyrchu – gwybodaeth, mewn print mân iawn, sy'n rhestru'r cwmnïau cynhyrchu a dosbarthu ynghyd â gwybodaeth arall.

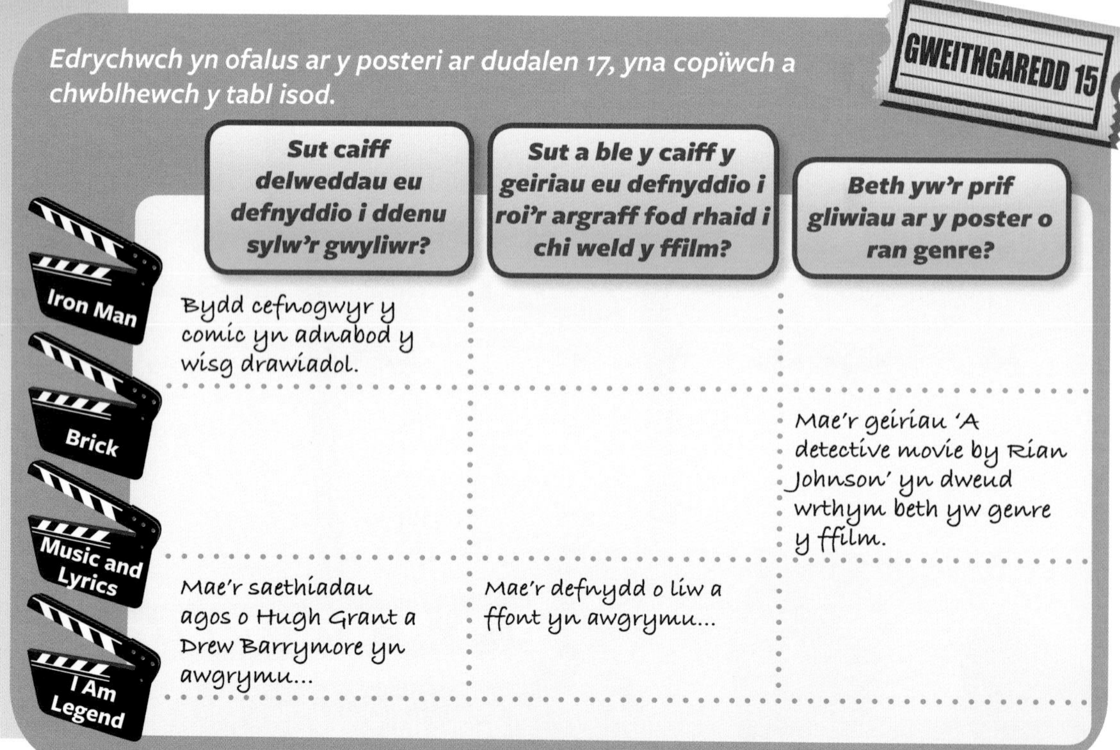

GWEITHGAREDD 15

Edrychwch yn ofalus ar y posteri ar dudalen 17, yna copïwch a chwblhewch y tabl isod.

	Sut caiff delweddau eu defnyddio i ddenu sylw'r gwyliwr?	Sut a ble y caiff y geiriau eu defnyddio i roi'r argraff fod rhaid i chi weld y ffilm?	Beth yw'r prif gliwiau ar y poster o ran genre?
Iron Man	Bydd cefnogwyr y comic yn adnabod y wisg drawiadol.		
Brick			Mae'r geiriau 'A detective movie by Rian Johnson' yn dweud wrthym beth yw genre y ffilm.
Music and Lyrics	Mae'r saethiadau agos o Hugh Grant a Drew Barrymore yn awgrymu...	Mae'r defnydd o liw a ffont yn awgrymu...	
I Am Legend			

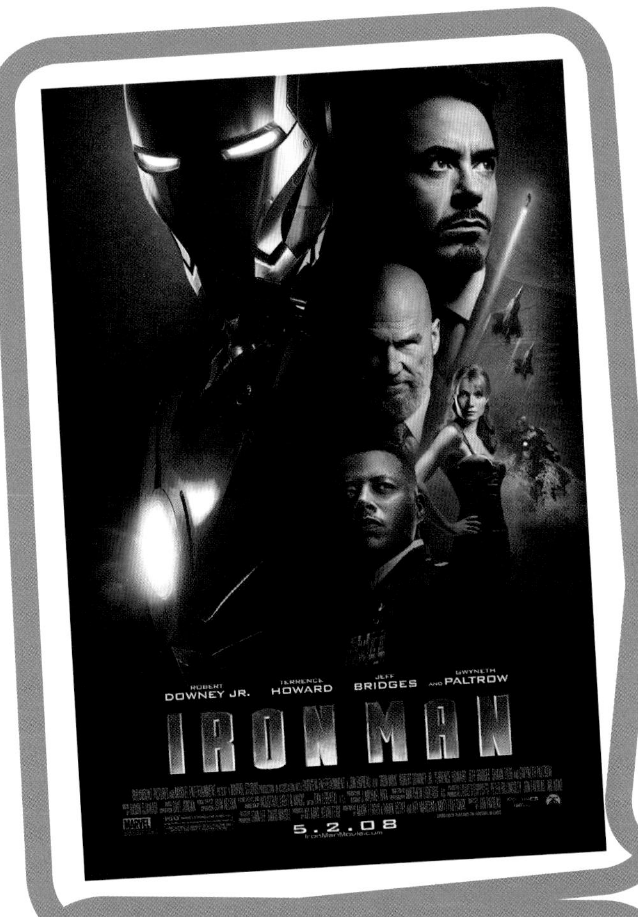
ROBERT DOWNEY JR.
TERRENCE HOWARD
JEFF BRIDGES
GWYNETH PALTROW
IRON MAN
5.2.08

THE BRAIN
"The foil with the inside track."
BRICK
A detective movie by Rian Johnson
brickmovie.net
FOCUS
WINNER | SPECIAL JURY PRIZE | ORIGINALITY OF VISION | SUNDANCE 2005

hugh grant drew barrymore
music and lyrics
VALENTINE'S DAY

WILL SMITH
THE LAST MAN ON EARTH IS NOT ALONE.
I AM LEGEND
12/14/07

GWEITHGAREDD 16

Gan ddefnyddio'ch tabl o Weithgaredd 15, cymharwch sut mae dau o leiaf o'r posteri ar dudalen 17 yn defnyddio technegau gwahanol i apelio at eu cynulleidfaoedd.

Wrth i chi gyflwyno'ch ateb, efallai y byddai'n help pe baech yn meddwl ble'r ydych yn debygol o weld posteri ffilmiau. Er enghraifft, lle amlwg yw yn y sinema ei hun, lle maent i'w gweld fel arfer ar y waliau, neu wedi'u chwyddo i greu arddangosfeydd cardbord 3D. Fodd bynnag, maent hefyd yn ymddangos ar fyrddau poster neu lochesi bysiau.

Rhaghysbysebion ffilm

Mae rhaghysbysebion yn rhan bwysig o farchnata ffilmiau. Maent yn debyg i hysbysebion yn yr ystyr eu bod yn hyrwyddo cynnyrch – ffilm, yn yr achos hwn. Yn aml mae gan raghysbysebion gyllidebau mawr gan fod stiwdios ffilm yn deall mai'r rhaghysbyseb yw un o'r ffyrdd pwysicaf o greu diddordeb mewn ffilm ar unwaith, cyn iddi gael ei rhyddhau. Fel posteri, bydd sawl fersiwn o raghysbysebion yn cael eu gwneud yn aml – gelwir y rhai cynharaf yn rhaghysbysebion 'pryfocio', gan mai pryfocio cynulleidfaoedd gydag ychydig o fanylion cyffrous yn unig a wneir. Yn agosach at y dyddiad rhyddhau, mae rhaghysbysebion yn rhoi mwy o wybodaeth, yn cynnwys y dyddiad rhyddhau hollbwysig.

Edrychwch yn ofalus ar y rhestr isod o gonfensiynau rhaghysbysebion:

Confensiynau rhaghysbysebion

- Mae rhaghysbysebion yn cynnwys munudau allweddol o'r ffilm nad ydynt yn eu trefn, fel y maent yn ymddangos yn y ffilm, ac nad ydynt yn datgelu gormod o'r plot (caiff rhai rhaghysbysebion eu beirniadu am ddatgelu gormod o fanylion).
- Fel arfer nid yw teitl y ffilm yn cael ei roi ar y sgrin tan ddiwedd y rhaghysbyseb, ac fe'i dilynir yn aml â dyddiad rhyddhau.
- Caiff enwau'r prif sêr eu rhoi ar y sgrin yn gynnar yn y rhaghysbyseb. Mae hyn yn bwysig gan ei fod yn rhoi gwybod i gynulleidfaoedd pwy y gallant ddisgwyl ei weld yn y ffilm. Yn aml, bydd cynulleidfaoedd yn penderfynu a ydynt am weld ffilm ar sail y sêr sydd ynddi'n unig.
- Weithiau bydd enwau'r cyfarwyddwr a/neu'r cynhyrchydd yn cael eu cynnwys, gydag ymadroddion fel 'gan gyfarwyddwr/gwneuthurwyr ...'. Mae hyn yn help i'r gynulleidfa gysylltu'r ffilm sy'n cael ei hyrwyddo â ffilmiau blaenorol llwyddiannus ac adnabyddus.
- Bydd llawer o ffilmiau prif ffrwd yn defnyddio troslais cryf sy'n tynnu'n sylw at bwyntiau allweddol y ffilm.
- Mae testun ar y sgrin yn rhoi gwybodaeth bwysig am y ffilm, yn cynnwys y sêr, y cyfarwyddwr/cynhyrchwyr, llinell hysbysebu, y teitl a'r dyddiad rhyddhau. Sylwch ar arddull y testun hwn ac fel y bydd curiad cerddorol yn gyfeiliant iddo yn aml.
- Mae cerddoriaeth yn hanfodol mewn rhaghysbysebion gan ei bod yn gallu awgrymu *genre*, arddull a phlot y ffilm. Ystyriwch fel y caiff cerddoriaeth ei defnyddio'n glyfar i ddod â holl elfennau'r rhaghysbyseb at ei gilydd.

GWEITHGAREDD 17

1. *Gwyliwch o leiaf bedair rhaghysbyseb ffilm. Dewiswch un ohonynt a lluniwch linell amser o'r munudau allweddol ynddi.*
2. *Gwyliwch bob un o'r pedair rhaghysbyseb eto. Dyfarnwch sêr i bob un (pum seren yw'r radd uchaf) – seiliwch y nifer o sêr a roddwch ar faint o awydd sydd gennych i weld y ffilm ar ôl gwylio'r rhaghysbyseb. Eglurwch eich rhesymau am roi'r sêr.*
3. *Dewiswch un rhaghysbyseb eto. Defnyddiwch y Rhyngrwyd i ddod o hyd i'r poster hyrwyddo sy'n cyfateb i'r rhaghysbyseb yr ydych wedi'i dewis.*
   - *Gwnewch dabl fel yr un isod i ddangos y prif bethau sy'n debyg ac yn wahanol rhwng y poster a'r rhaghysbyseb. Mae rhai syniadau am raghysbyseb y ffilm* I Am Legend *wedi cael eu rhoi yn barod i'ch helpu i fwrw iddi.*
   - *A allwch awgrymu rhesymau am y pethau sy'n debyg ac yn wahanol?*

	Poster	**Rhaghysbyseb**
Sut mae'r sêr/ cymeriadau'n cael eu cynrychioli	Dangosir un ddelwedd o'r brif seren fel y ddelwedd ganolog – mae'r ffilm yn defnyddio 'atyniad' y seren i ddenu cynulleidfaoedd.	Caiff y brif seren ei dangos mewn cyfres o saethiadau gydag actorion eraill – mae'r rhaghysbyseb yn dangos i ni fel y mae'r seren yn rhyngweithio ag eraill a pha fath o gymeriad yw ef/hi.
Y defnydd o	Mae'r poster yn defnyddio ffont seriff ddu glasurol sy'n awgrymu natur ddifrifol a realistig y ffilm – mae hefyd yn ategu'r syniad fod y gair 'Legend' yn rhywbeth crand a chofiadwy.	
Cliwiau *genre*		
Cliwiau naratif		
Cymeriadau a pherthnasoedd		

CD-ROM

Am Ragor!

Rhaghysbysebion

Agorwch y CD yng nghefn y llyfr hwn a chliciwch ar yr eicon isod i agor cyswllt lle gallwch weld enghreifftiau o raghysbysebion ffilmiau.

HTML

Termau allweddol

Teipograffeg Y dewis o ffont (arddull a maint), y dylunio graffig a'r gwaith gosod.

CD-ROM

Am Ragor!

Indiana Jones

Agorwch y CD yng nghefn y llyfr hwn a chliciwch ar yr eicon isod i agor cyswllt at wefan Indiana Jones.

HTML

Gwefannau ffilmiau – y Rhyngrwyd

Mae'r adran hon eisoes wedi tynnu sylw at bwysigrwydd technoleg y Rhyngrwyd wrth farchnata ffilmiau. Mae gan y rhan fwyaf o ffilmiau heddiw eu gwefannau eu hunain gyda 'nodweddion ychwanegol' i ddenu diddordeb cynulleidfaoedd, megis gemau, ffeithiau a manion am y ffilm, manylion cefndir am y sêr a hypergysylltiadau at sylwebaeth y cyfarwyddwr, ac ati.

Mae gwefan Indiana Jones yn ysgogi llawer iawn o ddiddordeb gan fod y ffilmiau wedi bod mor boblogaidd

Mae gwefannau yn gysylltiedig â ffilmiau yn bwysig hefyd i roi gwybodaeth i selogion y ffilmiau. Er enghraifft, mae imdb.com yn un o'r gwefannau sy'n cael y nifer fwyaf o ymweliadau. Os ewch chi i'r wefan, fe welwch y gallwch gael manylion unrhyw ffilm:

- sydd wedi cael ei gwneud
- sy'n cael ei gwneud ar y funud
- y bwriedir ei chynhyrchu yn y dyfodol agos.

Gallwch ymchwilio i actorion, cyfarwyddwyr, cynhyrchwyr ac unrhyw bersonél arall sy'n gysylltiedig â ffilmiau. Mae'n wefan hynod o addysgiadol (ac mae'n anodd troi oddi wrthi).

CD-ROM

Am Ragor!

imdb.com

Agorwch y CD yng nghefn y llyfr hwn a chliciwch ar yr eicon isod i agor cyswllt at imdb.com.

GWEITHGAREDD 18

Mae'r gweithgaredd hwn yn eich annog i ymweld ag imdb.com a defnyddio'r wefan. Pan ddaw'r dudalen gartref i fyny, edrych yn newislen y blwch chwilio a dewiswch y gair 'Teitlau' am ffilm neu 'Enwau' am seren neu gyfarwyddwr, yna teipiwch y teitl neu'r enw yn y blwch nesaf ato i ddechrau'ch chwiliad.

Gallech greu ffeiliau-o-ffeithiau fel dosbarth a gwneud arddangosfa o'r manylion a ganfyddwch.

Mae gan gylchgronau sy'n ymdrin â ffilmiau hefyd eu gwefannau eu hunain sy'n boblogaidd gyda chynulleidfaoedd. Mae cylchgrawn *Empire*, er enghraifft, yn cynnig i ddarllenwyr y cylchgrawn print, a'r rhai nad ydynt yn ddarllenwyr, y cyfle i danysgrifio i empireonline.co.uk. Adolygiad a gaiff ei ddiweddaru'n wythnosol o'r ffilmiau diweddaraf a ryddhawyd, gwobrau a phrosiectau sydd 'ar y gweill' yw'r wefan hon. Mae'n prysur ddod yn fwy poblogaidd na'r cylchgrawn ei hun!

GWEITHGAREDD 19

1. ***Dewiswch ffilm nad yw wedi cael ei rhyddhau ac ewch ati i ddarganfod cymaint â phosibl amdani o'r wefan yr ydych wedi'i dewis. Gofynnwch y cwestiynau canlynol i chi eich hun.***
   - ***Ydy'r safle'n ceisio dylanwadu ar dy farn am y ffilm mewn rhyw ffordd?***
   - ***A oes cysylltiadau rhyngweithiol ar y safle at, er enghraifft, raghysbysebion neu gyfweliadau?***
   - ***A yw'r wefan yn rhoi unrhyw wybodaeth neu glecs am ffilmiau/sêr/cyfarwyddwyr, ac ati, nad ydynt ar gael yn unman arall?***
2. ***Beth yw cryfderau a gwendidau'r wefan?***
3. ***Ewch ati i ymarfer eich sgiliau ymchwilio. Meddyliwch am gyfarwyddwr neu actor. Ewch i imdb.com i chwilio am wybodaeth amdano a gwnewch nodyn o unrhyw wybodaeth newydd a gewch amdano. Gallech gyflwyno'r hyn yr ydych wedi'i ddarganfod ar ffurf cyflwyniad byr i'ch dosbarth, gan gynnwys clipiau o ffilmiau y bu'n gysylltiedig â nhw.***
4. ***Cymharwch eich ymchwil â'r wybodaeth sy'n cael ei rhoi mewn cylchgrawn sy'n ymdrin â ffilmiau. Beth yw'r prif bethau sy'n debyg a'r prif wahaniaethau rhwng y ddau faes cyfryngol hyn sy'n ymdrin â ffilm?***

Dosbarthu

Mae'r dosbarthu yn amrywio o ffilm i ffilm. Ym Mhrydain gall rhai ffilmiau â chyllidebau mawr ddechrau drwy gael eu rhyddhau yn sinemâu mawr Llundain, ac yna fynd ymlaen i gael eu rhyddhau yn gyffredinol ledled y wlad. Bydd ffilmiau sydd â llai o arian y tu cefn iddynt yn ymddangos mewn sinemâu dethol. Ni fydd rhai ffilmiau byth yn cyrraedd y sinema ac maent yn mynd yn 'syth i DVD', un ai am fod eu hansawdd yn cael ei hystyried yn wael, neu am nad oes arian ar gael i'w hyrwyddo.

Nid yw gwario symiau enfawr o arian ar wneud a hyrwyddo ffilm y disgwylir iddi fod yn flocbyster yn warant o lwyddiant. Cafwyd llawer o ffilmiau costus aflwyddiannus – er enghraifft, cymerodd y beirniaid yn erbyn *Waterworld* (1995), gyda Kevin Costner yn y brif ran, y dywedir ei bod wedi costio dros $150 miliwn doler UD, ac ni fu'n llwyddiant ar y dechrau gyda'r cyhoedd (er y credir iddi wneud arian maes o law o ganlyniad i werthiant DVDs ac ati).

Leonardo DiCaprio yn rhoi ei lofnod i gefnogwyr (2007)

Bu llawer o lwyddiannau annisgwyl hefyd. Roedd llwyddiant *Romeo and Juliet* (1996), a gyfarwyddwyd gan Baz Luhrmann, mor annisgwyl fel nad oedd digon o brintiau o'r ffilm ar gael! Daeth un o'i sêr, Leonardo DiCaprio, yn atyniad mawr, gan ymddangos yn fuan wedyn yn y ffilm *Titanic* (1997), a enillodd un Oscar ar ddeg.

Roedd y ffilm Brydeinig *The Full Monty* (1997) yn llwyddiant annisgwyl am reswm arall. Roedd yn ffilm ar gyllideb fach, felly prin oedd yr arian a wariwyd ar gyhoeddusrwydd a chyfyngedig oedd y dosbarthu arni. Bu'n llwyddiant enfawr, yn bennaf am fod y bobl a'i gwelodd yn meddwl ei bod yn ddigri iawn a hefyd yn eu cyffwrdd, a'u bod yn dweud wrth eu ffrindiau am fynd i'w gweld. Cyn bo hir, roedd y ffilm yn llenwi sinemâu ym mhob cwr o Brydain a chafodd lwyddiant yn UDA hefyd.

Dosbarthiadau ffilmiau

Cyn y gall unrhyw ffilm gael ei dangos mewn sinema na'i gwerthu fel fideo neu DVD, rhaid iddi gael ei hasesu gan gorff rheoleiddio i benderfynu pa grŵp oedran y mae'n addas ar ei gyfer. Y BBFC sy'n pennu dosbarthiadau ffilmiau, tra bod OFCOM yn graddio fideos a DVDs. Mae cynllun dosbarthiadau'r BBFC i'w weld isod.

Cyffredinol: addas i bawb.

Ffilm a ryddheir ar fideo sy'n arbennig o addas i blant cyn oed ysgol.

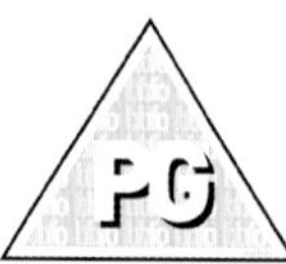

O dan Gyfarwyddyd Rhieni: gall unrhyw un weld y ffilm, ond gallai peth o'r defnydd fod yn anaddas i blant.

Dim ond os ydynt yng nghwmni oedolyn y caiff plant dan 12 weld y ffilm.

Ddim yn addas i bobl dan 15.

Ddim yn addas i bobl dan 18.

Dim ond drwy siop ryw drwyddedig y ceir gwerthu'r fideo.

GWEITHGAREDD 20

Mae llawer o feirniaid a rhieni wedi awgrymu mai trwydded 15 yn hytrach na 12A a ddylai fod wedi cael ei rhoi i'r ffilm **The Dark Knight** *oherwydd yr awgrymiadau o drais ynddi, yn hytrach na thrais gwirioneddol. Un olygfa a achosodd bryder neilltuol oedd pan oedd y* **Joker** *yn dal cyllell yng ngheg dyn, er nad yw'r gynulleidfa'n gweld unrhyw drais yn digwydd o gwbl.*

Pam yn eich barn chi y gallai awgrymu trais gael effaith niweidiol ar rai cynulleidfaoedd?

CD-ROM
Am Ragor!
Podlediad *The Dark Knight*
Agorwch y CD yng nghefn y llyfr hwn a chliciwch ar yr eicon isod i wrando ar bodlediad ar The Dark Knight.

Podlediadau ffilm

Ffeiliau sain neu ffeiliau clyweled yw podlediadau sy'n cael eu dosbarthu drwy lwytho i lawr neu ffrydio i chwaraewyr MP3 symudol neu gyfrifiaduron personol. Mae cysylltiadau at y podlediad i'w gweld fel arfer ar wefan y podlediad, ac yn aml gallwch eu llwytho i lawr am ddim.

Mae podlediadau'n dod yn fwy a mwy perthnasol ym myd y ffilmiau. Yn ogystal â phodlediadau ailddarlledu sianelau, megis iPlayer y BBC, sy'n cynnig y cyfle i ddefnyddwyr weld ffilmiau y maent heb eu gweld ar y teledu, mae cwmnïau dosbarthu ffilmiau weithiau'n defnyddio podlediadau fel ffordd o hyrwyddo ffilmiau newydd, darparu cyfweliadau gyda'r sêr a chynnig ffordd i selogion byd y ffilmiau ymateb i ffilmiau newydd.

Yn ogystal, a chan fanteisio ar boblogrwydd cylchgronau adolygu ffilmiau fel *Empire* a rhaglenni adolygu ar y teledu, mae diddordeb cynyddol mewn podlediadau sy'n adolygu ffilmiau. Mae iPlayer y BBC, er enghraifft, yn darlledu podlediad adolygu yn ei adran ar y Celfyddydau, y Cyfryngau a Diwylliant, er mai'r enghraifft fwyaf poblogaidd yw podlediad adolygiadau ffilm Mark Kermode a Simon Mayo. Yn wreiddiol roedd yn cael ei ddarlledu ar Radio 5 Live. Gallwch lawrlwytho'r podlediad yn rhad ac am ddim ac mae'n dal i ddenu nifer cynyddol o blith ystod eang o ddefnyddwyr.

GWEITHGAREDD 21

Cliciwch ar gyswllt podlediad adolygiadau ffilm Mark Kermode a Simon Mayo ar Radio 5, ar y CD-ROM, a gwrandewch ar y drafodaeth.

1. *Mewn grŵp bach, trafodwch y prif ffilmiau sy'n cael eu hadolygu yn y podlediad. Pa ffactorau yn eich barn chi y mae Mark Kermode yn chwilio amdanynt mewn ffilm dda? Pa ffactorau sy'n ei wneud yn feirniadol o ffilm?*
2. *Gan weithio gyda phartner, dewiswch ddwy ffilm – un y mae'r ddau ohonoch wrth eich bodd â hi, ac un nad ydych yn meddwl cymaint ohoni. Recordiwch eich hunain yn trafod y ffilmiau, fel pe baech yn creu podlediad newydd, a rhowch resymau am eich barn, gan ategu'ch pwyntiau gyda chyfeiriadau at ffilmiau eraill hefyd.*
3. *Rhannwch eich recordiadau fel dosbarth, a chynigiwch awgrymiadau i bob darpar bodledwr ar ffyrdd o wella ansawdd/hiwmor/eglurder y podlediad.*

CD-ROM
Am Ragor!
Podlediadau ffilm
Agorwch y CD yng nghefn y llyfr hwn a chliciwch ar yr eicon isod i agor cyswllt at wefan podlediad adolygiadau ffilm Mark Kermode a Simon Mayo ar Radio 5 y BBC.

ASTUDIAETH ACHOS

FFILM A CHYFRYNGAU CYDGYFEIRIOL

Mae'r astudiaeth achos hon yn ystyried y diwydiant ffilm o safbwynt agweddau cyfryngol cydgyfeiriol.

Nwyddau masnachol

Mae ffilmiau weithiau'n defnyddio teganau hyrwyddo, dyfeisiau, dillad, cytundebau masnachfreintiau gyda chwmnïau bwyd ac ati i'w helpu i farchnata eu hunain. Weithiau gallwn berchenogi ffilm, gwisgo ffilm, mynd â'n beiros i'r ysgol yng nghas pensiliau'r ffilm a hyd yn oed *fwyta'r* ffilm! Er enghraifft, mae gan McDonald's gytundeb yn aml gyda Disney lle byddant yn talu i Disney am yr hawl i rannu teganau bach sy'n gysylltiedig â ffilmiau gyda'u 'Happy Meals'. Drwy wneud hynny, maent yn gwneud y prydau'n fwy deniadol ac yn gwerthu mwy ohonynt. O ganlyniad, mae McDonald's a Disney yn elwa o'r trefniant.

Mae pobl wedi honni bod gwerthiant nwyddau masnachol Harry Potter ar draws y byd wedi gwneud bron cymaint o arian i J.K. Rowling â gwerthiant y llyfrau eu hunain. Mae Harry Potter wedi dod yn enw byd-eang – diolch, yn rhannol, i ymgyrch farchnata ryngwladol lwyddiannus.

Hysbysebion

Mae ymweld â'r sinema yn brofiad pleserus ar sawl lefel. Nid yn unig yr ydym yn cael y cyfle i wylio ffilmiau y buom yn disgwyl yn eiddgar amdanynt ar sgrin enfawr gyda sain amgylchol, gan eistedd mewn sedd gyfforddus (sydd â braich arbennig i ddal diod swigod fawr!), ond gallwn hefyd weld yr hysbysebion drudfawr diweddaraf – yn aml, cawn weld fersiwn arbennig ar gyfer y sinema – yn ogystal â'r 'ffilmiau sydd ar fin cael eu rhyddhau' (rhaghysysebion).

Pan fydd diwydiannau'r cyfryngau yn ffurfio perthynas â'i gilydd (er enghraifft, y diwydiannau hysbysebu a ffilm), a lle mae'r naill ddiwydiant yn cynnig rhywbeth i'r llall, mae hyn yn cael ei alw'n synergedd cyfryngol. Mae hysbysebwyr yn talu dosbarthwyr ffilmiau i hysbysebu'u cynnyrch cyn i'w ffilmiau gael eu dangos ac, o ganlyniad, mae yna ragor o arian ar gyfer gwneud ffilmiau.

Cylchgronau

Mae gan gylchgronau sy'n ymdrin â ffilmiau hefyd berthynas o fewn y diwydiant â dosbarthwyr ffilmiau (enghraifft arall o synergedd cyfryngol). Y dosbarthwyr sy'n gyfrifol am farchnata ffilm a hefyd am bennu'r dyddiad rhyddhau. Maent yn prynu gofod mewn cylchgronau ffilm i helpu i hyrwyddo'u ffilm ac, yn eu tro, mae'r cylchgronau'n gwerthu mwy o gopïau oherwydd eu bod yn cynnig 'gwybodaeth o'r tu fewn' am y ffilmiau sydd ar fin ymddangos. Weithiau gall hyn olygu bod cylchgronau'n argraffu dau glawr blaen gwahanol er mwyn hyrwyddo'r gwerthiant yn fwy fyth. Er enghraifft, ddiwedd 2006, roedd *Narnia: The Lion, the Witch and the Wardrobe* i fod i gael ei rhyddhau ar 8 Rhagfyr, tra oedd *King Kong* i fod i gael ei rhyddhau ar 15 Rhagfyr. Cyhoeddodd cylchgrawn *Empire* un fersiwn o rifyn mis Rhagfyr gyda llew ar y clawr, a fersiwn arall gyda gorila.

Mae'r LLINELL HYSBYSEBU yn defnyddio'r GEIRIAU BACHOG '*amazing*' a '*special edition*' i wneud i'r gynulleidfa deimlo ei bod yn cael rhywbeth unigryw a gwerthfawr. Mae'r ymadrodd '*sci-fi*' yn sefyll allan mewn glas i sefydlu cyswllt rhwng y rhifyn cyfan a *genre* ffuglen wyddonol.

Mae'r BLOC TEITL mewn ffont coch DI-SERIFF ar gefndir glas sy'n awgrymu technoleg a gwrywdod. Mae'r llinell hysbysebu uwchlaw hefyd yn cysylltu'r bloc teitl â *genre* ffuglen wyddonol.

Clawr nodweddiadol cylchgrawn *Empire*

Mae'r WEFAN yn ei gwneud yn bosibl i'r gynulleidfa gysylltu â'r cwmni cyhoeddi a gweld rhagor o fanylion am y cylchgrawn ar-lein.

Mae'r geiriau '*Meet the new Spock and Kirk*' yn debyg i orchymyn. Bydd selogion y ffilmiau yn adnabod enwau'r cymeriadau fel Capten a Phrif Swyddog y llong ofod enwog *Enterprise*.

Mae'r DDELWEDD GANOLOG yn defnyddio DULL CYFARCH UNIONGYRCHOL heriol wrth i'r ddau actor edrych yn syth ar y darllenydd, yn eu priod rannau.

Mae teitl y ffilm yn gweithredu fel testun ANGORI i'r ddelwedd ganolog, sy'n dibynnu ar FLAEN-WYBODAETH y gynulleidfa o'r fasnachfraint ffilm a theledu enfawr.

Mae arweiniad Blu-Ray arbennig yn pwysleisio bod y cylchgrawn ar flaen y gad ym maes technoleg ffilm a ffilmiau o safon.

Mae cyfres o eitemau HYSBYSRWYDD yn cael eu defnyddio i roi gwybodaeth i'r darllenwyr am erthyglau yn ymwneud â meysydd ffilm allweddol: yr hyn sy'n digwydd y tu ôl i'r llenni, adolygiadau a pholau.

★ASTUDIAETH ACHOS★
GWEITHGAREDD

Edrychwch ar y tudalennau ffilm mewn nifer o gylchgronau. Gallai'r rhain gynnwys Empire, Total Film, Total DVD, Heat, *cylchgrawn y* Guardian Weekend, *ac ati. Trafodwch sut mae ffilmiau'n cael eu marchnata yn y cylchgronau hyn. Efallai yr hoffech ystyried y meysydd canlynol:*

- *Faint o dudalennau sydd yn y cylchgrawn?*
- *Pwy yw cynulleidfa darged debygol y cylchgrawn?*
- *Faint o dudalennau sy'n cael eu neilltuo i ffilm?*
- *I faint o ffilmiau y mae lle'n cael ei roi yn y cylchgrawn?*
- *Dewiswch un neu ddwy ffilm sydd i'w gweld yn y rhan fwyaf, os nad pob un, o'r cylchgronau. Cymharwch ymatebion gwahanol yr adolygwyr i bob ffilm.*
- *Dewiswch eich hoff adolygiad o un o'r cylchgronau. Archwiliwch ei arddull a'r technegau y mae'n eu defnyddio i apelio at ei ddarllenwyr.*

Beth ydych chi wedi'i ddysgu?

Yn y bennod hon, rydych wedi dysgu am:

Testunau

- Ymchwilio i naratifau
- Ymchwilio i bosteri a rhaghysbysebion a'u cymharu
- Archwilio gwefannau
- Edrych ar gyfansoddiad cloriau cylchgronau ffilm

Iaith y cyfryngau

Genre

- Y ffordd y mae *genres* ffilm yn defnyddio nodweddion clir fel bod cynulleidfaoedd yn gallu adnabod y math o ffilm a sefydlu cyswllt â'r ffilm
- Sut mae is-*genres* a thraws-*genres* yn datblygu
- Astudiaeth achos *genre* – ffuglen wyddonol. Y ffordd y mae *genres* yn datblygu dros amser
- Sut mae cynnwys dealltwriaeth o *genre* mewn gwaith cwrs

Naratif

- Sut mae naratifau llinellol yn cael eu trefnu
- Sut mae naratifau aflinellol yn defnyddio tanseiliadau
- Pwysigrwydd mathau o gymeriadau a'u swyddogaeth mewn naratifau
- Pwysigrwydd lleoli'r gynulleidfa mewn naratifau

Cynrychioliadau

- Y ffordd y mae cynrychioliadau yn arwain at stereoteipio
- Sut mae modd categoreiddio gwahanol grwpiau cymdeithasol drwy gynrychioliadau
- Cynrychioli menywod mewn ffuglen wyddonol
- Cynrychioli materion cymdeithasol a digwyddiadau mewn ffuglen wyddonol

Cynulleidfaoedd

- Meddwl am gynulleidfaoedd targed
- Ystyried yr apêl i'r gynulleidfa
- Archwilio ymatebion ac anghenion y gynulleidfa
- Trafod effeithiau dosbarthiadau ffilm ar gynulleidfaoedd

Materion trefniadaeth

- Technoleg ffilm mewn perthynas â gwneud ffilmiau, eu marchnata a'u gwylio
- Dyddiadau allweddol y diwydiant ffilm
- Hyrwyddo ffilm, gan edrych yn arbennig ar bosteri, rhaghysbysebion a gwefannau

Cyfryngau cydgyfeiriol

- Natur gydgyfeiriol ffilm, yn cynnwys:
  - marchnata a dosbarthu
  - hysbysebu
  - cylchgronau
  - y Rhyngrwyd
  - teledu

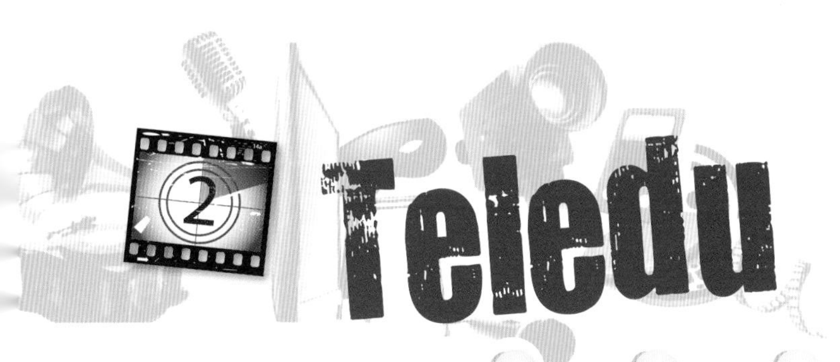

Eich dysgu chi

Yn y bennod hon byddwch yn dysgu am:

- hanes teledu – darlledu gwasanaeth cyhoeddus a masnachol
- cynyrchiadau teledu
- rheoleiddio sianelau teledu a rhaglenni
- hunaniaeth sianel
- ymchwilio i ddilyniannau agoriadol
- *genres* teledu a'u hapêl i gynulleidfaoedd
- natur gydgyfeiriol y teledu

1. *Cadwch ddyddiadur teledu am rai dyddiau (dim mwy nag wythnos). Nodwch:*
   - *pryd yr ydych yn gwylio ac am faint o amser*
   - *pa raglenni yr ydych yn gwneud ymdrech i'w gweld*
   - *ymhle yr ydych chi'n gwylio*
   - *a ydych yn gwylio ar eich pen eich hun ynteu efo pobl eraill.*

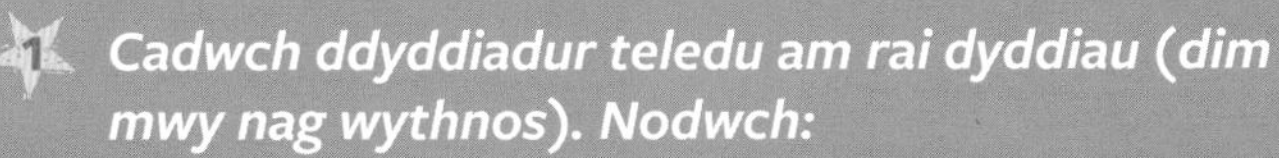

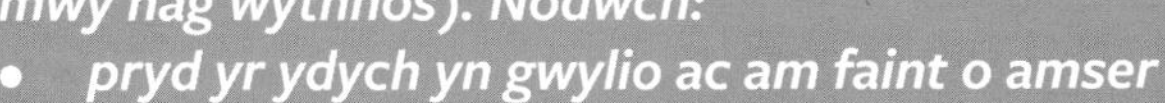

2. *Beth fyddech chi'n gweld ei eisau fwyaf pe bai rhaid i chi dreulio tri mis heb deledu:*
   - *rhaglenni neilltuol neu fathau o raglenni*
   - *sylw i ddigwyddiadau arbennig*
   - *sianelau arbennig?*

3. *Ydych chi'n credu bod cael mynediad at y Rhyngrwyd yn golygu nad oes angen teledu? Beth yw prif atyniadau'r naill a'r llall?*

Teledu – hanes byr a chyflwyniad

Drwy Weithgaredd 1, beth ddysgoch chi am eich arferion gwylio? Mae'r rhan fwyaf o raglenni'n denu cynulleidfaoedd eithaf penodol, a bydd llawer o'r rhaglenni yr ydych yn eu gwylio yn cael eu hanelu atoch chi, y **gynulleidfa darged**. Mae ffactorau eraill yn dylanwadu ar y rhaglenni eraill yr ydych yn eu gwylio. Er enghraifft, efallai nad oes gennych gymaint o ddewis ynglŷn â beth i'w wylio os ydych yn gwylio'r teledu gyda'ch teulu. Pwy sy'n rheoli'r teclyn rheoli o bell yn eich tŷ chi?

Termau allweddol

Cynulleidfa darged
Grŵp penodol o bobl y mae pob testun cyfryngol yn cael ei anelu ato.

Os ydych yn gwylio testun cyfryngol fel rhaglen deledu gan ganolbwyntio a sylwi arni, mae hynny'n cael ei alw'n brif ddefnydd. Os ydych yn gwneud rhywbeth arall (er enghraifft, gwaith cartref) tra mae'r teledu ymlaen, caiff hynny ei alw'n ddefnydd *eilaidd*.

Gwylio eilaidd

GWEITHGAREDD 2

1. *Trafodwch ganlyniadau eich dyddiadur teledu (o Weithgaredd 1) gyda rhai o'ch cyd-ddisgyblion. Mae'n bosibl iawn y bydd llawer o'ch casgliadau'n debyg, ond bydd yn ddiddorol hefyd trafod y gwahaniaethau.*
2. *Cynhaliwch arolwg dosbarth i ganfod pa sianelau yr ydych yn eu gwylio amlaf.*
3. *Dylai pob person ddewis ei dair hoff sianel o blith y sianelau isod a dyfarnu tri marc i'w ddewis cyntaf, dau i'r ail ac un i'r trydydd. Yna, adiwch farciau'r dosbarth i bob sianel.*
4.
   - *BBC1*
   - *Five*
   - *MTV*
   - *BBC2*
   - *Sky One*
   - *Film Four*
   - *ITV1*
   - *Sianelau Sky Sports*
   - *E4*
   - *Channel 4/S4C*
5. *Logo pa sianel yw'r gorau gennych, a pham?*

Oeddech chi'n ei chael hi'n anodd dychmygu bywyd heb deledu? Mae'n bosibl iawn fod gennych sawl set deledu yn eich cartref, yn cynnwys un yn eich llofft! Bydd eich dyddiadur teledu eisoes wedi dangos pa mor aml yr ydych yn troi at y teledu i gael adloniant cyfryngol.

Lai na thrigain mlynedd yn ôl, roedd yn anarferol i deulu fod yn berchen ar hyd yn oed un set ddu a gwyn, 20cm o led – a dim ond un sianel y gallai ei darlledu! I gael syniad clir o'r prif ddatblygiadau yn hanes y teledu, edrychwch ar y llinell amser ar y dudalen nesaf.

Mae teledu yn llai na 100 mlwydd oed

Llinell amser teledu y DU

1922: Darllediad radio cyntaf y BBC

1927: Caiff Philo Farnsworth y clod am ddyfeisio'r 'tiwb sganio teledu', er iddo gael y syniad gyntaf yn 1921 pan nad oedd ond 14 oed

1936: Darllediad teledu cyntaf y BBC – darlledu gwasanaeth cyhoeddus yn cael ei gyllido drwy ffi'r drwydded

1939–1945: Yr Ail Ryfel Byd – cafodd teledu ei atal. Roedd cynulleidfaoedd yn clywed newyddion dros y radio a thrwy ffilmiau newyddion y BBC

1953: Coroni Elisabeth II. Y gynulleidfa deledu dorfol gyntaf. Gwerthwyd nifer aruthrol o setiau teledu (ar hurbwrcas yn aml)

1955: Darlledu ITV am y tro cyntaf – darlledu masnachol drwy refeniw hysbysebu

1964: Darlledu BBC2 am y tro cyntaf

1967: Darlledu teledu lliw am y tro cyntaf

1982: Darlledu S4C/C4 am y tro cyntaf

1989: Darlledu teledu lloeren am y tro cyntaf

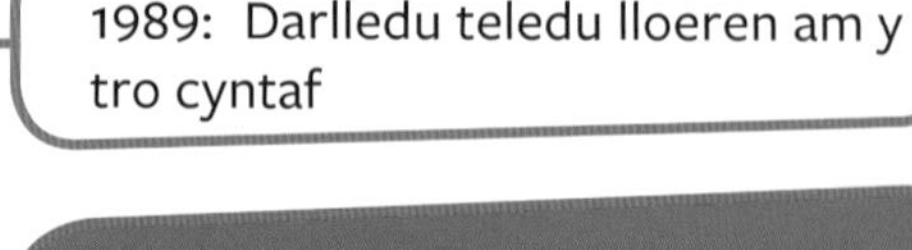

1997: Darlledu C5 am y tro cyntaf

1999: Y darlledu digidol cyntaf

2000+: Technoleg wylio sgriniau fflat, plasma a manylder uwch (HD – *High Definition*)

2002: Cyflwyno blychau gwylio digidol am ddim am y tro cyntaf

Erbyn 2012: Darlledu digidol yn unig – dim signal analog mwyach

Termau allweddol

Darlledwr gwasanaeth cyhoeddus Sianel sy'n cael ei hariannu gan ffi drwydded y mae'n rhaid iddi ddarparu dewis o raglenni i apelio at bob grŵp cymdeithasol, er enghraifft, BBC1.

Siarter y BBC Y caniatâd swyddogol gan y llywodraeth i'r BBC godi ffi'r drwydded yn gyfnewid am raglenni o safon.

CD-ROM

Am Ragor!

Podlediad Stephen Fry

Agorwch y CD yng nghefn y llyfr hwn a chliciwch ar yr eicon isod i agor cyswllt at bodlediadau Stephen Fry. Gwrandewch ar Bennod 4, Darlledu, lle mae'n trafod y BBC.

HTML

Pan ddechreuodd y BBC ddarlledu rhaglenni radio gyntaf yn yr 1920au, a theledu yn yr 1930au, **darlledwr gwasanaeth cyhoeddus** ydoedd. Mae hynny'n golygu, yn gyfnewid am dalu ffi drwydded, y bydd y BBC yn darparu gwasanaeth rhaglenni i wylwyr. Yn ôl **Siarter y BBC**, mae'r rhain yn addo 'rhoi gwybodaeth, addysgu a difyrru' ac apelio at y gynulleidfa ehangaf bosibl. Gelwir hyn yn gylch *gwaith gwasanaeth cyhoeddus*.

Pan ddechreuodd ITV ddarlledu rhaglenni teledu yn yr 1950au, roedd yn gwneud hynny fel **darlledwr masnachol** annibynnol. Mae hysbysebwyr yn talu arian i sianelau teledu annibynnol am slotiau amser y maent yn eu defnyddio i hysbysebu eu cynnyrch. Mae slotiau amser o'r fath yn amrywio mewn pris yn dibynnu pa un a ydynt yn ystod yr **oriau brig** (6.00 p.m. tan 10.30 p.m.) neu beidio.

GWEITHGAREDD 3

1. *Edrychwch ar yr amserlenni teledu ar gyfer unrhyw ddiwrnod o'r wythnos mewn cylchgrawn sy'n rhestru'r rhaglenni teledu. Cyfrifwch faint o raglenni ar BBC1 a BBC2 sy'n rhoi gwybodaeth, yn addysgol a/neu yn adloniadol. (Efallai y byddwch am edrych ar y wybodaeth am y Theori Defnyddiau a Boddhad ar dudalen 76 cyn mynd i'r afael â'r gweithgaredd hwn.)*
2. *Nawr edrychwch ar y rhaglenni ar y sianelau masnachol a restrwyd yng Ngweithgaredd 2 yn ystod yr oriau brig. Allwch chi nodi unrhyw fathau o raglenni sy'n neilltuol o boblogaidd?*
3. *Trafodwch fel dosbarth neu mewn grwpiau bach pa un a ddylid caniatáu i'r BBC barhau i godi ffi drwydded ai peidio. Defnyddiwch y wybodaeth o'r gweithgaredd hwn ac o'r arolwg dosbarth. Dechreuwch drwy edrych yn ôl ar eich amserlenni a cheisiwch ganfod pa raglenni y mae'r BBC yn eu cynnig sy'n wahanol i'r sianelau masnachol. Efallai hefyd y byddwch am gyfweld eich athrawon a'u holi am eu barn nhw am y BBC.*

Beth yn eich barn chi fyddai'n digwydd i'r dewisiadau gwylio pe bai pob sianel yn cael ei hariannu gan gyllid hysbysebu? Mae hysbysebwyr yn fwyaf awyddus i brynu slotiau amser yn ystod neu o gwmpas rhaglenni oriau brig, pan fydd y rhan fwyaf o bobl yn gwylio. Mae hyn yn rhoi pwysau ar sianelau darlledu masnachol i gynhyrchu mwy a mwy o'r mathau o raglenni sydd fwyaf poblogaidd. Beth yw effeithiau posibl hyn?

Cynyrchiadau teledu

Mae rhaglenni teledu yn cael eu gwneud un ai'n uniongyrchol gan gwmnïau teledu neu'n cael eu comisiynu oddi wrth gwmnïau annibynnol llai. Mae pob swyddogaeth sy'n rhan o greu rhaglen deledu yn bwysig – yn amrywio o'r swyddogaethau **cyn-cynhyrchu** drwodd i'r **cynhyrchu** a'r **ôl-gynhyrchu**. Edrychwch ar y rhestr o rai o'r swyddogaethau allweddol sydd i'w gweld ar y dudalen nesaf – pa rai yn eich barn chi yw'r rhai pwysicaf? Fe welwch restr fwy manwl ar y CD-ROM.

Termau allweddol

Darlledwr masnachol Sianel sy'n cael ei hariannu drwy arian hysbysebion, er enghraifft, ITV.

Oriau brig Yr oriau rhwng 6.00 p.m. a 10.30 p.m. pan fydd y rhan fwyaf o bobl yn gwylio'r teledu fel bod y ffigurau gwylio ar eu huchaf.

Termau allweddol

Cyn-cynhyrchu Gweithgareddau ar ddechrau'r broses gynhyrchu, e.e. syniadau, ceisiadau am gyllid, stori-fyrddau, ysgrifennu sgriptiau, cynllunio a dylunio, adeiladu setiau, castio ac ymarferiadau.

Cynhyrchu Saethu ar setiau pwrpasol neu mewn lleoliadau allanol.

Ôl-gynhyrchu Gweithgareddau ar ddiwedd y broses gynhyrchu, e.e. golygu, dybio sain, credydau, marchnata a hyrwyddo, grwpiau ffocws, rhaghysbysebion, erthyglau a nodweddion.

Swyddogaethau allweddol wrth gynhyrchu rhaglenni

Cynhyrchydd Gweithredol

yn trefnu'r cyllid ac yn goruchwylio'r project cyfan, yn cynnwys y penderfyniadau golygyddol.

Cynhyrchydd/Cyfarwyddwr

yn gyfrifol am baratoi a saethu pob golygfa.

Ymchwilydd

er enghraifft, yn sicrhau bod holl fanylion y lleoliad, y setiau, y celfi a'r gwisgoedd yn briodol a chywir ar gyfer arddull a chyfnod amser y rhaglen.

Ysgrifennydd Sgriptiau

yn ysgrifennu'r sgript ar gyfer y rhaglen; gallai hynny fod o syniad gwreiddiol neu'n addasiad.

Dyn/Merch Camera

yn gyfrifol am baratoi pob saethiad mewn golygfa. Gallai hyn olygu gweithio gyda gweithwyr camera eraill ar dechnegau megis saethiad gwrthsaethiad.

Golygydd

yn mynd â'r 'darnau crai o ffilm' sydd wedi'u saethu bob dydd ac yn eu golygu'n ddilyniant o olygfeydd sy'n adrodd y stori. Gall hyn hefyd olygu cynnwys cerddoriaeth, pylu a thoddi.

Cynorthwyydd Cynhyrchu

yn gofalu am y gwaith gweinyddol i gyd, yn cynnwys sgriptiau a threfn y rhaglen.

Actorion/Perfformwyr

yn creu cymeriadau credadwy. Gall llwyddiant rhaglen ddibynnu ar werthfawrogiad cynulleidfaoedd o berfformiadau'r actorion – yn aml, dyna nodwedd fwyaf cofiadwy rhaglen. Mae hyn yn wir hefyd am gyflwynwyr. Mae'r rhaglenni mwyaf llwyddiannus yn golygu enwogrwydd (a chodiadau cyflog!) i'r prif actorion neu gyflwynwyr.

Mae'r swyddogaethau uchod i gyd yn bwysig ar wahanol adegau ac mewn gwahanol ffyrdd. Yn y pen draw, y perfformiad o flaen y camera sy'n denu a chadw cynulleidfaoedd, ond er mwyn i'r perfformiadau hynny sefyll allan, rhaid i'r tîm y tu ôl i'r camera fod wedi gwneud eu tasgau arbenigol nhw yn gyntaf. Mae cynhyrchiad teledu yn dasg gymhleth ac mae cynllunio yn gwbl hanfodol. Fodd bynnag, nid oes modd rhagweld rhai pethau, ni waeth pa mor dda yw'r cynllun.

Pethau sy'n gallu mynd o le

- Yn aml, mae angen saethu golygfeydd nifer o weithiau i 'gael popeth yn iawn' o flaen y camera – edrychwch ar y rhaglenni hynny sy'n dangos enghreifftiau lle nad yw'r actorion a'r cyflwynwyr wedi cael pethau'n iawn.
- Cynulleidfaoedd byw: does dim modd rhagweld beth y bydd gwesteion a chynulleidfaoedd yn ei wneud, ac mae angen rheoli nifer mawr o bobl.
- Y tywydd: rhaid canslo neu ohirio rhai rhaglenni os nad yw'r tywydd yn ateb y gofynion yn union.
- Caiff *Eastenders* ei ffilmio dri mis ymlaen llaw ond mae i fod i edrych fel pe bai wedi cael ei ffilmio heddiw. Mae hyn yn anodd pan fydd y tymhorau'n newid dros y cyfnod hwnnw!
- Salwch neu sgandal: gallai cymeriad neu gyflwynydd allweddol fod yn rhy sâl i ymddangos neu fod yn rhan o ryw sgandal cyhoeddus.
- Mae angen sgìl a gwaith tîm i oresgyn problemau cynhyrchu wrth iddynt godi. Er enghraifft, yn *Doctor Who*, cafodd ffrwydriad Vesuvius yn Pompeii yn 79 OC ei ffilmio yn 2008 yn Ne Cymru!

Cafodd y golygfeydd grymus o'r Ail Ryfel Byd yn Dunkirk, yn y ffilm *Atonement* (2007) eu ffilmio yn Redcar ar arfordir gogledd-ddwyreiniol Lloegr

Rheoleiddio'r teledu

Pan fyddwch yn astudio unrhyw un o ddiwydiannau'r cyfryngau, mae wastad yn bwysig ystyried sut mae'r diwydiant yn cael ei reoleiddio er mwyn amddiffyn cynulleidfaoedd rhag deunydd a allai dramgwyddo neu fod yn niweidiol.

GWEITHGAREDD 4

Sut mae darlledwyr teledu yn ceisio amddiffyn cynulleidfaoedd rhag gweld deunydd niweidiol? Gwnewch restr o'r holl ffyrdd y gallwch feddwl amdanynt a ddefnyddir gan ddarlledwyr i geisio gwneud hyn. Er enghraifft, amserlennu rhaglen ar ôl 9 p.m. neu gyhoeddi rhybuddion am ddelweddau annymunol ar ddechrau rhaglen.

Y corff rheoleiddio, Ofcom, sy'n gyfrifol am sicrhau bod cynulleidfaoedd teledu a radio yn cael eu hamddiffyn o safbwynt chwaeth, gwedduster, tegwch, preifatrwydd ac ati. Os bydd Ofcom yn penderfynu nad yw rhaglen yn cynnal y safonau hyn, gall fynnu un ai fod rhaglen yn cael ei chanslo neu fod rhybudd yn cael ei roi ar ddechrau'r rhaglen.

Y grŵp mwyaf agored i niwed yn yr ystyr y gallai cynnwys rhaglenni effeithio arnynt yw plant ifanc. Mae gorsafoedd teledu daearol yn defnyddio'r **trothwy** amser i roi cyfle i rieni i sicrhau nad yw eu plant yn gweld deunydd ar gyfer oedolion, megis iaith gref neu drais. Ydych chi'n meddwl bod darlledwyr weithiau'n achub mantais o ran y cytundeb trothwy amser?

Un broblem sy'n wynebu Ofcom yw sut mae rheoleiddio rhaglenni teledu sy'n cael eu gwylio'n gynyddol dros y Rhyngrwyd. Nid oes unrhyw reoleiddio clir ar raglenni sy'n cael eu **llwytho i lawr**, ac mae hyn yn golygu bod cyfle i gynulleidfaoedd, plant yn arbennig, weld rhaglenni a fyddai fel arfer yn cael eu sensro gan Ofcom.

Termau allweddol

Trothwy amser Cytundeb rhwng sianelau daearol i beidio â dangos deunydd cignoeth tan ar ôl 9 p.m.

Llwytho i lawr Unrhyw ffeil sydd ar gael ar weinyddwr pell i gael ei llwytho i lawr i gyfrifiadur cartref. Mae YouTube yn enghraifft o wefan rhannu ffeiliau.

8.00 Holby City
Change of Heart. The desecration of his wife's grave leaves Linden deeply upset. Jac, meanwhile, probes Joseph for news from South Africa, before a turn for the worse sees her rushed into theatre.

Michael Spence	**Hari Dhillon**	Maddy Young	**Nadine Lewington**
Jac Naylor	**Rosie Marcel**	Donna Jackson	**Jaye Jacobs**
Mark Williams	**Robert Powell**	Daisha Anderson	**Rebecca Grant**
Connie Beauchamp	**Amanda Mealing**	Jayne Grayson	**Stella Gonet**
		Jamie Norton	**Dominic Colchester**
Elliot Hope	**Paul Bradley**	Barry Carter	**Francis Magee**
Joseph Byrne	**Luke Roberts**	India Carter	**Christina Baily**
Linden Cullen	**Duncan Pow**	Liam Harris	**Craig Stein**

Writer David Lawrence; Producer Jane Wallbank
Director Daikin Marsh (S) (AD) 6536
Amanda Mealing answers One Final Question: page 162

9.00 Criminal Justice
RT CHOICE **DRAMA OF THE WEEK**
2/5. Newly arrived in prison, Ben has already but unwittingly made a deadly enemy. Meanwhile his defence team strikes a deal with the prosecution – but it's one that will require him to tell a lie. Continues tomorrow at 9pm.
For cast see Wednesday/Thursday (S) (AD) 6772

8.00 Today at Wimbledon
The ladies' quarter-final action plus a preview of tomorrow's corresponding men's matches.
Repeated tomorrow at 10.30am (S) 4178
Watch again over the next seven days, after 12 midnight, at www.bbc.co.uk/iplayer

9.00 Duncan Bannatyne Takes On Tobacco

DOCUMENTARY OF THE WEEK
Multi-millionaire *Dragons' Den* veteran Duncan Bannatyne, himself a former smoker, travels to Africa to find out why increasing numbers of young people are taking up the habit. There he meets children as young as ten who not only smoke, but try to make their living from selling cigarettes. Having gathered evidence of one British-based firm's extraordinary marketing practices, the uncompromising Scot prepares to confront the company on his return to Britain. Showing in the *This World* documentary strand.
Director Alison Pinkney; Producer Debbie Christie (S) (AD) 7642

Hunaniaeth sianel

Mae pob sianel deledu'n ceisio creu hunaniaeth sianel hawdd ei hadnabod iddi ei hun, fel y bydd yn teimlo'n gyfarwydd i gynulleidfaoedd ac y byddant yn deyrngar iddi. Maent yn creu'r hunaniaeth hon drwy ddefnyddio:

- tameidiau byr o gerddoriaeth
- graffigwaith arbennig sy'n defnyddio logo'r sianel (a elwir yn nodau adnabod ar-sgrin)
- nodau adnabod tymhorol
- mathau arbennig o raglen, yn cynnwys rhaglenni blaenllaw y mae'r sianel yn adnabyddus amdanynt.

Un o gyfresi enwog BBC1 yw *Strictly Come Dancing*

Hunaniaeth BBC1

Y BBC yw'r darlledwr hynaf a mwyaf sefydledig yn y DU. Fel darlledwr gwasanaeth cyhoeddus, mae sianelau'r BBC yn ceisio cyfleu delwedd o safon uchel i'w cynulleidfaoedd, er mwyn iddynt deimlo bod ffi'r drwydded yn werth chweil. Maent yn cyfleu'r ddelwedd hon drwy greu hunaniaeth sianel gref.

Cafodd cyfres ddiweddar o **nodau adnabod** ar-sgrin ar gyfer y BBC ei seilio ar symbol cylch. Yn 2008, dywedodd Peter Fincham, Rheolwr BBC1, 'Mewn marchnad gynyddol gystadleuol, mae angen i sianel fynnu sylw a chredaf mai ein hunaniaeth newydd yw'r union beth y mae ar BBC1 ei angen. Mae'r cylch, sy'n ganolog i'r ymgyrch hon, wedi bod yn gyfarwydd i wylwyr BBC1 dros y blynyddoedd, ond mae'r hyn sydd gennym yma yn fodern, yn edrych tua'r dyfodol ac yn annisgwyl.'

Mae'r nodau adnabod ar-sgrin wedi'u lleoli mewn mannau realistig, bob dydd, ond maent yn dangos pobl neu anifeiliaid yn gwneud pethau anarferol. Mae'r nodau adnabod yn cwmpasu popeth o feiciau modur gorchestol i hipos cydamseredig. Mae'n gynnes a dynamig.

Termau allweddol

Nod adnabod Fel logo, nodwedd o ffilm, cymeriad neu gwmni yr ydych yn ei hadnabod ar unwaith, er enghraifft, dyrnau gwyrdd yr Hulk.

Nodweddion eraill y BBC

- Mae'r BBC yn adnabyddus iawn am rai rhaglenni, fel newyddion a materion cyfoes, rhaglenni dogfen, drama, chwaraeon a rhaglenni plant.
- Mae'r BBC yn hyrwyddo'i hun mewn ffyrdd creadigol. Yn 1997, defnyddiodd y BBC gân Lou Reed, 'Perfect Day', i ddangos fel y mae'r BBC yn hyrwyddo gwahanol fathau o gerddoriaeth. Roedd y clip yn gorffen gyda'r testun ar y sgrin: 'Whatever your musical taste, it is catered for by BBC Radio and Television.'
- Ymysg ei raglenni mwyaf blaenllaw mae *The Evening News, Blue Peter, Doctor Who, Eastenders* ac unrhyw ddramâu cyfnod/clasurol gyda chyllideb fawr.
- Mae'n mynd ati'n arbennig i hyrwyddo rhaglenni o bwys sydd ar fin ymddangos, er enghraifft, Wimbledon, rhaglenni arbennig ar gyfer y Nadolig a hyd yn oed benodau dramatig o raglenni cyfarwydd fel *Eastenders* neu *Doctor Who*.

CD-ROM

Am Ragor!

HYRWYDDIAD *PERFECT DAY* Y BBC

Agorwch y CD yng nghefn y llyfr hwn a chliciwch ar yr eicon isod i agor cyswllt at hyrwyddiad Perfect Day y BBC.

GWEITHGAREDD 5

Archwiliwch wefan y BBC. Mae'n un o'r gwefannau y mae pobl yn ymweld fwyaf â hi ar draws y byd ac mae'n cael ei diweddaru bob munud. Efallai yr hoffech ystyried y canlynol:

- *Pa rai yw'r nodweddion mwyaf trawiadol ar y dudalen?*
- *Beth yw'r brif stori? Os edrychwch chi eto'n ddiweddarach, ydy'r stori wedi newid mewn rhyw ffordd?*
- *Mae sawl nodwedd ryngweithiol ddiddorol ar y wefan. Chwaraewch â rhai ohonynt a rhowch eich barn amdanynt!*
- *Arbrofwch gyda iPlayer a'r ffordd y mae'n gweithio. Pam yn eich barn chi mae hon yn nodwedd dda i'r BBC ei hyrwyddo?*
- *Agorwch gyswllt sy'n ymwneud â radio, er enghraifft, podlediad* 'The Best of Chris Moyles'. *Sut mae'n berthnasol i'r orsaf radio ei hun?*
- *Sgroliwch i waelod y wefan, ac agorwch y cyswllt* 'About The BBC'. *Darllenwch drwy'r wybodaeth – fe welwch ei bod yn ategu'r bennod hon am y teledu yn dda iawn.*
- *Cyflwynwch neu trafodwch eich casgliadau a'ch barn am y wefan.*

Nod adnabod ar Channel 4

Channel 4

Dechreuodd Channel 4 yn 1982 a gwnaeth enw iddi ei hun o'r dechrau am wneud rhaglenni heriol a oedd yn targedu ystod eang o gynulleidfaoedd. Darlledwr masnachol ydyw, ond mae ganddi ddelwedd gwasanaeth cyhoeddus gref. Daeth y logo gwreiddiol, animeiddiedig, a ddefnyddiai dechnoleg gyfrifiadurol gynnar, i gael ei weld fel ymgorfforiad o sianel a oedd yn ailddyfeisio'i hun yn barhaus ac yn herio disgwyliadau ei gwylwyr.

Mae nodau adnabod mwy diweddar ar y sgrin wedi gweld logo Channel 4 yn cael ei greu o wrthrychau anarferol, fel nendyrau, perthi a pheilonau trydan. Gallech geisio creu nod adnabod newydd i Channel 4 neu sianel arall.

Nodweddion eraill Channel 4

Channel 4:

- Channel 4 yw'r unig sianel ddaearol sy'n mynd ati'n fwriadol i dargedu pobl ifanc yn eu harddegau gyda rhaglenni fel *T4* a *The Tube*
- Mae Channel 4 wedi lansio chwaer sianelau sydd â'u hunaniaeth eu hunain:
  - Ar More 4 ceir rhaglenni difrifol
  - Ar E4 ceir rhaglenni ysgafnach a rhaglenni ieuenctid
  - Sianel ar gyfer ffilm yn unig yw Film 4
  - Sianel radio annibynnol yw 4Music
  - Gwasanaeth 'yn ôl y galw' yw 4oD ('4 on demand') sy'n caniatáu i wylwyr weld unrhyw raglenni o'r 30 diwrnod diwethaf.

- Mae Channel 4 yn fwy annibynnol na'r BBC ac mae'n gallu cymryd mwy o risg o ran y deunydd y mae'n ymdrin ag ef, er enghraifft, rhaglenni dogfen dadleuol
- Mae Channel 4 yn darlledu dramâu Americanaidd poblogaidd a gynhyrchir gyda chyllideb fawr, fel *The OC, ER, Entourage, One Tree Hill* a *Brothers and Sisters*
- Lansiodd Channel 4 sianel gerddoriaeth newydd - 4Music - ddydd Gwener, 15 Awst 2008
- Mae'n gwneud ffilmiau ac yn eu cyllido
- Mae ganddi raglenni blaenllaw - *Hollyoaks, Skins, Richard and Judy, Friends, Big Brother, Channel 4 News.*

CD-ROM
Am Ragor!
Gwefan Channel 4
Agorwch y CD yng nghefn y llyfr hwn a chliciwch ar yr eicon isod i agor cyswllt at wefan Channel 4.

Archwiliwch wefan Channel 4. Mae'n wefan sydd yn gwir adlewyrchu hunaniaeth y sianel ei hun. Efallai yr hoffech ystyried y canlynol:

- ***Sut mae'r dudalen yn cael ei threfnu?***
- ***Sut mae cynulleidfaoedd yn cael eu hannog i ryngweithio â'r wefan (a hyd yn oed â Channel 4 ei hun)?***
- ***Sgroliwch i waelod y wefan ac agorwch y cyswllt 'Advertising on 4'. Darllenwch drwy'r wybodaeth hon – beth ydych chi'n ei ddysgu am Channel 4 fel darlledwr masnachol?***
- ***Sgroliwch i waelod y wefan, ac agorwch y cyswllt 'About C4'. Fe welwch fod y wybodaeth yn ategu'r bennod hon am y teledu yn dda iawn.***
- ***Arhoswch yn y cyswllt 'About C4'. O dan y tab 'Useful Links', agorwch y cyswllt '4 Producers', yna cliciwch ar 'Commissioning'. Yma, fe welwch ddeunydd eithriadol o ddiddorol sy'n dweud wrthych sut a pham y mae Channel 4 yn gwneud rhai rhaglenni.***
- ***Cyflwynwch neu trafodwch yr hyn yr ydych wedi'i ddysgu am Channel 4***

Ymchwilio i ddilyniannau agoriadol

Ystyriwch gysyniadau allweddol ***genre*****, naratif** a **chynrychioli** yng nghyd-destun rhaglenni teledu. Mewn llawer o ffyrdd gallem ddweud bod:

- y *genre* yn llywio'r codau/nodweddion allweddol mewn rhaglen deledu
- y naratif yn llywio strwythur a threfniadaeth y rhaglen
- y cynrychioli yn llywio'r negeseuon sy'n cael eu cyfleu i'r gynulleidfa.

Mae ymchwilio i **ddilyniannau agoriadol** rhaglenni teledu yn ffordd dda o feddwl am sut mae rhaglenni drwyddynt draw yn cael eu creu gan gyfleu ystyron i'w cynulleidfaoedd targed. Caiff y dilyniannau eu defnyddio i greu hunaniaeth ac apêl yn y fan a'r lle.

Termau allweddol

Genre Math o destun cyfryngol (rhaglen, ffilm, cerddoriaeth boblogaidd, ac ati) sydd â rhai nodweddion disgwyliedig.

Naratif Stori neu hanes.

Cynrychioli Y ffordd y caiff pobl, lleoedd, digwyddiadau neu syniadau eu cynrychioli neu eu portreadu i gynulleidfaoedd mewn testunau cyfryngol. Weithiau, gwneir hyn mewn ffordd syml iawn drwy stereoteipiau fel bod y gynulleidfa'n gallu gweld beth a olygir ar unwaith, ac weithiau mae'r ystyron yn llai amlwg.

Dilyniant agoriadol (neu ddilyniant teitl) Cyfres o saethiadau a cherddoriaeth neu graffeg sy'n ymddangos ar ddechrau rhaglen neu ffilm.

GWEITHGAREDD 7

Edrychwch ar y ffrâm lonydd o ddilyniant agoriadol Coronation Street. Pa gliwiau y mae'n eu rhoi i chi am y rhaglen? Copïwch a chwblhewch y tabl isod (fe welwch fod rhai enghreifftiau wedi cael eu hychwanegu i'ch helpu i fwrw iddi). Os gallwch wylio'r agoriad, gallwch sylwi ar lawer rhagor o bwyntiau!

Beth allwch chi ei weld?	Cliwiau am y rhaglen
Mae'r camera'n dangos nodweddion allweddol yr ardal i ni: y tai teras a'r strydoedd cobls.	Mae'n sefydlu bod y rhaglen wedi'i lleoli mewn ardal draddodiadol gydag ymdeimlad o gymuned.
Teitl y rhaglen.	Mae Coronation Street yn cael ei ysgrifennu mewn ffont gwyn, traddodiadol i bwysleisio natur draddodiadol y rhaglen.

Drwy edrych ar ddim ond fframiau llonydd dilyniant agoriadol, gallwch ddechrau sylwi ar nodweddion *genre*, naratif a chynrychioli.

Genres a chynulleidfaoedd teledu

GWEITHGAREDD 8

1. *Gwyliwch amrywiaeth o ddilyniannau agoriadol. Archwiliwch beth sy'n cael ei awgrymu wrth gynulleidfaoedd drwy ddelweddau gweledol a'r trac sain. Ystyriwch:*
   - *y cliwiau sy'n awgrymu genre y rhaglen*
   - *sut mae lleoliad ac amser yn cael eu sefydlu*
   - *sut mae grwpiau o bobl yn cael eu cynrychioli, os cânt eu cynrychioli o gwbl*
   - *sut mae'r trac sain yn rhoi cliwiau am gynnwys y rhaglen*
   - *sut mae unrhyw waith llythrennu yn dangos arddull y rhaglen.*

2. Lluniwch fwrdd stori o ddilyniant agoriadol rhaglen newyddion neu faterion cyfoes sydd wedi'i lleoli yn eich ardal leol (trowch at dudalennau 106-107 os oes angen help arnoch i greu bwrdd stori). Meddyliwch am yr holl nodweddion yr oeddech yn chwilio amdanynt yn y dilyniannau yr ydych wedi'u gwylio. Efallai yr hoffech feddwl am:
   - *y mathau o faterion a digwyddiadau y byddai gan wylwyr lleol ddiddordeb ynddynt*
   - *cyflwynydd y rhaglen*
   - *arddull yr adroddiadau*
   - *cerddoriaeth a graffeg sy'n adlewyrchu arddull y rhaglen*
   - *rôl trigolion lleol.*

GWEITHGAREDD 9

1. *Edrychwch ar amserlen teledu ddyddiol mewn papur newydd. Canolbwyntiwch ar BBC1, BBC2, ITV1, S4C a Five. Rhestrwch bob genre y gallwch ddod o hyd iddo, er enghraifft, comedi sefyllfa a newyddion. Gwnewch nodyn o faint o bob un y gallwch ddod o hyd iddo. Trafodwch y genres sy'n fwyaf poblogaidd gyda phobl ifanc yn eu harddegau.*

2. *Mewn grwpiau bach, meddyliwch am raglen deledu newydd wedi'i hanelu at bobl ifanc yn eu harddegau, gyda phobl ifanc yn eu harddegau yn ymddangos ynddi. Gwnewch nodyn o'r* **genre** *y bydd y rhaglen yn perthyn iddo a phryd y caiff ei darlledu. Ychwanegwch unrhyw fanylion pwysig eraill, fel beth fydd yn digwydd a phwy fydd yn ymddangos yn y rhaglen. Os ydych yn dymuno, gallech ddatblygu syniad am raglen newyddion/materion cyfoes o'r gweithgaredd blaenorol.*

3. *Cyflwynwch eich syniadau i weddill y dosbarth a gwrandewch ar syniadau grwpiau eraill.*

4. *Meddyliwch am yr holl syniadau sydd wedi cael eu rhoi gerbron. Beth oedd yr elfennau amlycaf a oedd yn debyg ac yn wahanol rhyngddynt? A oedd unrhyw genres neilltuol o boblogaidd o raglenni? Pam mae hynny, tybed?*

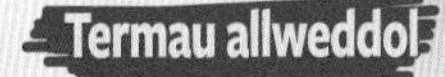

Bwrdd stori Mae'n dangos munudau allweddol stori gan ddefnyddio delweddau a nodiadau – gweler yr enghraifft ar dudalen 107.

Awgrym yr arholwr

Rhowch eich bwrdd stori o Weithgaredd 8 mewn plygell. Gallai gael ei gynnwys ym mhlygell derfynol eich Asesiad dan Reolaeth fel gwaith cynllunio.

Awgrym yr arholwr

Mae Gweithgaredd 9 yn enghraifft dda o ymchwil gweithredol. Gallwch ddefnyddio'ch casgliadau mewn nifer o ffyrdd ar gyfer plygell eich Asesiad dan Reolaeth. Mae hefyd yn ymarferiad da i ymarfer ar gyfer yr Asesu Allanol pan fydd rhaid i chi drafod y pynciau cyfryngol o'ch dewis chi mewn ffyrdd gwahanol.

Amserlennu

Mae'n siŵr y byddwch yn sylwi bod rhai *genres* teledu yn fwy poblogaidd nag eraill, a bod y rhain yn aml yn cael eu hamserlennu yn ystod yr oriau brig. Mae amserlennu yn strategaeth bwysig y mae darlledwyr yn ei defnyddio i annog cynifer â phosibl o bobl i wylio'u sianel. Ymysg y technegau a ddefnyddir i wneud hyn mae:

- *Rhyngosod* – rhaglennu rhaglen newydd neu raglen lai poblogaidd rhwng dwy raglen boblogaidd iawn sy'n denu cynulleidfa fawr. Y syniad yw y bydd y gwylwyr yn dal i wylio'r rhaglen newydd ar ôl i'r rhaglen gyntaf orffen gan y byddant yn disgwyl am y drydedd raglen beth bynnag.
- *Rhagatseinio* – mae rhaglenni sy'n denu cynulleidfa fawr yn aml yn cael eu hysbysebu ddiwrnodau ymlaen llaw ac yn gynnar ar y diwrnod darlledu. Gwneir hyn i greu ymdeimlad o gyffro a disgwyliadau mewn cynulleidfa a hefyd i ddenu cynulleidfaoedd newydd.
- *Pennu thema* – cynnal diwrnodau thema, neu wythnosau thema, fel 'Wythnos Siarcod'.
- *Pentyrru* – grwpio rhaglenni sydd ag apêl debyg gyda'i gilydd er mwyn 'ysgubo'r' gwyliwr yn ei flaen o un rhaglen i'r nesaf.
- *Pontio* – pan fydd sianel yn ceisio atal y gynulleidfa rhag newid sianelau ar yr awr neu'r hanner awr. Gellir gwneud hyn drwy:
  - fod â rhaglen ar ei hanner yn barod a bod rhywbeth o ddiddordeb mawr yn digwydd ar y 'pwynt newid'
  - gadael rhaglen i redeg yn hwyr fel bod pobl yn 'tin-droi' ac yn colli dechrau rhaglenni eraill
  - hysbysebu'r rhaglen nesaf yn ystod credydau'r un flaenorol.

E4

8.00 Friends
Series seven. Rachel bumps into an old college friend. (S) (AD)
8.30 Chandler turns to Joey and Ross for some much-needed help. (S)
9.00 Scrubs
New. 9/11; series seven. *My Dumb Luck* The board attempts to force Dr Kelso into retirement and JD and Turk try to show up Dr Cox when he is unable to diagnose a patient. (S)
www.radiotimes.com/scrubs
9.30 My Name Is Earl
9/22; series three. *Randy in Charge* Earl creates a sketch to deter kids from a life of crime. (S) (AD)

Y Theori Defnyddiau a Boddhad

Caiff rhaglenni teledu eu cynhyrchu gan dimau o bobl sy'n gwneud **ymchwil marchnata** helaeth i ganfod beth mae gwahanol gynulleidfaoedd am ei weld ar y teledu. Maent yn ymwybodol fod cynulleidfaoedd yn defnyddio'r cyfryngau i ateb anghenion neu ofynion penodol. Trafododd Blumler a Katz alw o'r fath gan y gynulleidfa yn 1974 yn eu theori am Ddefnyddiau a Boddhad (gweler tudalen 76). Yn gryno, maent yn awgrymu mai dyma anghenion cynulleidfaoedd:

- cael GWYBODAETH a chael eu HADDYSGU am y byd
- UNIAETHU â chymeriadau a sefyllfaoedd
- cael eu DIFYRRU
- defnyddio'r cyfryngau fel testun siarad ar gyfer RHYNGWEITHIO CYMDEITHASOL
- DIANC rhag eu bywydau bob dydd.

Termau allweddol

Ymchwil marchnata
Darganfod beth mae cynulleidfaoedd yn ei hoffi, neu ddim yn ei hoffi, am agweddau o'r cyfryngau drwy gyfweliadau, arolygon a grwpiau ffocws.

1. *Edrychwch eto ar amserlen deledu. A allwch nodi unrhyw dechnegau amserlennu amlwg? Er enghraifft, a allwch weld unrhyw sianelau sy'n defnyddio'r dechneg rhyngosod?*
2. *Nawr, cymhwyswch y theori Defnyddiau a Boddhad i'r rhaglenni a'r genres teledu yr ydych newydd eu nodi. Bydd hyn yn help i chi weld pa rai o anghenion y gynulleidfa sy'n cael eu hateb gan bob genre. Rhowch eich atebion am bob rhaglen deledu yr ydych wedi'i dewis mewn tabl fel yr un isod, gan ychwanegu ticiau fel sy'n briodol.*

	Gwybodaeth	Uniaethu	Difyrru	Rhyngweithio Cymdeithasol	Dianc
Defnyddiau					
Boddhad					

Drama deledu

Mae drama deledu yn *genre* teledu hynod o boblogaidd, yn denu cynulleidfaoedd eang am fod cynifer o ddramâu gwahanol i ddewis o'u plith o ran arddull a chynnwys. Gan ei fod yn *genre* mor fawr, da o beth yw ei rannu ymhellach yn **is-*genres*** megis drama dditectif, drama feddygol a drama ddogfen, er mwyn edrych arno'n fanylach.

Termau allweddol

Is-*genre* Gellir rhannu *genres* ymhellach yn is-*genres*, er enghraifft, mae comedïau i bobl yn eu harddegau yn is-*genre* o gomedi (gweler Pennod 1: Ffilm am ragor o fanylion).

Drama deledu

Drama dditectif

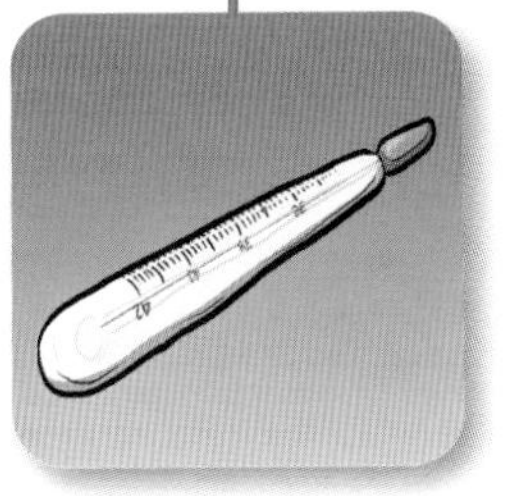
Drama feddygol

Drama ddogfen

Mae *Desperate Housewives* yn ddrama deledu boblogaidd iawn

1. *Gwyliwch ddilyniannau agoriadol amryw o ddramâu teledu.*

2. *Cwblhewch gopi o'r diagram isod i ddangos confensiynau neu nodweddion is-genre nodweddiadol pob un. Mae un wedi cael ei wneud yn barod. Efallai y bydd angen i chi ychwanegu rhagor o freichiau neu flychau.*

Drama deledu

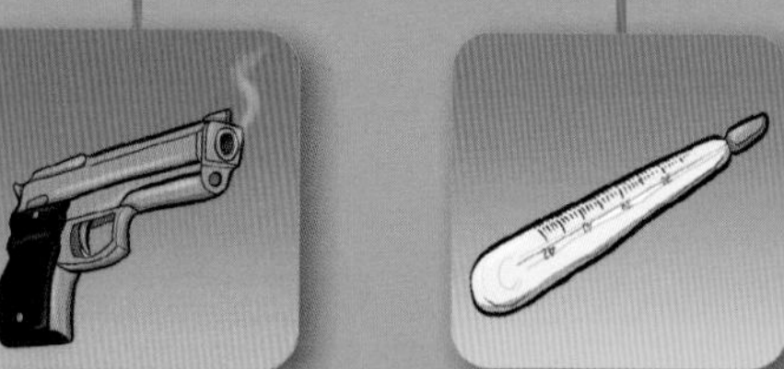

Drama dditectif **Drama feddygol** **Drama ddogfen**

3. *Pa argraffiadau eraill gewch chi o'r dilyniannau agoriadol? Ceisiwch ychwanegu rhagor o nodiadau ar eich diagram am unrhyw un o'r meysydd canlynol: cerddoriaeth, delweddau trawiadol, testun ar y sgrin.*

4. *Trafodwch gyda phartner pa storïau sy'n cael eu hawgrymu gan yr agoriadau. Pa gliwiau sy'n dweud wrthych pa fath o storïau fydd yn bwysig yn y rhaglen? Sylwch ar y mannau lle mae'r camera'n treulio mwy o amser, gan roi pwyslais ar rai eiliadau a chymeriadau neilltuol a'u hanes.*

Dihiryn yn *Coronation Street*

Gwaith camera

Mae rhai mathau o saethiadau camera yn cael eu defnyddio'n aml mewn drama deledu. Y nod yw rhoi'r argraff fod y gynulleidfa un ai 'yno' yn yr olygfa drwy saethiadau safbwynt neu eu bod yn 'gwylio' drwy ddefnyddio llawer o saethiadau agos a saethiadau drwy ffenestri neu ddrysau. (Efallai yr hoffech edrych ar yr adran ar gynnwys y gynulleidfa ar dudalen 11 ym Mhennod 1: Ffilm.)

Cymeriadau

Mae cymeriadau canolog y gall y gynulleidfa ddod i'w hadnabod yn dda yn gwbl hanfodol i ddrama deledu. Gall y rhain chwarae rhannau penodol yn y stori, er enghraifft arwyr, dihirod a chynorthwywyr (gweler tudalen 103). Fodd bynnag, yn aml, mae cymeriadau realistig yn fwy anodd eu categoreiddio'n fathau o gymeriadau, gan nad yw pobl yn tueddu i fod yn arwyr nac yn ddihirod mewn byd go iawn!

Chwaraewch gêm gyda phartner. (Neu, gallech wneud hwn yn weithgaredd dosbarth cyfan gyda rowndiau ac enillydd terfynol.)

1. *Rhaid i bob person ddewis dau gymeriad o wahanol gyfresi dramâu teledu cyfarwydd.*
2. *Meddyliwch am dair ffaith am bob un o'r cymeriadau a rhowch nhw i'ch partner fel cliwiau, gan ddechrau gyda'r un anoddaf ei ddyfalu. Rhaid i'ch partner ddyfalu pwy yw'r cymeriadau yr ydych wedi'u dewis. Rhowch 5 pwynt am ddyfalu gyda dim ond un cliw, 3 am ddyfalu gyda dau gliw ac 1 am ddyfalu gyda thri chliw.*

Gall dadansoddi cymeriadau hoelio ein sylw ar un neu ragor o'r meysydd pwysig canlynol:

- rôl y cymeriad yn y ddrama
- ei berthynas â chymeriadau eraill
- sut mae'r actor yn dod â'r cymeriad yn fyw:
  - y defnydd o'r llais neu acen
  - symudiadau ac ystum
  - grym emosiynol i ennyn perthynas â'r gynulleidfa.
- effaith y cymeriad ar gynulleidfaoedd dros gyfnod hir o amser.

Fel arfer gall y gynulleidfa adnabod dau brif fath o gymeriadau mewn drama – y rhai sy'n llai pwysig ac yno mewn rhannau 'llenwi', a'r rhai y mae'r prif naratif yn troi o'u cwmpas. Er enghraifft, mewn drama feddygol dim ond am ran o un rhaglen y mae'r cleifion yn cael eu dangos, tra bo staff yr ysbyty i'w gweld o un wythnos i'r llall. Nid yw'r cymeriadau llai pwysig wedi cael eu datblygu i'r un graddau ac yn aml maent yn fwy o **stereoteipiau** na'r **prif gymeriadau**.

Mae cymeriadau mewn operâu sebon yn dod yn gyfarwydd iawn i'w cynulleidfaoedd

Lleoliad

Mae lleoliad drama deledu yn bwysig i sefydlu ymdeimlad o le go iawn lle gall y stori ddigwydd. Mae'n bosibl iawn y bydd llawer o nodweddion rhanbarthol i'w gweld, tirnodau efallai ac acen, gwisg ac arferion lleol y bobl sy'n byw yno.

Cwmderi - lleoliad yr opera sebon *Pobol y Cwm*

Termau allweddol

Stereoteipio Grwpio pobl ynghyd yn ôl nodweddion syml y maent yn eu rhannu, heb ganiatáu ar gyfer elfennau unigryw unigolion.

Prif gymeriadau Y cymeriadau allweddol y mae'r testun a'r naratif yn troi o'u cwmpas.

Caiff y nodweddion hyn eu cynnwys i annog teimlad cryf o berthyn i fyd y ddrama, y cymeriadau a'u bywydau. Weithiau mae selogion dramâu teledu yn ysgrifennu at eu hoff gymeriadau, gan anghofio mai actorion sy'n chwarae'r rhannau ac nad ydynt yn bod mewn gwirionedd!

Un o nodweddion pwysicaf dramâu teledu yw eu bod yn creu bydoedd realistig y gall cynulleidfaoedd gredu ynddynt.

Operâu sebon

Mae opera sebon yn un o'r is-*genres* drama mwyaf poblogaidd ar y teledu. Mae iddi ei set ei hunan o gonfensiynau, i gyd wedi'u bwriadu i wneud i'r gwylwyr gredu bod byd y rhaglen yn bodoli mewn gwirionedd.

Opera sebon *The Archers* yw'r opera sebon a fu'n darlledu hiraf ar y radio. Cafodd ei darlledu gyntaf yn 1950

Dechreuodd operâu sebon fel dramâu cyfresol, ar y radio i ddechrau ac yn ddiweddarach ar y teledu, y talwyd amdanynt gan wneuthurwyr powdr golchi. Daeth yn amlwg bod y gynulleidfa ar gyfer operâu sebon yn ystod y dydd – gwragedd tŷ a oedd gartref yn ystod y dydd – hefyd yn mwynhau dramâu wedi'u lleoli mewn wardiau ysbyty a meddygfeydd. Cyn bo hir ymddangosodd operâu sebon yn ystod yr oriau brig. Ymysg yr enghreifftiau cynnar roedd *The Archers* ar Radio 4 a *Coronation Street* ar ITV, a ddaeth yn boblogaidd yn yr 1960au ac sy'n dal i apelio heddiw.

Ymysg operâu sebon diweddar y DU mae *Eastenders*, a ddechreuodd ddarlledu ar BBC1 yn 1985, a *Hollyoaks* ar Channel 4, a ddechreuodd yn 1995. Mae *Desperate Housewives* ac *Ugly Betty* ar Channel 4 yn ddramâu Americanaidd poblogaidd sydd hefyd â dilyniant mawr.

Mae *Ugly Betty* yn boblogaidd gyda chynulleidfaoedd yn eu harddegau

GWEITHGAREDD 13

Ewch ati i ddarganfod mwy am operâu sebon. Ymchwiliwch i'r operâu sebon pwysicaf a mwyaf poblogaidd a sut maent wedi datblygu ers iddynt gael eu darlledu gyntaf. Ceisiwch ddarganfod am bob cyfres:

- ***pryd y dechreuodd y gyfres***
- ***ble mae wedi'i lleoli***
- ***ym mha ffyrdd mae'r gyfres wedi newid dros y blynyddoedd.***

Mae i operâu sebon **naratif aml-linynnol** yn aml lle ceir mwy nag un stori mewn un bennod. Mae'r naratif pwysicaf mewn unrhyw bennod yn gweithredu fel stori min dibyn fel arfer i gynnal diddordeb y gynulleidfa tan y bennod nesaf. Mae'r naratifau hyn yn cydblethu neu'n gwau drwy ei gilydd, ac mae'n bosibl tynnu siart arbennig a elwir yn **draws-blot** i'w gwneud hi'n haws ymchwilio i sut mae'r naratif yn gweithio a pha gymeriadau sy'n cael y mwyaf o amser ar y sgrin.

Termau allweddol

Naratif aml-linynnol Pan fydd drama deledu yn dilyn mwy nag un stori a hefyd yn eu cydgysylltu neu'n eu cydblethu.

Traws-blot Ffordd o ddilyn hynt gwahanol storïau drwy un bennod o gyfres ddrama deledu.

Defnyddiwch y siart isod i'ch helpu i greu'ch traws-blot eich hun o bennod o'ch hoff opera sebon. Daw'r traws-blot sydd wedi'i amlinellu o bennod ddychmygol o opera sebon wedi'i lleoli yng Nghaerdydd.

1. *Dechreuwch drwy wylio'r bennod a gwneud rhestr o'r holl olygfeydd ynddi a beth sy'n digwydd ynddynt. Gallai'n hawdd fod mwy na 15 ynddi.*
2. *Tynnwch siart fel yr un isod sy'n cynnwys y prif gymeriadau a rhwng tair a phump o'r storïau pwysicaf yn y blychau ar y chwith. Gwnewch golofn ar gyfer pob golygfa.*
3. *Rhowch X ym mhob golygfa lle mae cymeriad o stori neilltuol yn ymddangos.*
4. *Os oes cymeriad yn ymddangos yn fyr mewn golygfa/stori arall hefyd, rhowch seren fach (*) yn yr olygfa honno.*

Y Bae 17/09/2009	Golygfa 1	Golygfa 2	Golygfa 3	Golygfa 4	Golygfa 5	Golygfa 6	Golygfa 7	Golygfa 8	Golygfa 9	Golygfa 10
STORI 1 – James Burgess Y tocynnau rygbi	✗		✗	*		✗		✗		✗
STORI 2 – Carys a Chris Y gamddealltwriaeth			✗		✗		✗		✗	
STORI 3 – Mrs Hendrikson Bygythiad am fom yn adeilad y Cynulliad		✗	*	✗					*	

Nawr, a chithau wedi creu eich traws-blot eich hun, gallwch ymchwilio i'r ffyrdd a ddefnyddiwyd i gydblethu'r storïau, a sut mae rhai storïau yn hawlio'r prif sylw yn y bennod.

- Beth ydych chi wedi sylwi arno am rediad ac amlder y golygfeydd tuag at ddiwedd y bennod?
- Ar ba stori y mae'r bennod yn gorffen?
- Pam mae rhai cymeriadau'n ymddangos mewn mwy nag un stori?

Nodweddion eraill pwysig i edrych amdanynt wrth ymchwilio i opera sebon yw:

- ymdeimlad cryf o realaeth yn y lleoliad a'r naws
- gwahaniaeth rhwng y cymeriadau sefydlog, rheolaidd (fel arfer trigolion y dref/ardal/fro) a'r cymeriadau ymweld nad ydynt yno ond am un neu ddwy bennod (ymwelwyr â'r lleoliad canolog fel arfer, yn ogystal â ffrindiau, perthnasau a 'chariadon' y trigolion)
- setiau sydd wedi cael eu cynllunio'n ofalus fel eu bod mor gredadwy â phosibl; mae'r celfi ac ymddygiad y bobl ynddynt wedi cael eu dylunio fel eu bod yn argyhoeddi'r gynulleidfa eu bod yn bodoli mewn gwirionedd
- man cwrdd canolog lle gall y cymeriadau ddod ynghyd a rhyngweithio
- penodau sy'n dilyn patrwm diwrnod arferol, h.y. bore tan nos.

Awgrym yr arholwr

Gallai Gweithgaredd 15 fod yn ddarn ymchwilio rhagorol yn yr Asesiad dan Reolaeth.

1. ***Gallech yn awr wylio dwy opera sebon Brydeinig wahanol, a cheisio rhestru cynifer â phosibl o'r nodweddion uchod.***
2. ***Os oes gennych amser, gallech hefyd wylio un opera sebon Brydeinig boblogaidd ac un opera sebon neu ddrama Americanaidd. Wedyn, cymharwch y storïau, y cymeriadau a'r lleoliadau. Ceisiwch feddwl am resymau i egluro'r prif wahaniaethau rhyngddynt.***

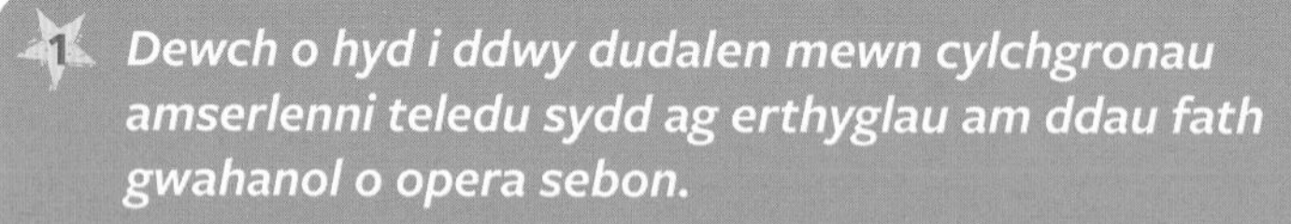

1. ***Dewch o hyd i ddwy dudalen mewn cylchgronau amserlenni teledu sydd ag erthyglau am ddau fath gwahanol o opera sebon.***
2. ***Gludwch nhw ar bapur A3 a labelwch nhw, gan dynnu sylw at eu holl nodweddion amlwg a sut y gwnaed i'r dramâu ymddangos yn ddiddorol ac atyniadol, e.e. drwy ganolbwyntio ar y datblygiadau dramatig yn hanes cymeriadau rheolaidd fel bod y gwylwyr yn awyddus i wybod beth sy'n digwydd iddynt.***

Rhaglenni ffordd o fyw

Bu cynnydd enfawr yn y nifer o raglenni ffordd o fyw dros yr 20 mlynedd diwethaf, ac yn fwy diweddar mae sianelau lloeren ffordd o fyw wedi bod ar gael – sianelau fel Discovery, Lifestyle ac UKTV Food nad ydynt yn dangos dim ond rhaglenni ffordd o fyw.

Gallech ddisgrifio rhaglen ffordd o fyw fel un sy'n canolbwyntio ar bethau'n ymwneud â'r cartref, yr ardd, bwyd a theulu. Maent yn boblogaidd gydag ystod o gynulleidfaoedd, yn enwedig ers yr 1990au cynnar. Mae'r rhaglenni hyn yn tueddu i gael eu hanelu at bobl sy'n berchen ar eu cartref, ond mae gwneuthurwyr rhaglenni yn dal i geisio'u gwneud yn atyniadol i bobl ifanc yn eu harddegau hefyd.

Mae gan y rhan fwyaf o sianelau daearol eu rhaglenni bwyd eu hunain, a thra bod rhaglenni DIY yn cael eu darlledu yn ystod y dydd fel arfer, caiff rhaglenni bwyd eu darlledu'n aml yn yr oriau brig gan eu bod yn denu nifer mawr o wylwyr.

Yn wreiddiol, câi rhaglenni bwyd eu targedu at 'wragedd tŷ gartref', ac mae llawer yn dal i apelio'n bennaf at wylwyr benyw sydd yn draddodiadol wedi cael eu gweld fel y rhai sy'n paratoi bwyd. Ond, yn fwy diweddar, bu cymaint o gynnydd yn y nifer o gogyddion enwog gwryw fel bod gwylwyr gwryw wedi dechrau cymryd mwy o ddiddordeb mewn coginio. Ac mae'r nifer o fechgyn sy'n dilyn cyrsiau TGAU Technoleg Bwyd wedi cynyddu dros 30 y cant yn ddiweddar.

GWEITHGAREDD 17

1. ***Efallai eich bod yn gyfarwydd â rhai o leiaf o'r rhaglenni bwyd isod. Rhestrwch y rhai sy'n gyfarwydd i chi. Rhowch nhw yn eu trefn, gan ddechrau gyda'r un yr ydych yn ei mwynhau fwyaf. Eglurwch pam mae rhai ohonynt yn fwy cyfarwydd i chi nag eraill.***
   - **Masterchef**
   - **Ramsay's Kitchen Nightmares**
   - **Nigella Express**
   - **The F Word**
   - **Saturday Kitchen**
   - **Delia**
   - **Jamie at Home**
   - **Hell's Kitchen**
   - **Ready, Steady, Cook**

2. ***Nid yw rhaglenni ffordd o fyw yn cael eu targedu at bobl ifanc yn eu harddegau yn aml. Er hynny, nid diffyg diddordeb ymysg pobl ifanc yn eu teulu, y byd o'u cwmpas na'r bwyd y maent yn ei fwyta sydd i gyfrif am hynny! Amlinellwch eich rhaglen ffordd o fyw eich hun – rhaglen y credwch y byddai'n apelio at gynulleidfa yn yr arddegau. Meddyliwch am agweddau canlynol y rhaglen:***
   - ***y cyflwynydd***
   - ***y prif feysydd y byddech yn canolbwyntio arnynt***
   - ***y gerddoriaeth a'r gwesteion***
   - ***y sianel a'r amserlennu***
   - ***y gwerthoedd cynhyrchu – a yw'r rhaglenni hyn yn ddrud i'w gwneud?***

TELEDU

ASTUDIAETH ACHOS

GWEFANNAU TELEDU

Mae'r astudiaeth achos hon yn ystyried gwefannau teledu o safbwynt agweddau cyfryngol cydgyfeiriol. Mae'r Rhyngrwyd wedi effeithio'n fawr ar deledu ac mae'n enghraifft dda o gyfryngau'n cydgyfeirio. Yn yr un ffordd ag y mae gan gylchgronau a phapurau newydd eu gwefannau rhyngweithiol eu hunain, mae gan sianelau teledu a hyd yn oed raglenni teledu eu gwefannau eu hunain sy'n llawn ffeithiau ychwanegol, gwybodaeth a gemau rhyngweithiol.

Skins

Mae'r bennod hon eisoes wedi edrych yn weddol fanwl ar wefannau'r BBC a C4, ond mae gan y rhan fwyaf o raglenni unigol hefyd eu gwefannau eu hunain.

★ASTUDIAETH ACHOS★
GWEITHGAREDD A

Edrychwch ar y wybodaeth isod ar wefan Skins. Yna, gan ddewis un ai wefan Skins neu wefan rhaglen arall, archwiliwch hi. Cyflwynwch eich casgliadau, gan egluro sut mae'r wefan yn cynnig cyswllt â'r rhaglen ac eto'n cynnig rhywbeth gwahanol hefyd.

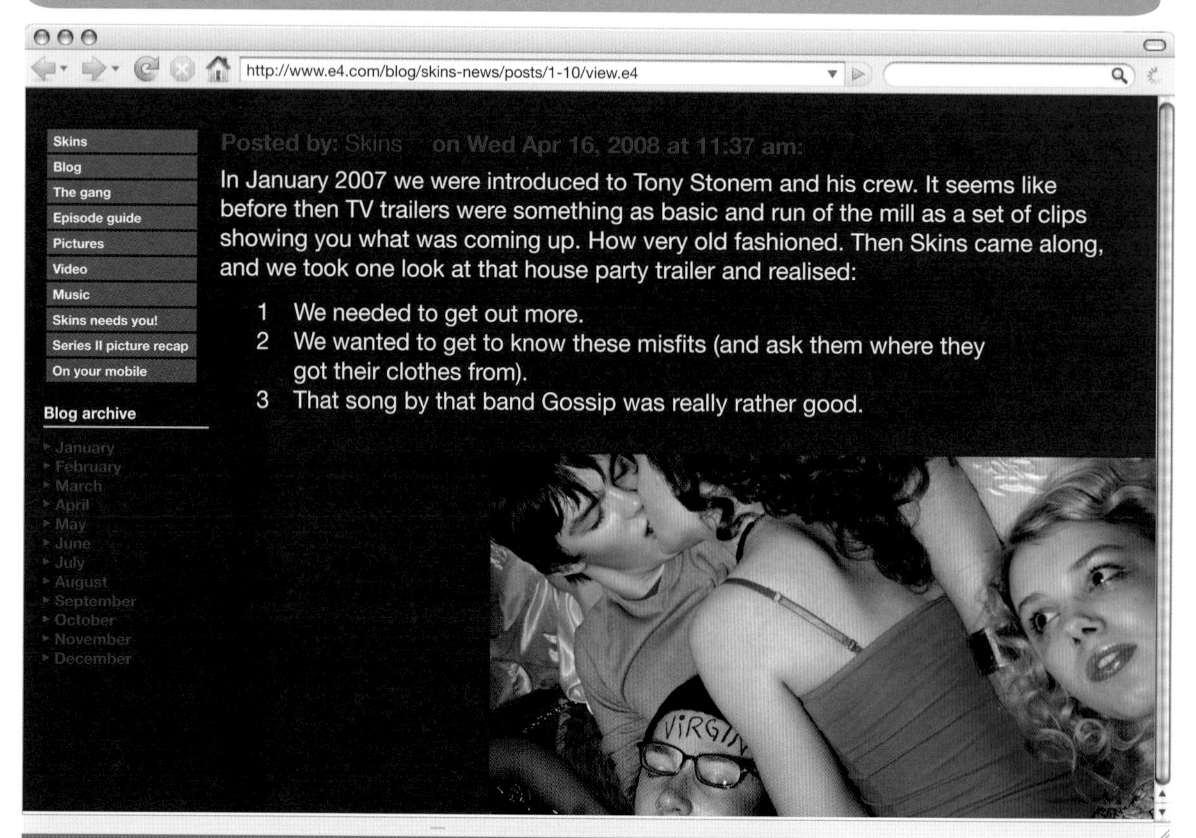

Mae *Skins* wedi bod yn llwyddiant mawr, fel drama deledu ac fel gwefan

Big Brother

Pa un a ydych wrth eich bodd â'r rhaglen ynteu yn ei chasáu, mae pawb wedi clywed am y rhaglen teledu realiti *Big Brother*. Mae'n cael ei darlledu ar Channel 4, ynghyd â chwaer raglenni ar E4, ac mae wedi helpu i wneud teledu realiti yn un o *genres* teledu mwyaf poblogaidd yr 21ain ganrif.

Poblogrwydd *Big Brother*

Rhwng mis Mai a mis Medi 2008, roedd *Big Brother* 9 yn cael ei ddarlledu bob diwrnod i 5 miliwn o wylwyr ar gyfartaledd. Câi'r nifer hwnnw ei ystyried yn siomedig o'i gymharu â chynulleidfaoedd y blynyddoedd cynt. Serch hynny, mae *Big Brother* wedi profi'n atyniad di-ffael i Channel 4 ac Endemol (y cwmni cynhyrchu) ers nifer o flynyddoedd, ac mae'n rhan o hunaniaeth Channel 4, yn cyfuno llygad gyda logo Channel 4.

Dechreuodd y rhaglen teledu realiti yn 2000 a hon oedd y gyntaf o'i bath o ran y *genre* teledu realiti. Ers hynny, mae'r rhaglen wedi cael ei darlledu bob haf gyda'i fformiwla syml o grŵp o bobl 'gyffredin' sydd wedi cael eu taflu ynghyd yn nhŷ *Big Brother* yn cwblhau tasgau ac yn erfyn am gymeradwyaeth y cyhoedd. Caiff yr aelodau lleiaf poblogaidd eu pleidleisio allan bob nos Wener, yn ystod 'rhaglen troi allan'.

Mae Tim Hincks, swyddog gweithredol Endemol yn y DU, yn cyfeirio at y rhaglen fel 'bancer' i'r sianel, 'yn union fel y mae Wimbledon neu *EastEnders* i'r BBC'.

Cyfryngau cydgyfeiriol yn *Big Brother*

Rhan o apêl *Big Brother* yw'r defnydd effeithiol o gydgyfeirio i roi cyhoeddusrwydd i'r rhaglen. Mae'n darlledu partner raglenni ochr yn ochr â'r brif raglen ar C4 – *'Big Brother's Little Brother', 'Big Brother's Big Mouth', 'Diary Room Uncut'* a *'Big Brother's Big Ears'*, sydd i gyd yn cael eu darlledu ar E4. Y bwriad gyda'r rhain oedd targedu cynulleidfa iau gan eu bod yn fwy 'garw' a dadleuol, ac maent yn cael eu darlledu ar ôl y trothwy amser yn aml.

Gwefan *Big Brother*

Mae *Big Brother* yn cynnal gwefan lwyddiannus trwy gydol cyfnod darlledu'r rhaglen. Pan ddechreuodd y rhaglen yn 2000, roedd gwefan *Big Brother* i gyfrif am 99.8 y cant o'r holl draffig ac roedd dros 2 filiwn o ymwelwyr yn edrych arni, un o bob pump o syrffwyr cartref y DU (yn ôl y cwmni ymchwil Net Value).

Heddiw, mae'r wefan yn rhyngweithiol iawn ac mae'n gwahodd sylwadau a barn y defnyddwyr. Mae'n cynnwys cymysgedd o sylwadau sain bachog, clipiau fideo ac adroddiadau newyddion ar ffurf testun am y rhai sydd yn y tŷ, yn ogystal â chysylltiadau â rhaglenni eraill o eiddo Channel 4 a gemau rhyngweithiol.

Ewch i wefan Big Brother*. Pa nodwedd ohoni yw'r un fwyaf diddorol yn eich barn chi?*

Beth ydych chi wedi'i ddysgu?

Yn y bennod hon, rydych wedi dysgu am:

Testunau

- Ymchwilio i agoriadau
- Ymchwilio i naratifau
- Edrych ar gyfansoddiad dramâu, operâu sebon a rhaglenni ffordd o fyw

Iaith y cyfryngau

Genre

- Y ffordd y mae *genres* teledu yn defnyddio nodweddion clir fel bod cynulleidfaoedd yn gallu eu categoreiddio a sefydlu cyswllt â nhw
- Sut mae is-*genres* a thraws-*genres* yn datblygu
- Astudiaeth achos *genres* – dramâu teledu, operâu sebon a rhaglenni ffordd o fyw
- Astudiaeth achos gydgyfeiriol – *Big Brother*. Sut mae rhaglenni'n datblygu ac yn newid dros amser

Naratif

- Edrych ar gyfansoddiad naratifau teledu
- Sut mae defnyddio traws-blotio i ymchwilio i gyfansoddiad naratif

Cynrychioliadau

- Sut mae gwahanol grwpiau cymdeithasol yn cael eu cynrychioli mewn rhaglenni
- Y ffordd y caiff cymeriadau, lleoliadau a materion eu cynrychioli mewn gwahanol *genres*
- Natur gyfnewidiol cynrychioliadau ar y teledu

Cynulleidfaoedd

- Pwy sy'n gwylio, a phryd
- Ystyried yr apêl i'r gynulleidfa
- Ymchwilio i ymatebion ac anghenion y gynulleidfa

Materion trefniadaeth

- Rheoleiddio'r teledu
- Technoleg teledu mewn perthynas â chynhyrchu a swyddogaethau allweddol wrth wneud rhaglenni
- Darlledu gwasanaeth cyhoeddus a darlledu masnachol
- Technegau amserlennu

Cyfryngau cydgyfeiriol

- Natur gydgyfeiriol teledu, yn cynnwys:
  - hunaniaeth sianelau
  - cylchgronau a chomics
  - effeithiau refeniw hysbysebu
  - gwefannau cysylltiol

Newyddion

Eich dysgu chi

Yn y bennod hon byddwch yn dysgu am:

- y gwahanol ddefnydd o godau a chonfensiynau gan y sefydliadau cyfryngol sy'n cyflwyno'r newyddion
- sut mae sefydliadau'r cyfryngau newyddion yn targedu cynulleidfaoedd ac yn eu cadw
- y newidiadau sydd wedi cael eu hachosi yn y cyfryngau newyddion gan dechnoleg newydd
- sut mae'r sefydliadau neu'r cyrff sy'n cynhyrchu'r newyddion a'r rhai sy'n darparu storïau newyddion yn dylanwadu ar gynnwys y newyddion
- sut y caiff unigolion a grwpiau eu cynrychioli yn y newyddion, ac mai dim ond un o lawer o ffyrdd posibl o'u cyflwyno yw hynny.

Newyddion – cyflwyniad

Mae'r newyddion yn fusnes o bwys. Mae'r awydd i gael gwybod am yr hyn sy'n digwydd yn y byd i'w weld yn rhan bwysig o fywyd llawer o bobl o ddydd i ddydd. Mae rhai pobl yn cael hyn o bapurau newydd, eraill oddi ar y teledu, y radio neu'r Rhyngrwyd. Felly pam mae gennym gymaint o ddiddordeb mewn newyddion, mewn rhyw ffurf neu'i gilydd? Mae'n debyg am fod gennym ni, fodau dynol, ryw hoffter greddfol o storïau; mae storïau newyddion yn eistedd ochr yn ochr ag operâu sebon, nofelau a ffilmiau Hollywood fel naratifau, neu storïau.

Unwaith y byddant wedi darganfod beth sy'n digwydd, bydd pobl yn aml yn llunio barn yn gyflym am ddigwyddiadau ein hoes ni. A ddylai'r Prif Weinidog ymddiswyddo? A yw troseddau cyllyll ymysg pobl ifanc yn arwydd fod cymdeithas yn mynd ar chwâl? A yw *Big Brother* yn beth da? Mae'r newyddion yn gwneud i ni feddwl am y pethau hyn, ac rydym wedyn yn eu trafod gyda'n ffrindiau yn yr ysgol, yn y lle trin gwallt, yn y caffi, yn y tacsi neu ble bynnag. Erbyn hyn, gallwn hyd yn oed rannu ein barn gyda gweddill y byd drwy flogio, er bod anfanteision posibl i hyn, fel y dywed y newyddiadurwr Americanaidd, Ed Murrow:

> *'Am fod dy lais di'n gallu cyrraedd hanner ffordd o amgylch y byd erbyn hyn, nid yw'n golygu dy fod ti ddim doethach nag oeddet pan nad oedd ond yn cyrraedd pen draw'r bar!'*

Awgrym yr arholwr

Dylech ystyried agweddau cydgyfeiriol newyddion trwy gydol eich cwrs.

Termau allweddol

Cylchrediad Y nifer o gopïau o bapur newydd sy'n cael eu gwerthu.

Nifer y darllenwyr Faint o bobl sy'n darllen y papur. Mae'r ffigur hwn yn uwch na'r cylchrediad fel arfer oherwydd gall sawl person ddarllen yr un papur.

GWEITHGAREDD 1

Gyda grŵp o ddau arall o leiaf, ystyriwch eich defnydd chi o'r newyddion drwy drafod y cwestiynau isod:

1. ***Pa fath o newyddion ydych chi'n eu gwylio, eu darllen ac yn gwrando arnynt? Gallai hyn gynnwys: storïau am enwogion, storïau am droseddu, storïau gwleidyddol, storïau lleol.***
2. ***Faint o'r cyfryngau newyddion isod y byddwch chi'n eu defnyddio a pha mor aml fyddwch chi'n eu defnyddio?***
   - ***Newyddion cenedlaethol ar y teledu. Ydych chi fel arfer yn gwylio un sianel neilltuol? Os felly, pam?***
   - ***Newyddion lleol ar y teledu.***
   - ***Y Rhyngrwyd. Pa wefannau?***
   - ***Papurau newydd cenedlaethol. Pa rai?***
   - ***Papurau newydd lleol. Pa rai?***
   - ***Radio cenedlaethol. Pa orsafoedd?***
   - ***Radio lleol. Pa orsafoedd?***
   - ***Ai newyddion lleol ynteu newyddion cenedlaethol yw'r mwyaf diddorol yn eich barn chi?***

Papurau newydd

Er gwaethaf cystadleuaeth gan y teledu, y radio a'r Rhyngrwyd, 300 mlynedd ar ôl i'r papur newydd cyntaf gael ei gynhyrchu, nid rhywbeth sy'n perthyn i'r gorffennol yw papur newydd dyddiol wedi'i argraffu. Mae'n wir fod **cylchrediad** papurau newydd yn gostwng yn gyson. Gwerthodd pob un ond un o'r prif bapurau newydd cenedlaethol lai o gopïau yn y flwyddyn hyd at fis Mehefin 2008. Mae ffigurau gwerthiant rhai yn gostwng yn gyflymach nag eraill.

Yr unig 'enillydd' yw'r *Sun*, sydd wedi dangos cynnydd o 0.81 y cant. Gwelodd ei brif gystadleuydd, y *Daily Mirror*, ostyngiad o 5.97 y cant o'i gymharu â'r flwyddyn flaenorol. Fodd bynnag, ym mis Mehefin 2008, roedd deg miliwn a hanner o bapurau newydd cenedlaethol yn dal i gael eu gwerthu yn y DU bob dydd. Mae hyn yn golygu y gallai nifer darllenwyr y papurau hyn fod yn 20 miliwn neu ragor – traean o boblogaeth y wlad.

Ymddangosodd y llun hwn yn yr *Illustrated London News* yn 1892. Mae'n dangos Dug Caerefrog (y Brenin Siôr V yn ddiweddarach) a swyddogion eraill ar fwrdd *HMS Melampus*

Gofynnodd arolwg yn ddiweddar i oedolion 16-34 oed pa eiriau y maent yn eu cysylltu â phob un o'r rhain: radio, teledu a phapurau newydd.

- Roedd mwy o'r rhai a holwyd yn meddwl bod papurau newydd yn 'rhoi gwybodaeth', yn 'ddifrifol' a 'dylanwadol' nag a oedd yn meddwl hynny am radio a theledu.
- Cytunai 42 y cant fod 'papurau newydd yn rhan bwysig o fywyd bob dydd'.

Llinell amser y wasg Brydeinig

Mae papurau newydd heddiw yn lliwgar, yn llawn lluniau ac mae fersiynau Rhyngrwyd ohonynt ar gael. Mae hyn yn newid mawr sydd wedi digwydd yn gyflym iawn. Am y 200 mlynedd cyntaf yn eu hanes 300 mlynedd, roedd papurau newydd yn cael eu hargraffu'n bennaf gyda dim ond ambell lun du a gwyn.

1702
Sefydlwyd y papur dyddiol cyntaf, *Daily Courant* (fe'i cyhoeddwyd olaf yn 1735).

1785
Cyhoeddwyd *The Times* am y tro cyntaf: y papur dyddiol hynaf sy'n dal i oroesi yn y DU.

1791
Sefydlwyd yr *Observer*: y papur dydd Sul hynaf sy'n dal i oroesi yn y DU.

1806
Defnyddiwyd darluniau am y tro cyntaf yn *The Times*: angladd y Llyngesydd Arglwydd Nelson

1832
Y cartŵn papur newydd cyntaf ym Mhrydain sydd wedi'i gofnodi, a gyhoeddwyd yn *Bell's New Weekly Messenger*.

1844
Y stori gyntaf wedi'i seilio ar newyddion wedi'u telegraffio yn ymddangos yn *The Times*: geni mab i'r Frenhines Fictoria yn Windsor.

1855
Diddymu'r Ddeddf Stampiau yn agor y ffordd i bapurau newydd rhad ar gyfer cylchrediad torfol, a dyluniad modern i bapurau newydd yn defnyddio bylchu a phenawdau.

1889
Defnydd cynnar ar ffotograffau: criwiau cychod Caergrawnt a Rhydychen, yn yr *Illustrated London News*.

1900
Lansiwyd y *Daily Express*: y papur newydd cenedlaethol cyntaf i roi newyddion ar y dudalen flaen.

1903
Lansiwyd y *Daily Mirror*: y papur dyddiol cyntaf i ddibynnu'n llwyr ar ffotograffau fel lluniau.

1963
Y *Sunday Times* yn lansio atodiad lliw tebyg i gylchgrawn.

1987
Y menywod cyntaf yn y cyfnod modern yn dod yn olygyddion ar bapurau newydd cenedlaethol: Wendy Henry (*News of the World*) ac Eve Pollard (*Sunday Mirror*).

1991
Comisiwn Cwynion y Wasg yn disodli Cyngor y Wasg er mwyn i'r wasg reoleiddio ei hun yn well.

1994
Lansio'r *Electronic Telegraph*: y papur cenedlaethol Prydeinig cyntaf ar y Rhyngrwyd.

1999
Lansiwyd *Metro*: papur newydd dyddiol sy'n cael ei ddosbarthu am ddim i deithwyr ar y trenau tanddaearol yn Llundain.

2003
Y papurau safonol cyntaf yn mynd yn tabloid o ran maint: *The Independent* a *The Times*.

2008
Erbyn hyn mae gan y prif bapurau newydd i gyd fersiynau Rhyngrwyd sy'n prysur ddod yn fwy pwysig na'r fersiynau print.

Wrth i ffotograffiaeth ddod yn rhan bwysig o'r ffordd yr oedd pobl yn gweld y byd, ymddangosodd y papurau newydd ac yn raddol cynyddodd y cynnwys lluniau. Roedd y diwydiant yn dal yn drwm dan ddylanwad dynion hyd yn ddiweddar. Maes o law, gorfodwyd newidiadau ar wasg anfoddog oherwydd cystadleuaeth gan gyfryngau eraill.

Termau allweddol

Papurau dalen lydan
Yn draddodiadol, papurau newydd sy'n cael eu hargraffu mewn fformat mawr (tudalennau 37 cm wrth 58 cm); cânt eu hystyried yn fwy difrifol o ran eu cynnwys na'r papurau tabloid.

Papurau tabloid Yn draddodiadol, papurau newydd â thudalennau hanner maint papurau dalen lydan; fel arfer mae mwy o luniau ynddynt a gallant fod yn llai difrifol o ran eu naws a'u cynnwys na'r papurau dalen lydan.

Demograff Y math o gynulleidfa sy'n gwylio neu'n darllen cynnyrch cyfryngol.

Pen uchaf y farchnad
Pobl sy'n gyfforddus eu byd, gydag incwm rhesymol.

Pen isaf y farchnad Pobl ar incwm is sydd â llai o arian i'w wario ar bethau y tu hwnt i angenrheidiau sylfaenol bywyd.

Teitlau coch Papurau tabloid sydd â theitlau coch.

Teitl Teitl y papur newydd sy'n ymddangos mewn print bras ar frig y dudalen flaen.

Targedu eu cynulleidfa

Mae dau brif fath o bapur newydd. Roeddent yn arfer cael eu rhannu'n **bapurau dalen lydan a phapurau tabloid**. Er bod y diffiniad hwn wedi'i seilio ar faint y papur yr oeddent yn ei ddefnyddio, a bod y papurau dalen lydan yn llawer mwy eu maint na'r papurau tabloid, dim ond ambell bapur sy'n dal i ddefnyddio'r fformat mwyaf. Mae'r rhan fwyaf o'r papurau dalen lydan yn llai eu maint erbyn hyn. Serch hynny, mae'r enw'n aros.

Cyffredinolir hefyd ynglŷn â'r math o berson sy'n darllen pob math o bapur, ac mae'r cyffredinoliadau hyn wedi'u seilio ar ymchwil cynulleidfaoedd. Mae'r papurau dalen lydan yn cael eu cysylltu â phobl mewn swyddi sy'n talu'n dda, sy'n cynrychioli **demograff pen uchaf y farchnad**. Mae'r papurau tabloid yn cael eu cysylltu â darllenwyr llai cefnog, neu ddemograff **pen isaf y farchnad**.

Gellir is-rannu'r pum papur tabloid dyddiol yn ddau grŵp:

1 Gelwir *The Sun, Mirror* a'r *Daily Star* yn **deitlau coch** am fod y teitlau arnynt mewn coch. Mae'r papurau hyn yn adrodd ar wleidyddiaeth a newyddion rhyngwladol, ond yn gyffredinol maent yn cynnwys mwy o glecs am enwogion o fyd pop neu'r ffilmiau a straeon slebogaidd (*sleaze*) neu sgandal o unrhyw fath. Mae'r storïau wedi'u hysgrifennu'n syml ac maent yn reit fyr. Mae'r teitlau coch yn tueddu i gynnwys mwy o luniau na phapurau eraill, yn enwedig y papurau dalen lydan. Eu prif nod yw bod yn hawdd eu darllen.

2 Mae'r *Daily Mail* a'r *Daily Express* yn aml yn cael eu galw yn bapurau newydd 'canol y farchnad'. Maent yn targedu darllenwyr rywle rhwng y teitlau coch a'r papurau dalen lydan. Maent yn argraffu digon o nodweddion ac erthyglau ar gyfer pobl sydd am gael papur nad yw'n canolbwyntio gormod ar glecs a sothach, ond maent hefyd yn cynnwys amryw o erthyglau ysgafn a lluniau.

Yn ogystal â difyrru, mae'r papurau poblogaidd yn bleidiol i un o'r ddwy brif blaid wleidyddol. Ar un adeg y *Daily Mirror* oedd yr unig bapur poblogaidd oedd yn cefnogi Llafur. Yn 1992, y disgwyl yn gyffredinol oedd y byddai'r blaid Lafur yn ennill yr Etholiad Cyffredinol. Ond ar ôl buddugoliaeth annisgwyl John Major i'r Toriaid, honnodd *The Sun*, a oedd wedi cefnogi'r Ceidwadwyr, mai ef oedd wedi ennill yr etholiad iddynt. Buddugoliaeth bwysig i'r Blaid Lafur oedd argyhoeddi Rupert Murdoch, perchennog *The Sun* (yn ogystal â *The Times*, *The Sunday Times* a *The News of the World*) i newid ochr a chefnogi Llafur. Bum mlynedd yn ddiweddarach cafodd Llafur fuddugoliaeth fawr – a gallai'r *Sun* honni mae ef oedd wrth wraidd hynny eto.

THE TIMES

SATURDAY APRIL 11 1992

Women tipped for cabinet after Tories sweep back with 21 majority

Major plans reshuffle today

Beaten Kinnock will announce resignation

...ers let the pollsters down

THE NOT THE ELECTION TIMES

OLIVER'S TWISTS

THE OLD CURIOSITY SHOPS

GREAT EXPECTATIONS

NOT SO BLEAK HOUSE?

ABBEY NATIONAL INVESTMENT ACCOUNT

ABBEY NATIONAL

The habit of a lifetime

THE Sun

FREE TODAY

PLUS THE GREAT AMERICAN

25p

IT'S THE SUN WOT WON IT

HERE'S HOW PAGE 3 WILL LOOK UNDER KINNOCK!

Sun PHOTO FINISH

If Kinnock wins today will the last person to leave Britain please turn out the lights

Truth hailed by Tories

Papurau dalen lydan

Mae gan y pum papur safonol fwy o newyddion o ran cynnwys; fel arfer mae pris pob copi yn uwch ac mae eu ffigurau cylchrediad yn is na rhai'r paurau poblogaidd.

- *The Times* yw'r hynaf o'r papurau dyddiol; arferai gael ei ystyried braidd yn sychlyd ac yn 'llais y dosbarth llywodraethol'. Yn 1979 fe'i prynwyd gan gwmni Rupert Murdoch, News International, ac erbyn hyn mae'n bapur gwirioneddol fodern, er ei fod yn dal yn fwy o lais y 'sefydliad' na rhai papurau eraill.
- *The Daily Telegraph* yw'r papur dalen lydan gyda'r cylchrediad mwyaf. Mae'n gefnogwr cryf i'r Blaid Geidwadol. Mae'n dal yn bapur dalen lydan o ran ei faint.
- Fel arfer caiff *The Guardian* ei ddisgrifio fel papur Rhyddfrydol neu adain chwith.
- *The Independent* yw'r papur cenedlaethol dyddiol mwyaf newydd, a sefydlwyd yn 1986 gyda'r bwriad o fod yn annibynnol oddi ar safbwyntiau unrhyw blaid wleidyddol.
- *The Financial Times* yw'r unig bapur cenedlaethol dyddiol i gael ei argraffu ar bapur pinc. Mae'n adrodd yn bennaf ar newyddion busnes ac economaidd, er ei fod yn cynnwys newyddion eraill, ynghyd ag adran chwaraeon. Mae'n dal yn bapur dalen lydan o ran ei faint

Papurau newydd ethnig

Gan fod Prydain yn gartref i fwy a mwy o ddiwylliannau gwahanol, mae amryw o bapurau newydd yn gwasanaethu'r cynulleidfaoedd hyn. Mae *New Nation* yn disgrifio'i hun fel 'prif bapur newydd Prydain i bobl dduon', tra mae'r *Asian Times* yn honni mai ef yw 'prif bapur newydd Asiaidd Prydain'.

Edrychwch ar fersiynau ar-lein un papur newydd cenedlaethol dyddiol tabloid ac un dalen lydan.

Archwiliwch y cynnwys, y dyluniad a'r hysbysebion ar y naill wefan a'r llall. I ba raddau yn eich barn chi y mae'n wir dweud bod y papur dalen lydan yn apelio at gynulleidfa pen uchaf y farchnad a bod y papur tabloid yn targedu demograff pen isaf y farchnad?

Iaith papurau newydd

Mae 'iaith' papurau newydd yn golygu mwy na dim ond y geiriau sy'n ymddangos ynddynt. Megis gydag ieithoedd eraill y cyfryngau, mae'n cynnwys y lluniau sy'n cael eu defnyddio, gwahanol arddulliau a meintiau ffontiau yn y testun a'r penawdau, a'r ffordd y caiff pethau eu rhoi at ei gilydd yn nyluniad y dudalen.

Nid oes unrhyw agwedd ar y ffordd y caiff papurau newydd eu rhoi at ei gilydd sy'n ddamweiniol. Ar bob cam o'r gwaith cynhyrchu mae pobl yn gwneud penderfyniadau sy'n effeithio ar y ffordd y mae'r papur yn edrych, yn darllen ... ac yn gwerthu!

Y copi

Caiff **copi** ei ysgrifennu gan newyddiadurwyr a elwir yn ohebwyr. Mae ysgrifennu ar gyfer papurau newydd yn wahanol iawn i'r math o ysgrifennu a wneir gan nofelydd, dyweder. Mae angen i ohebwyr newyddion gyfleu cymaint â phosibl o wybodaeth yn yr amser byrraf posibl. Maent hefyd yn ceisio sefydlu 'esgyrn sychion' y stori yn y frawddeg neu ddwy gyntaf – os yw'r stori wedi gafael ynoch o'r cychwyn, byddwch yn dal ati i ddarllen.

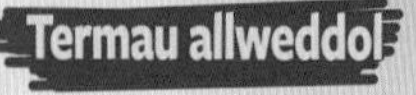

Copi Deunydd ar gyfer erthyglau sy'n ymddangos mewn papurau newydd neu gylchgronau.

Dyma enghraifft o'r *Daily Mail* ddydd Llun, 21 Gorffennaf 2008:

Happy hours and 'supersize' wine glasses could be banned in an admission that the 24-hour drinking experiment has failed

Mae newyddiadurwyr yn cael eu dysgu i *KISS – Keep It Short and Simple*. Hefyd, roeddent yn arfer cael eu dysgu i gynnwys y '5P' ym mrawddegau cyntaf eu stori – Pwy? Pa beth? Pa le? Pa bryd? Pam? (*the 5Ws – Who? What? Where? When? Why?*). Erbyn hyn mae'r arddulliau ysgrifennu ar gyfer papurau newydd wedi symud yn eu blaen. Mae gorlwytho brawddegau â'r 5P yn eu gwneud yn anodd eu darllen ac ni chedwir yn gaeth at y rheol hon bob amser.

GWEITHGAREDD 3

Dewiswch dri phapur newydd gwahanol ac edrychwch ar ddwy frawddeg agoriadol y brif stori ar dudalen flaen pob un ohonynt. Sawl un o'r 5P y mae'r gohebydd wedi llwyddo i'w cynnwys?

Y lluniau

Ychydig iawn o luniau oedd yn y papurau newydd cyntaf i gael eu hargraffu 300 mlynedd yn ôl – a lluniau artist oedd y rheiny wrth gwrs, oherwydd doedd y camera ddim wedi cael ei ddyfeisio. Heddiw, mae ffotograffau newyddion yn chwarae rhan bwysig yn ymddangosiad papur newydd, yn enwedig y dudalen flaen.

Edrychwch ar y ddelwedd isod i weld sut y dyluniodd *The Times* ei dudalen flaen wrth adrodd ar un o storïau newyddion rhyngwladol mwyaf y cyfnod diweddar. Roedd y digwyddiad yn hynod o arwyddocaol yn y byd gorllewinol. Mae pawb bron oedd yn fyw ar y pryd yn cofio'n union beth yr oeddent yn ei wneud pan glywsant gyntaf am yr ymosodiad terfysgol ar y ddau dŵr yn Efrog Newydd.

THE TIMES

No. 67242 WEDNESDAY SEPTEMBER 12 2001 40p www.thetimes.co.uk

When war came to America

DOZENS – one man said that he had seen at least 40 go "bam, bam, bam" – met their wretched end in a freefall.

The twin towers of the World Trade Centre soared so majestically over the skyline of Manhattan that, from the pavement below, it was hard to believe that the writhing shapes falling from the upper storeys were office workers who had jumped to escape the flames.

What kind of desperation could drive these people to leap to a certain death when the streets below were lined with ambulances and help was clearly on its way?

From behind a police barricade several blocks north along the Hudson River, I could not see where they were landing. Then, in one almighty rumble, their dreadful reasoning became all too apparent. In excruciating slow-motion, the south tower crumbled, its middle billowed out and, before my eyes, one of the world's largest office buildings disappeared in a cloud of smoke that engulfed the rescuers below.

Even before the walls hit the ground, the onlookers around me turned and fled in panic through the canyons of Manhattan, screaming that the unthinkable had happened. A vast and silent dustball filled the surrounding streets, billowing inexorably towards me like a morning fog rolling over the normally vital neighbourhoods of Wall Street and Tribeca.

Those unfortunate to be closer to the collapse than I was vanished from view, submerged in the expanding balloon of debris. I felt a sudden pity for the scores, if not hundreds, of ambulance crews and firefighters who had just, I'm sure, lost their lives. Until then, the burning twin towers, holes gaping in their sides, seemed somehow familiar, even inevitable, a staple of our fevered imagination, something that a screenwriter might describe as Towering Inferno – times two. But even the most devilish imagination in all Hollywood had never concocted a scene so awesome in its devastation as the sight of first one and then another 110-storey skyscraper crashing to extinction.

It was at this point that many of the New Yorkers who had thronged the streets to watch this compelling spectacle – many of them refugees from wars in other parts of the world – decided that it was just safer to go home. Their judgment, too, was soon justified by another terrifying collapse as the north tower also buckled and fell.

It was impossible to comprehend, but now the sleek silver symbols of the New York skyline, the embodiment of the city's dominance in the modern world, were no more. New York, the self-proclaimed "capital of the world", had been irrevocably diminished.

We were all wrong, it turns out, to believe all those reassurances after the first bombing in 1993 that the twin towers were built to withstand the full force of a commercial airliner. We are told, only now, that the experts were referring merely to a Boeing 727.

It was said that 50,000 people, enough to populate a small city, worked in those two behemoths. It was immediately and indisputably clear that more people had died than all the Americans had lost in the Gulf War, and probably more than the combined total of all the Allied forces. On the radio, they nicknamed the surprise attack after a recent Hollywood blockbuster: Pearl Harbor II.

Minutes after the second building collapsed, I was amazed to find survivors – yes, some survived – wandering dazed and dusty and often lost among the retreating crowds. These were people who realised, even if they were still missing loved ones, that they had just lived the luckiest day of their lives.

The thriving often frantic island of Manhattan had been

Continued on page 3, col 1

Times reporter James Bone was looking up at the World Trade Centre minutes before the twin towers fell from the sky

Photograph: SPENCER PLATT/Getty Images/Allsport

9 770140 046435 37

TERROR IN AMERICA: News, pages 2-6; Target America: Times 2. PLUS: 24-page special supplement of news, comment and analysis

Tudalen flaen *The Times*, 12 Medi 2001

GWEITHGAREDD 4

Edrychwch ar y dudalen flaen ar dudalen 57, gan roi sylw arbennig i'r ffotograff.

1. *Beth ynglŷn â'r llun sy'n helpu i greu argraff ar y darllenydd?*
2. *Pam y dewisodd y **golygydd lluniau** y ddelwedd arbennig hon, tybed? Beth mae'r llun yn ei ddweud wrthym am y stori?*

Capsiynau

Mae pobl yn dweud bod 'llun yn werth mil o eiriau'. Yn sicr, mae'r ffotograff o Efrog Newydd ar ôl yr ymosodiad ar y ddau dŵr yn Efrog Newydd ar dudalen 57 yn dweud llawer iawn am y digwyddiad. Mae'r **capsiwn** sy'n mynd gyda llun yn bwysig hefyd am ei fod yn gallu **angori** ystyr – mae'n ceisio gwthio'r darllenydd tuag at un **safbwynt** at y stori drwy ddarparu dehongliad o'r llun ar ei gyfer.

Termau allweddol

Golygydd lluniau Y person sy'n gyfrifol am ddewis y ffotograffau sy'n cael eu cynnwys mewn papur newydd.

Capsiwn Geiriau disgrifiadol nesaf at lun.

Angori Crisialu ystyr penodol sy'n perthyn i lun neu ffotograff, drwy ychwanegu capsiwn yn aml.

Safbwynt Y safbwynt neilltuol y mae'r papur newydd am i'w ddarllenwyr ei gymryd tuag at stori.

Golygfa stryd yn Khayelitsha, De Affrica

Edrychwch ar y ffotograff uchod. Gellid dehongli'r ddelwedd hon mewn nifer o ffyrdd. Fodd bynnag, gallai dewis capsiynau addas newid ffordd pobl o'i darllen.

- *Llywodraeth De Affrica wedi llwyddo i ailgartrefu llawer o'i phobl o gytiau tun i dai brics solet:* mae'r capsiwn hwn yn cyflwyno'r llun mewn ffordd gadarnhaol.
- *Diweithdra yn dal yn bla yn nhrefedigaethau De Affrica*: mae'r capsiwn hwn yn rhoi ystyr gwahanol iawn, un sy'n llawer mwy negyddol.

GWEITHGAREDD 5

1. *Edrychwch ar ffotograffau A a B. Ysgrifennwch ddau gapsiwn posibl ar gyfer y naill a'r llall, i ymddangos mewn papur newydd o'ch dewis chi. Dylai un capsiwn roi gogwydd cadarnhaol ar y llun a'r llall ogwydd mwy negyddol.*

2. *Mewn parau neu grwpiau, tynnwch gyfres o ffotograffau o amgylch safle'r ysgol. Gwnewch arddangosfa wal neu wefan yn dangos y ffotograffau hyn, gan roi capsiynau sy'n newid y ffordd y byddai gwyliwr yn eu dehongli.*

Penawdau

Mae penawdau da yn hanfodol, yn enwedig ar y dudalen flaen. Y pennawd fydd yn tynnu sylw'r prynwr at y papur pan fydd ar y silff ymysg ei gystadleuwyr. Bydd golygyddion y papurau dalen lydan yn ceisio denu darllenwyr at eu storïau drwy ddefnyddio penawdau cryno (byr) sydd hefyd weithiau yn dangos safbwynt y papur at y stori, ond mae penawdau'r papurau tabloid yn fawr a bachog.

Mae'r *Sun* wedi dod yn enwog am ei benawdau dadleuol. Er bod y rhain yn gallu bod yn ddifyr, weithiau maent yn croesi'r llinell rhwng hiwmor a bod yn ddi-chwaeth. Yn 1989 argraffodd y papur y pennawd THE TRUTH uwchlaw erthygl am drychineb pêl-droed Hillsborough lle cafodd 95 o gefnogwyr Lerpwl eu lladd. 'Gwirionedd' y *Sun* oedd i'r drychineb gael ei hachosi gan gefnogwyr Lerpwl meddw yn camymddwyn. Plymiodd gwerthiant y papur yn Lerpwl, gyda llawer o werthwyr papurau newydd yn gwrthod stocio'r papur.

Ymysg y technegau y mae ysgrifenwyr penawdau yn eu defnyddio mae:

- talfyrru enwau, er enghraifft, BECKS am David Beckham
- parodïo ymadroddion cyfarwydd, er enghraifft, BRAWL OVER BAR THE SHOUTING
- sillafu anghywir neu wahanol, er enghraifft, GOTCHA
- geiriau mwys (chwarae ar eiriau), er enghraifft, BOOTIFUL – y gôl fuddugol yn rownd derfynol y Cwpan
- odli, er enghraifft, FAME GAME TURNS VERY LAME.

Edrychwch ar ôl-gopïau o dudalennau blaen papurau tabloid a cheisiwch ddod o hyd i enghreifftiau o bob un o'r technegau penawdau sydd wedi'u rhestru.

CD-ROM

Am Ragor!

Tudalennau blaen papurau newydd

Agorwch y CD yng nghefn y llyfr hwn a chliciwch ar yr eicon isod i agor cyswllt at rai o dudalennau blaen y Daily Mirror. Efallai y byddant yn help i chi gyda Gweithgaredd 6.

HTML

Dylunio

Pan fydd y copi i gyd wedi cael ei ysgrifennu a'r ffotograffau i gyd wedi'u dewis, y penderfyniadau am ddyluniad y dudalen yw'r penderfyniadau terfynol a wneir. Mae'r dyluniad yn rhan allweddol o'r frwydr i ddenu sylw'r darllenydd a'i gadw.

Mae tudalen flaen y *Daily Mail* ar dudalen 61 wedi cael ei marcio gyda'r termau a ddefnyddir gan **is-olygyddion** i ddisgrifio dyluniad papurau newydd modern. Mae is-olygyddion y papur yn gosod y tudalennau ar sgrin cyfrifiadur sy'n rhannu'r dudalen yn gyfres o golofnau a elwir yn grid tudalen. Yn y gorffennol, roedd tudalennau bob amser bron yn cael eu gosod yn golofnau, heb ddim yn torri ar y patrwm grid. Mae dyluniad tudalennau modern yn aml yn caniatáu i ffotograffau a thestun ledu y tu hwnt i golofnau haearnaidd i greu argraff ddramatig.

Termau allweddol

Is-olygydd Y person sy'n gyfrifol am ddyluniad papur newydd.

Mae papurau newydd yn ymchwilio'n barhaus i'r ffordd y mae pobl yn darllen tudalennau. Maent wedi canfod, er enghraifft:

- fod penawdau gerllaw ffotograffau yn cael eu darllen yn amlach na'r rhai sydd wedi'u lleoli ymhellach i ffwrdd
- nad yw defnyddio lliw yn golygu bod stori yn fwy tebygol o gael ei darllen
- bod pobl sy'n darllen papur yn edrych ar y rhan fwyaf o'r ffotograffau, y gwaith celf a'r penawdau – ond ar lawer llai o'r copi.

Uwchlaw popeth, mae angen arddull gweledol unigol ar bapur newydd. Mae a wnelo hyn â beth mae unigolion yn ei ffafrio.

Teitl

Llinell ddyddiad

Mail

MONDAY, JULY 21, 2008 www.dailymail.co.uk DAILY NEWSPAPER OF THE YEAR 50p

NEW 18-DISC COLLECTION

Fflach clawr blaen

FREE DVD

BLEAK HOUSE

Another sensational FREE costume drama for you to collect

PICK UP FROM TESCO OR WHSMITH OR WE CAN POST YOU THE WHOLE SET DETAILS PAGE 30 P&P PAYABLE

Prif bennawd – prif lythrennau

Is-bennawd

Three years after relaxing drink laws, ministers signal U-turn

TIME'S UP FOR HAPPY HOUR

Llinell awdur

By **Michael Lea**
Political Correspondent

HAPPY hours and 'super-size' wine glasses could be banned in an admission that the 24-hour drinking experiment is failing.

Labour's hopes of creating a Continental-style cafe culture have not materialised since licensing laws were relaxed nearly three years ago.

Instead, booze-fuelled violence and alcohol-related deaths, injuries and illnesses have surged.

Now, having previously refused to heed warnings from police and doctors, ministers are preparing a climbdown by toughening up the laws on alcohol sales.

Key measures are likely to include:

- A ban on happy hours and cut-price promotions;
- Pubs and clubs ordered to serve smaller measures of wines and spirits as standard;
- Cigarette-style health warnings on cans and bottles, extending a voluntary scheme where containers show the units of alcohol;
- Loss-leading alcohol sales by supermarkets may also be targeted.

The moves will build on a review by the audit firm KPMG into the link between price promotions and alcohol abuse, which could be published this week. Ministers have been dismayed at the lack of voluntary action from the drinks industry. Some pubs have extended happy hours

Turn to Page 4

Stori agoriadol y dudalen

Kate McCann: The inquiry into her daughter's disappearance is to be closed

Stori gynnal

New agony for Kate as Maddie detective cashes in

Tanlinellu

SEE PAGE FIVE

Llun 4 lliw

Capsiwn

Croesgyfeirio

Isod a gyferbyn mae dwy dudalen flaen a ddyluniwyd gan y Sun i ddangos sut y byddai'r papur o bosibl wedi cyflwyno adroddiadau ar funudau hanesyddol enwog. Defnyddiwyd technegau dylunio tudalennau modern.

Dewiswch ddau ddigwyddiad arall o'r rhestr o ddigwyddiadau hanesyddol isod a dyluniwch eich tudalen flaen eich hun i bapur tabloid.

- *Llofruddiaeth Arlywydd America, John F. Kennedy, yn 1963.*
- *Diwedd yr Ail Ryfel Byd yn 1945.*
- *Dyn – Neil Armstrong – yn cerdded ar y lleuad am y tro cyntaf yn 1969.*
- *Elizabeth I yn dod yn Frenhines Lloegr yn 1558.*
- *Rhyddhau Nelson Mandela o'r carchar yn 1990 ar ôl 27 o flynyddoedd.*

THE Sun

Friday, July 29, 1586 — One halfpenny — THOUGHT: SPUD WE LIKE

WIN This sensational new vegetable

SPUDS are hard to get your hands on at the moment, folks — but luckily your No1 Sun's got one to give away. Turn to our great Potato Competition.

SEE PAGE 14

LOOK like a potato

DON'T be left out! The potato is all the rage — and now you can walk around looking like one too. Check out our cut-out-and-keep mask!

SEE PAGE 15

YOU'RE SPUDDY CLEVER, WALTER

Treat from New World

By MARIS PIPER

BRITAIN was in a frenzy last night over a major new food discovery called a "potato".

Experts predict the sensational vegetable, brought back from the New World by one of Sir Walter Raleigh's men, may change the face of the side dish.

They claim it can be boiled, cut up and eaten in chunks. It can also be ground down with a fork or other implement into "mash".

Some excited chefs believe the potato – dubbed "a spud" by wags – could be sliced and fried in animal fat, producing a tasty snack they have nicknamed The Chip.

The first of the potatoes, which grow in the ground, have been planted at Sir Walter's Irish estate.

His pal Thomas Hariot, who scoffed several of them in the New World, said: "They are a kind of root of round form, some of the bigness of walnuts, some far greater.

"They are found in moist grounds, growing many together, and, being boiled, are very good."

Raleigh Tasty – See Page Nine

...but you can take that baccy where it came from

By NICK O'TEEN

SIR Walter's men were branded "weird" last night over the bizarre practice of "weed-smoking" which they have brought back from the New World.

They claim natives there pick a plant called tobacco and stuff its leaves into clay pipes. Then they SET LIGHT to them and suck the smoke deep into their lungs, claiming it is good for them. Sir Walter, 32, originally from Hayes Barton, Devon, is known be a keen smoker already. But a Sun reporter tried "smoking" and it made him feel sick.

He added: "It's a nasty habit and can't do you any good. Walter's got a hit on his hands with the potato — but tobacco sucks."

Syr Walter Raleigh yn dod â thatws a thybaco i Loegr o wledydd America

Friday, November 25, 1859 | Penny farthing | THOUGHT: SPEAK FOR YOURSELF

ARE YOU A CHIMP OFF THE OLD BLOCK?

SEE PAGES 4 AND 5

Monkey nutter

Barmy boffin Darwin reckons we are all descended from apes

MAD scientist Charles Darwin caused fury last night by claiming we're all descended from APES.

By JEAN POOLE

Darwin, 50, makes a string of outrageous allegations in his controversial book On The Origin Of Species, which sold out on its first day yesterday.

Darwin **SCOFFS** at the "Adam and Eve" theory of mankind's creation. He says the real answer lies in the **FOSSILS** he once studied on a sailing trip.

The barmy boffin, from Shrewsbury, reckons all animals "evolve" – becoming more and more refined and advanced over thousands of years. This is all thanks to "natural selection" which means only the fittest and best examples of a species survive to breed and pass on their successful characteristics.

Darwin avoids mentioning man in his book, concentrating on plants and animals. But experts say he **MUST** believe in mankind being merely advanced apes, or his theory doesn't hold water.

Furious scientists last night insisted Darwin did not have a shred of real evidence.

And Church chiefs said he was belittling the Bible and the importance of man over animals.

Buffoon as a baboon ... how he'd look

Charles Darwin yn ysgrifennu *On the Origin of Species* lle mae'n amlinellu ei ddamcaniaeth am esblygiad dynol

Ar ôl edrych ar y technegau sy'n cael eu defnyddio gan bapurau newydd, chwiliwch am ddau bapur newydd sy'n ymdrin â'r un stori. Cymharwch y ffordd y maent wedi adrodd arni. Dylech ystyried:

- *y lluniau y maent wedi'u defnyddio*
- *y math o iaith y maent wedi'i defnyddio*
- *beth yw eu safbwynt tuag at y stori.*

ASTUDIAETH ACHOS

CYNRYCHIOLIADAU YN Y NEWYDDION

Yn yr astudiaeth achos hon byddwn yn ystyried cynrychioliadau yn y newyddion o safbwynt agweddau cydgyfeiriol y cyfryngau. Mae'r cysyniad allweddol o **gynrychioli** ***yn un y mae'n bwysig i bob myfyriwr sy'n Astudio'r Cyfryngau ei ddeall. Wrth astudio'r newyddion, mae a wnelo cynrychioli â deall mai cynrychioliad o ddigwyddiadau, ac o'r bobl a'r syniadau sy'n rhan o'r digwyddiadau hynny, yw storïau newyddion. Mae rhywun bob amser wedi dewis lluniau i gynrychioli'r stori a geiriau i'w cysylltu â'r lluniau. Pe baent wedi dewis yn wahanol, byddai'r cynrychioliad yn cyfleu ystyr gwahanol.***

Termau allweddol

Cynrychioli Y ffordd y caiff pobl, lleoedd, digwyddiadau neu syniadau eu cynrychioli neu eu portreadu i gynulleidfaoedd mewn testunau cyfryngol. Weithiau, gwneir hyn mewn ffordd sy'n rhy syml drwy stereoteipiau fel bod y gynulleidfa'n gallu gweld beth a olygir ar unwaith, ac weithiau mae'r ystyron yn llai amlwg.

Mae rhoi pobl, digwyddiadau neu syniadau mewn categorïau yn rhan o'r ffordd y mae cynrychioli'n gweithio. Pan fyddwn yn gweld, dro ar ôl tro, gynrychioliadau o blant yn dioddef newyn mawr yn Affrica, mae'r delweddau hynny'n gallu effeithio ar y ffordd yr ydym yn meddwl am y cyfandir hwnnw. Mae'r cyffredinoliad bod 'Affrica yn gyfystyr â Thlodi' yn golygu y byddai'n syndod, efallai, i ni ddysgu bod yna, er enghraifft, lawer o fusnesau uwch dechnoleg ac entrepreneuriaid llwyddiannus iawn yn Affrica. Nid yw hynny'n cyd-fynd â'n barn 'synnwyr cyffredin' am Affrica – barn sy'n cael ei phorthi drwy ailadrodd yr un delweddau'n ddi-baid yn y cyfryngau.

Un enghraifft o'r ffordd y gall y cyfryngau ymostwng i gynrychioliadau negyddol yw'r sylw sydd wedi cael ei roi i bobl ifanc mewn 'hoodies'. Nid yw pobl o'r fath yn cael eu portreadu gyda goddefgarwch fel arfer. Maent yn cael eu cysylltu fel arfer â storïau am godi helynt neu fân droseddu, er bod y rhan fwyaf o bobl ifanc sy'n gwisgo 'hoodies' yn ddinasyddion normal, sy'n byw o fewn y gyfraith.

Felly, mae'n bwysig archwilio storïau newyddion er mwyn barnu i ba raddau y maent yn cynnwys safbwynt. Mae gofyn i ddarlledwyr newyddion ar y teledu sicrhau eu bod yn dangos tegwch a chydbwysedd yn eu hymdriniaeth o storïau. Dylai cydbwysedd rhwng safbwyntiau croes i'w gilydd gael ei gynnwys mewn storïau dadleuol. Nid yw'r adroddiadau a geir mewn papurau newydd bob amser mor gytbwys.

Un grŵp sy'n cael ei dargedu'n aml gan y cyfryngau yw'r rhai sy'n 'godro'r system budd-daliadau'. Roedd Michael Philpott yn unigolyn a gafodd ei labelu fel hyn gan y papurau newydd cenedlaethol.

CD-ROM

Am Ragor!

Central Television

Agorwch y CD yng nghefn y llyfr hwn a chliciwch ar yr eicon isod i weld clip gan Central Television. Bydd yn help i chi gyda'r Gweithgaredd Astudiaeth Achos.

SHAMELESS

£26,000 a year benefits but scrounger who has 14 children wants MORE of your cash and moans: Britain has let me down

BY JOHN CHAPMAN

A LAYABOUT with 14 children by five different women last night demanded a bigger council house for his family.

Unemployed Michael Philpott claimed that he has to sleep outside in a tent because of his 'overcrowded home'.

The 49-year-old, branded Britain's biggest scrounger, even accused the country of 'going down the pan' because his plight was being ignored.

Philpott, who pays £68 a week for his three-bedroom house, receives £26,500 a year in benefits. Now he wants a six-bedroom home for his children, wife and heavily pregnant lover.

But last night his antics met with outrage. Tory MP Ann Widdecombe said: 'This man beggars belief. It's the most preposterous thing I have ever heard of'.

★ASTUDIAETH ACHOS★
GWEITHGAREDD

1. *Edrychwch ar y darn papur newydd am Mr Philpott.*
   - *Pa farn sy'n cael ei mynegi amdano?*
   - *Pa eiriau sy'n cael eu defnyddio i gynhyrfu teimladau'r darllenwyr?*

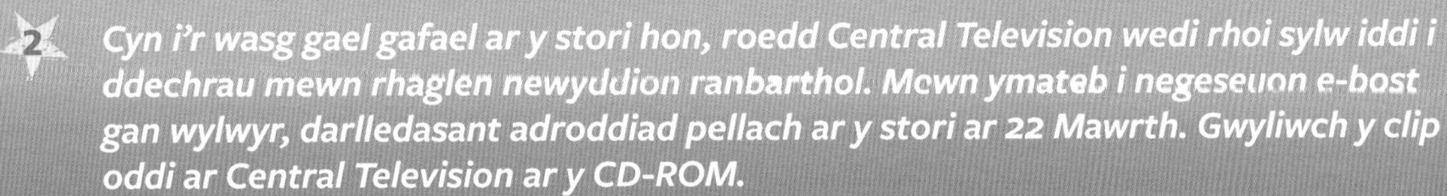

2. *Cyn i'r wasg gael gafael ar y stori hon, roedd Central Television wedi rhoi sylw iddi i ddechrau mewn rhaglen newyddion ranbarthol. Mewn ymateb i negeseuon e-bost gan wylwyr, darlledasant adroddiad pellach ar y stori ar 22 Mawrth. Gwyliwch y clip oddi ar Central Television ar y CD-ROM.*
   - *Pa gynrychioliad o Mr Philpott sy'n cael ei roi i ni yn yr eitem newyddion hon?*
   - *O'r hyn sy'n cael ei ddweud yn yr erthygl, lluniwch restr o'r ffeithiau yr ydym yn eu gwybod am Mr Philpott.*
   - *Nawr rhestrwch y ffordd y mae barn amdano wedi cael ei defnyddio i wneud i ni feddwl amdano mewn ffordd arbennig.*
   - *A fyddech yn dweud bod hwn yn gynrychioliad 'cadarnhaol' ynteu'n un 'negyddol'? Yn gefn i'r hyn a ddywedwch, dylech roi enghreifftiau manwl o'r stori newyddion ei hun. Nid dim ond y geiriau o'r sgript a ysgrifennwyd ar gyfer y darn y dylech eu cynnwys – dylech hefyd gynnwys ble mae'r criw wedi lleoli Mr Philpott, pa bethau eraill sy'n ymddangos yn y saethiadau, tôn y llais a'r mathau o gwestiynau a ofynnir.*
   - *I ba raddau yn eich barn chi y mae'r darn ar Mr Philpott yn llwyddo i gyflwyno pob ochr ac yn gadael i'r gynulleidfa farnu drosti ei hun?*

Y broses ddethol

O ble mae storïau newyddion yn dod?

Mae pob stori ac eitem newyddion yr ydych yn ei darllen mewn papur neu ar wefan, yn ei chlywed ar y radio neu'n ei gweld ar y teledu yn dod o ryw ffynhonnell. Mewn oes sydd â newyddion teledu treigl 24 awr, mae'n hawdd dychmygu bod pob gohebydd newyddion yn rhuthro o amgylch y ddaear, ar drywydd storïau cyffrous am ryfel, troseddu neu ddigwyddiadau eraill uchel eu proffil. Er bod hyn yn wir efallai i nifer fach o'r gohebwyr amlycaf, bydd y rhan fwyaf o newyddiadurwyr, ac yn arbennig y rhai sy'n gweithio i bapurau lleol neu radio lleol, yn treulio'u holl amser yn eu hardal leol.

Mae newyddiadurwyr yn cael eu storïau o amryw o ffynonellau:

- *Asiantaethau newyddion* – fel Cymdeithas y Wasg a Chymdeithas Reuters sy'n cyflenwi newyddion o bob cwr o'r byd.
- *Gohebyddion* – y BBC sydd â'r ystod fwyaf o ohebyddion wedi'u lleoli ar hyd a lled y byd. Po leiaf yw'r sefydliad, y lleiaf o ohebyddion sydd yna i adrodd ar ddigwyddiadau.
- *Oddi wrth ei gilydd* – mae teledu tramor, y wasg genedlaethol a radio cenedlaethol i gyd yn darparu storïau. Weithiau, bydd storïau oddi ar orsafoedd teledu a phapurau newydd lleol yn ymddangos ar newyddion teledu neu radio cenedlaethol.
- Efallai y bydd *newyddiadurwyr ar eu liwt eu hunain* yn cysylltu â gorsaf gyda stori, neu efallai y cânt eu comisiynu i ymchwilio i stori.
- *Newyddion wedi'i brosesu* – caiff ei gasglu o eitemau fel datganiadau i'r wasg, agendâu cyfarfodydd cyngor, a banciau llais y gwasanaethau heddlu, tân ac achub.

CD-ROM

Am Ragor!

Ffynonellau newyddion

Agorwch y CD yng nghefn y llyfr hwn a chliciwch ar yr eicon isod i weld clip o olygydd newyddion yn egluro ffynonellau newyddion a'r broses ddethol.

Sut caiff eitemau newyddion eu dewis

Gyda chynifer o ffynonellau newyddion, mae llawer mwy o storïau nag y mae modd eu cynnwys yn y papurau ar un diwrnod neu mewn bwletin newyddion teledu hanner awr. Mae'n rhaid i'r rhai sy'n dethol y newyddion ystyried y gynulleidfa gyfan a darparu newyddion sy'n berthnasol i'r gynulleidfa dorfol yn achos rhywbeth fel y *Ten O'Clock News* ar y BBC neu'r gymuned leol ar orsaf radio leol.

GWEITHGAREDD 9

Eich gwaith chi yw dewis y stori a fydd 'ar frig y rhaglen' yn y Ten O'Clock News ar y BBC heno, ynghyd â thair stori arall a fydd yn cael eu darlledu fel prif eitemau newyddion y dydd. Darllenwch drwy'r posibiliadau isod a dewiswch eich prif stori a'r tair stori arall i'w dilyn.

Stori	Delweddau ar gael i ategu'r stori
Mae costau byw wedi codi am y pedwerydd mis yn olynol.	**Darnau stoc o ffilm** yn dangos silffoedd archfarchnad, gorsafoedd petrol, siopau'r stryd fawr.
Mae gan y Tywysog William gariad newydd.	Ugain eiliad o ffilm grynedig o gamera a oedd yn cael ei ddal yn uchel uwchlaw pennau'r dyrfa wrth i ferch ruthro allan o'i thŷ ac i gar.
Pedwar ar ddeg o bobl yn marw mewn llaidlithriad yng Nghholombia.	Ffilm o'r awyr yn dangos y golygfeydd o ddinistr. Cyfweliad â menyw sydd wedi colli ei chartref.
Clwb Pêl-droed Lerpwl i dalu'r ffi drosglwyddo fwyaf erioed i Barcelona am saethwr.	Ffilm archif o saethwr yn chwarae i Barcelona. Cynhadledd i'r wasg lle mae'r rheolwr yn cyflwyno'r chwaraewr newydd.
Mae palas Tuduraidd pwysig ar dân.	Ffilm gan aelod o'r cyhoedd oddi ar ffôn symudol, a ffilmiwyd dipyn o bellter oddi wrth y tân.
Pymtheg o filwyr wedi cael eu lladd mewn ymosodiad ar eu barics yn Afghanistan.	Cyswllt ffôn fideo â gohebydd yn y fan a'r lle. Delweddau llonydd o'r barics ar ôl y ffrwydrad.
Maer Llundain wedi cael ei ddal yn goryrru ar yr M25.	Cynhadledd i'r wasg lle mae'r Maer yn ymddiheuro.
Channel 4 yn cyhoeddi sioe teledu realiti newydd lle mae'r cystadleuwyr yn cael eu hynysu mewn cyfres o iglŵau yn Grønland.	Darnau stoc o ffilm o Gylch y Gogledd. Cyfweliad gyda Phennaeth Rhaglenni Channel 4.

Termau allweddol

Darnau stoc o ffilm Deunydd sy'n cael ei gadw mewn llyfrgell, sy'n dangos rhywbeth perthnasol i'r stori newyddion ond na chafodd ei ffilmio'n benodol i gyd-fynd â hi.

Pan oeddech yn penderfynu pa storïau i'w cynnwys yng Ngweithgaredd 9, mwy na thebyg i chi holi eich hun pa mor bwysig yw'r storïau i'r gynulleidfa sy'n gwylio'r rhaglen ac yna i chi bwyso a mesur hynny yn erbyn y deunydd gweledol a oedd gennych i gynnal y stori. Fel gohebwyr newyddion ym mhobman, bydd rhan bwysig o'ch penderfyniad wedi cael ei seilio ar **werthoedd newyddion**.

Bydd y rhan fwyaf o newyddiadurwyr yn dweud wrthych mai mater o brofiad a greddf yw dewis y storïau iawn ar gyfer y diwrnod. Fodd bynnag, mewn astudiaeth enwog yn 1973, canfu'r ymchwilwyr Galtang a Ruge fod rhai ffactorau yn help i gael stori i mewn i'r newyddion.

Termau allweddol

Gwerthoedd newyddion Pethau sy'n help i sicrhau bod stori'n cael ei chynnwys yn y newyddion.

Mae'r testun isod yn amlinellu'r ffactorau a nodwyd gan Galtang a Ruge fel y rhai sy'n pennu pa storïau sy'n cael eu cynnwys yn y newyddion.

Amserlen – mae llofruddiaeth yn cael ei chyflawni a'i darganfod yn gyflym iawn, felly mae'n cyd-fynd â'r amserlen y mae sefydliadau newyddion yn gweithio iddi. Dim ond pan geir cyfres o droseddau a gynnau yn ffactor ynddynt y rhoddir sylw i gynnydd mewn troseddau'n ymwneud â gynnau, gan fod y cynnydd yn rhywbeth sy'n digwydd dros gyfnod hir.

Maint y digwyddiad – mae damwain rheilffordd sy'n lladd 25 o bobl yn newyddion mawr; nid felly ddigwyddiad lle daw trên oddi ar y cledrau ond nad oes neb yn cael ei anafu.

Syndod – oedd y digwyddiad yn annisgwyl?

A oedd digwyddiad yn un disgwyliedig – os bydd sefydliadau newyddion yn disgwyl i rywbeth ddigwydd, felly y bydd hi. Byddant yn adrodd ar wrthdystiad gwrthgyfalafol mawr yng nghanol Llundain, hyd yn oes os aiff popeth rhagddo'n heddychlon, oherwydd bydd y sefydliadau newyddion yn disgwyl trais a byddant yn anfon newyddiadurwyr i adrodd ar y stori.

Parhad – bydd stori sy'n dal i redeg, fel rhyfel, yn parhau i gael sylw.

Pa mor glir yw'r digwyddiad – does dim rhaid i'r newyddion fod yn syml, ond mae stori hynod o gymhleth yn debygol o gael ei hepgor.

Cyfeirio at bobl neu genhedloedd elitaidd – mae newyddion am UDA neu arlywydd yr UD yn fwy tebygol o gael sylw na newyddion tebyg o Costa Rica.

Termau allweddol

Porthora Lle mae gohebwyr neu olygyddion yn atal rhai materion ond yn caniatáu i eraill gael eu cynnwys mewn papurau newydd neu ddarllediadau newyddion.

Porthora yw'r enw ar y broses hon o ddethol a gwrthod eitemau ar gyfer y newyddion. Bydd eu cefndir a'u haddysg nhw eu hunain yn dylanwadu ar y porthorion sy'n gwneud y penderfyniadau.

Brandio newyddion teledu

Mae yna sianelau teledu sy'n canolbwyntio ar ddim ond y newyddion diweddaraf, a hynny 24 awr y dydd. Fel unrhyw ran o'r diwydiant teledu, mae'r newyddion, felly, yn fusnes mawr. Mae'n bwysig fod pob sianel yn datblygu ei **brand** neilltuol ei hun fel y bydd gwylwyr yn ei hadnabod a – gobeithio – yn uniaethu digon â hi i ddangos *teyrngarwch brand* drwy droi at y sianel yn rheolaidd i wylio'r rhaglenni newyddion.

Termau allweddol

Brandio Y nodweddion arbennig sy'n ein galluogi i adnabod cynnyrch.

Yn y dyddiad cynnar, roedd y newyddion yn cael ei ddarllen fel arfer gan ddyn gwyn yn gwisgo siwt a thei, yn eistedd wrth ddesg. Prin oedd y lluniau ychwanegol ac ychydig iawn o graffeg a geid ar y sgrin. Mae pethau'n ddramatig o wahanol heddiw. Mae'r camerâu yn newid safle o gwmpas cyflwynwyr newyddion sydd yn aml yn bartneriaeth gwryw/benyw. Weithiau dônt allan o'r tu ôl i'w desg a cherdded o amgylch y stiwdio, gan siarad â'u cynulleidfa fel pe baent yn sgwrsio â nhw.

Newyddion modern ar Channel 5

Diben setiau cymhleth yw rhoi naws arbennig i'r math o arddull newyddion y mae'r sianel yn ei ddarparu. Yn aml bydd gwybodaeth brintiedig yn sgrolio ar draws y sgrin, gan roi ffeithiau am storïau eraill ar wahân i'r un y mae'r cyflwynwyr yn canolbwyntio arni.

Un rhan bwysig o Gysyniad Allweddol iaith y cyfryngau mewn cwrs Astudio'r Cyfryngau yw'r syniad o *mise-en-scène*. Yn llythrennol, mae'r ymadrodd Ffrangeg hwn yn golygu 'wedi'i roi i mewn yn yr olygfa'. Mae'n help i ni archwilio sut mae golygfeydd o ffilmiau neu olygfeydd ar y teledu yn cyfleu eu hystyr drwy edrych yn ofalus ar y *cysylltiadau* y mae'r setiau, y celfi, y goleuadau, y math o actorion/cyflwynwyr a'r gwisgoedd yn eu hysgogi yn ein meddyliau. Gyda newyddion teledu, bydd ymddangosiad gweledol y set a dillad y cyflwynwyr yn cyd-fynd â disgwyliadau'r gynulleidfa darged a'r naws y mae'r rhaglen yn gobeithio ei chreu.

GWEITHGAREDD 10

Gofynnwyd i chi gynllunio'r set ar gyfer lansiad rhaglen newyddion a fydd yn cael ei dangos am 6 o'r gloch at ITV3. Mae'n ceisio denu cynulleidfa iau yn yr ystod oedran 16-34.

1. ***Penderfynwch pa enw y byddwch yn ei roi i'ch rhaglen newyddion.***
2. ***Lluniwch syniadau o ran sut y bydd y set yn edrych, gan feddwl yn ofalus iawn am y dodrefn, lliwiau'r set ac yn arbennig beth fydd yn ymddangos ar y sgriniau plasma mawr sydd i gael eu lleoli y tu ôl i'r cyflwynwyr.***

Beth ydych chi wedi'i ddysgu?

Yn y bennod hon, rydych wedi dysgu am:

Testunau

- Sut mae storïau papur newydd yn cael eu saernïo
- Ymchwilio i storïau ar gyfer gwahanol gyfryngau newyddion

Iaith y cyfryngau

Genre

- Sut mae'r cyfryngau newyddion wedi newid dros amser
- Sut mae arddull a chynnwys gwahanol gyfryngau newyddion yn caniatáu i gynulleidfaoedd eu dosbarthu ac uniaethu â nhw
- Y brandio ar newyddion teledu

Naratif

- Edrych ar gyfansoddiad naratifau yn y cyfryngau newyddion

Cynrychioliadau

- Sut mae unigolion, syniadau a grwpiau yn cael eu cynrychioli yn y cyfryngau newyddion

Cynulleidfaoedd

- Pwy sy'n darllen ac yn gwylio pa gyfryngau newyddion
- Sut mae'r cyfryngau newyddion yn ymdrin â demograffiau cynulleidfaoedd penodol

Materion trefniadaeth

- Ffynonellau newyddion yn y cyfryngau newyddion
- Y gwerthoedd newyddion sy'n dylanwadu ar ba storïau sy'n cael eu cynnwys yn y newyddion

Cyfryngau cydgyfeiriol

- Sut mae technoleg newydd yn effeithio ar y ffordd y mae'r cyfryngau newyddion yn gweithredu

Cylchgronau

Eich dysgu chi

Yn y bennod hon byddwch yn dysgu am:

- gategoreiddio cylchgronau
- ymchwilio i gloriau cylchgronau a'r tudalennau cynnwys
- pwy sy'n darllen cylchgronau, pryd, ble a pham
- gwerthoedd a ffyrdd o fyw
- disgrifio cynulleidfaoedd
- sêr ac enwogion
- cylchgronau a hysbysebu
- cylchgronau ar-lein.

Categoreiddio cylchgronau

GWEITHGAREDD 1

1. ***Pam rydych chi'n dewis y cylchgronau y byddwch yn eu darllen?***
2. ***Ydych chi bob amser yn darllen yr un cylchgronau neu a fyddwch chi'n dewis un gwahanol bob tro?***
3. ***Ble byddwch chi'n eu darllen?***
4. ***Ydych chi'n darllen cylchgronau ac yn gwneud rhywbeth arall yr un pryd, fel siarad â ffrindiau?***

Ewch i unrhyw uwchfarchnad, siop bapur newydd neu garej. Mae'r dewis o gylchgronau yn aruthrol. Bydd edrych ar y ffordd y maent yn cael eu harddangos yn help i chi ddeall pa fathau o gylchgronau sydd ar gael.

Cylchgronau'n cael eu harddangos mewn siop

AWGRYM

Dechreuwch gadw nodiadur pynciau lle gallwch nodi'ch syniadau a'ch barn mewn ymateb i'r cwestiynau yng ngweithgaredd 2. Gallai hwn gael ei ddefnyddio fel tystiolaeth o ymchwil cynhyrchu neu ar gyfer ymchwiliad testunol. Edrychwch ar y deunydd yn y bennod ar Asesiad dan Reolaeth ar ddiwedd y llyfr hwn.

Termau allweddol

Categoreiddio Trefnu neu grwpio testunau cyffelyb, er enghraifft, cylchgronau, yn ôl y nodweddion sydd ganddynt yn gyffredin.

Cylchgronau ffordd o fyw Cylchgronau sy'n ymdrin â llawer o bynciau a materion er mwyn apelio at gynulleidfa eang.

Cylchgronau arbenigol Cylchgronau sy'n canolbwyntio ar faes diddordeb penodol er mwyn apelio at gynulleidfa gul neu arbenigol.

Pris clawr Y pris a godir am y cylchgrawn – mae'n cael ei arddangos ar y clawr blaen.

Cynulleidfa darged Y grŵp penodol o bobl y mae testun cyfryngol yn cael ei dargedu ato.

GWEITHGAREDD 2

Gwnewch rywfaint o ymchwil i'r cylchgronau sydd ar werth drwy fynd i'ch siop bapur newydd neu'ch uwchfarchnad leol. Sefwch yn ôl ac edrychwch ar y rhesi o gylchgronau ar y silffoedd.

1. *Beth yw'ch argraffiadau cyntaf o'r arddangosfa?*
2. *Sut mae'r cylchgronau wedi cael eu trefnu?*
3. *Oes unrhyw liwiau yn sefyll allan yn gryf? Pa rai?*
4. *Pa nodweddion ar y cloriau sy'n dweud wrthych pa adeg o'r flwyddyn yw hi?*
5. *Oes unrhyw wynebau yn ymddangos ar fwy nag un cylchgrawn? Wynebau pwy?*
6. *Pa bynciau neu themâu sy'n cael sylw gan fwy nag un cylchgrawn?*

Un ffordd amlwg o ddechrau **categoreiddio** cylchgronau yw eu rhannu rhwng grwpiau diddordeb cyffredinol neu ffordd o fyw, a grwpiau arbenigol. Mae cylchgronau diddordeb cyffredinol/**cylchgronau ffordd o fyw**, fel *Glamour*, yn cwmpasu amrywiaeth eang o ddeunydd, gan roi sylw i lawer o bynciau a materion. Mae **cylchgronau arbenigol**, fel *Digital Camera*, wedi'u teilwra ar gyfer un maes penodol. Meddyliwch am y cylchgronau yr ydych chi'n eu darllen – i ba gategori maen nhw'n perthyn?

GWEITHGAREDD 3

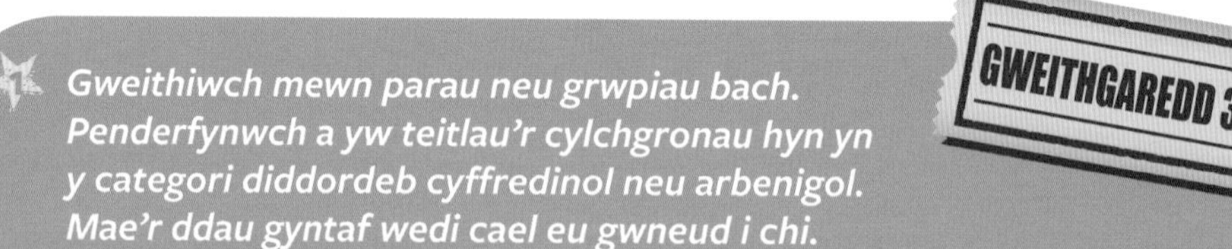

1. *Gweithiwch mewn parau neu grwpiau bach. Penderfynwch a yw teitlau'r cylchgronau hyn yn y categori diddordeb cyffredinol neu arbenigol. Mae'r ddau gyntaf wedi cael eu gwneud i chi.*

Cylchgronau diddordeb cyffredinol	Cylchgronau arbenigol
OK	Empire

- OK
- Empire
- Good Food
- New Woman
- Rugby World
- PC Format
- Heat
- Radio Times
- Men's Health
- Match of the Day
- Angler's Mail
- Digital Camera
- Family Circle
- Bob the Builder
- Hair
- Stuff
- Inside Soap
- Mizz
- Glamour
- NGamer
- Woman's Own

Cofiwch fod llawer o ffyrdd eraill hefyd o gategoreiddio cylchgronau; y ***pris clawr*** *efallai, y* ***gynulleidfa darged****, neu o ran y cwmnïau sy'n eu cyhoeddi.*

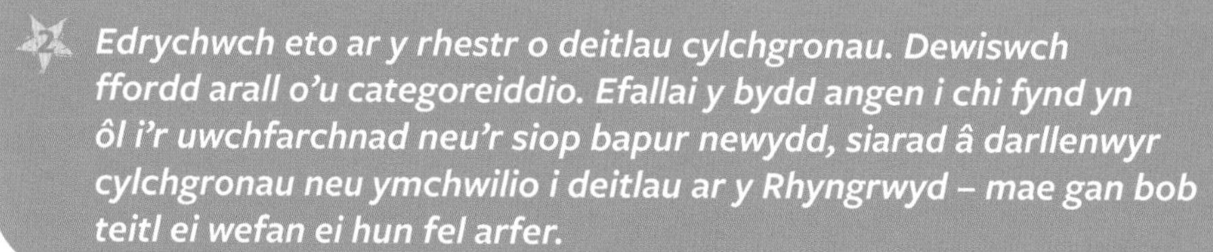

2. *Edrychwch eto ar y rhestr o deitlau cylchgronau. Dewiswch ffordd arall o'u categoreiddio. Efallai y bydd angen i chi fynd yn ôl i'r uwchfarchnad neu'r siop bapur newydd, siarad â darllenwyr cylchgronau neu ymchwilio i deitlau ar y Rhyngrwyd – mae gan bob teitl ei wefan ei hun fel arfer.*

Ymchwilio i gloriau cylchgronau

Mae cyhoeddi cylchgronau yn ddiwydiant cyfryngol eithriadol o broffidiol. Mae hefyd yn gystadleuol iawn. Byddwch wedi sylweddoli o'ch gweithgareddau ymchwil hyd yma mai un dechneg allweddol a ddefnyddir gan gylchgronau i ddenu a chyfarch eu cynulleidfaoedd yw drwy hoelio eu diddordeb ar y silff.

Nesaf, rydych yn mynd i edrych yn fanwl ar glawr cylchgrawn ac ymchwilio i'w nodweddion. Mae hon yn ffordd ragorol o ganfod pa negeseuon y mae cylchgrawn yn eu cyfleu i'w gynulleidfa. Er mwyn llwyddo, rhaid i gylchgrawn sefydlu perthynas agos, bersonol a chyfeillgar bron gyda'i ddarllenwyr. Mae hyn yn cael ei alw yn **ddull cyfarch**. Ar dudalen 74, tynnwyd llun y ddelwedd ganolog yn edrych yn syth at y darllenydd; gelwir hyn yn ddull cyfarch *uniongyrchol*. Mae'n awgrymu bod y sawl sydd yn y llun yn sefydlu perthynas bersonol â'r darllenydd a'i bod ar delerau cyfeillgar â'r darllenydd.

Cyn i chi edrych ar y clawr cylchgrawn wedi'i anodi, gwnewch yn siŵr eich bod yn deall rhai o'r termau eraill sy'n cael eu defnyddio yn yr anodiadau. Mae wastad yn bwysig defnyddio'r termau cywir pan fyddwch yn ymchwilio i destun cyfryngol:

- **thema dymhorol**: pan fydd lliwiau a chynnwys cylchgrawn yn berthnasol i'r adeg o'r flwyddyn, e.e. calonnau cochion ac erthyglau am gariad a rhamant ym mis Ionawr ar gyfer Dydd Santes Dwynwen neu fis Chwefror ar gyfer Dydd Gŵyl Sain Folant
- ***mise-en-scène***: y ffordd y caiff pob elfen o'r testun ei threfnu i greu ystyr
- **testun angori**: ysgrifennu sy'n pennu ystyr delwedd (a elwir hefyd yn gapsiwn)
- **geiriau bachog**: geiriau sy'n sefyll allan yn y testun, er enghraifft, 'Am Ddim"
- **dynodydd allweddol**: y peth cyntaf ar glawr sy'n denu'r llygad – gallai fod yn ddelwedd neu'n air
- **hysbysrwydd**: gwybodaeth ar y clawr blaen am y cynnwys y tu mewn i'r cylchgrawn
- **arosod**: lle mae delweddau a geiriau'n cael eu gosod ar ben ei gilydd. Yn aml mae'r teitl yn cael ei orchuddio'n rhannol gan y ddelwedd ganolog – rhagdybir y bydd y gynulleidfa'n adnabod y teitl beth bynnag.

Termau allweddol

Dull cyfarch Y ffordd y mae testun yn creu perthynas â'i gynulleidfa.

Awgrym yr arholwr

Mae defnyddio termau ac iaith briodol pan fyddwch yn ymchwilio i destun yn ffordd dda o gael rhagor o farciau.

Mae'r fodel, Courtney Love, yn ferch enwog sy'n defnyddio DULL CYFARCH UNIONGYRCHOL ac yn edrych yn uniongyrchol at y darllenydd i sefydlu perthynas â hi.

Mae'r BLOC TEITL mewn ffont SERIFF gwyn sy'n awgrymu soffistigeiddrwydd o safon uchel, sydd wedi hen ennill ei blwyf. Yr enw, Elle, yw'r gair Ffrangeg am 'hi' ac mae'n awgrymu rhywbeth o ansawdd uchel, yn ogystal â ffocws ar ffasiwn sy'n gysylltiedig â Ffrainc.

Mae GWEFAN y cylchgrawn yn ei gwneud yn bosibl i ddarllenwyr fynd ymhellach na'r rhifyn papur hwn a darllen y fersiwn ar-lein hefyd.

Mae geiriau fel 'rheolau' a 'steil arbennig' yn gwneud i'r darllenwyr deimlo bod y cyngor ar ffasiwn a chyfwisgoedd yn y cylchgrawn hwn yn mynd i fod yn werthfawr yn eu bywydau nhw.

Mae'r TESTUN ANGORI yn cysylltu'r ddelwedd ganolog â phynciau'r erthygl ar Courtney Love. Mae'n defnyddio'r RHEOL TRI er mwyn diddordeb.

Mae'r prif HYSBYSRWYDD yn pwysleisio'r angen i ddilyn ac efelychu'r tueddiadau ffasiwn diweddaraf.

Mae cynnwys erthyglau am sêr ac enwogion yn boblogaidd iawn gyda darllenwyr benyw. Mae'n enghraifft o ddiwydiannau'r cyfryngau yn defnyddio'i gilydd i gynyddu eu helw.

Mae'r cyngor i ddarllenwyr ar steil a gwisgo ffasiwn yn enghraifft o'r theori Defnyddiau a Boddhad, lle bydd cynulleidfaoedd yn dewis testun y gallant uniaethu ag ef ac a fydd yn help iddynt berthyn yn gymdeithasol.

Mae'r cynllunydd gwallt rhad ac am ddim yn GYMHELLIAD i annog darllenwyr i brynu'r cylchgrawn.

Mae'n anarferol i'r ddelwedd ganolog fod yn weladwy o'i phen i'w thraed. Yma, mae 'golwg' Courtney Love yn cynrychioli'r hyn y mae cylchgrawn Elle yn awgrymu y dylai'r darllenydd fod yn ei wisgo.

GWEITHGAREDD 4

Nawr, rhowch gynnig ar ymchwilio i glawr blaen cylchgrawn eich hun. Mae PC Gamer yn gylchgrawn gemau cyfrifiadurol wedi'i anelu at ddynion ifanc 16-35 oed. Ceisiwch nodi sut mae'r clawr wedi cael ei gynllunio fel ei fod yn apelio at ei gynulleidfa.

- *Cofiwch ddefnyddio'r termau priodol lle bynnag y gallwch.*
- *Os bydd angen help arnoch, edrychwch ar y clawr ar dudalen 74 i weld sut yr ymchwiliwyd iddo.*

Selogion gemau cyfrifiadurol gwryw, 16-35 oed, yw darllenwyr PC Gamer gan mwyaf

Pwy sy'n darllen cylchgronau?

Mae ystyried ffyrdd cynulleidfaoedd o ddarllen neu wylio gwahanol destunau cyfryngol yn rhan bwysig iawn o Astudio'r Cyfryngau. Y ffordd orau o ddechrau yw gyda CHI, gan fod cynifer o destunau yn cael eu hanelu at bobl fel chi. Rydych yn rhan o'r gynulleidfa rymus 14 i 18 oed, ac mae cynhyrchwyr y cyfryngau yn awyddus i wybod beth rydych yn ei hoffi a beth rydych am ei gael.

Allwch chi feddwl pam mae'ch grŵp oedran chi mor rymus? Y prif reswm yw, er na fyddwch fel arfer yn ennill symiau mawr o arian, fod y cyfan bron yr ydych yn ei ennill yn **incwm gwario** – dim ond arnoch chi eich hun y byddwch yn ei wario. Wedi'r cyfan, ni fydd y rhan fwyaf o bobl ifanc yn gorfod talu am fwyd na chartref, felly mae cynhyrchwyr y cyfryngau am i chi wario eich arian ar eu cynnyrch nhw. Mae'r cynhyrchwyr hefyd am gael darllenwyr sydd â grym gwario i ddenu hysbysebwyr sy'n noddi eu costau cynhyrchu. Mae'r arian y mae hysbysebwyr yn ei dalu am le mewn testunau seiliedig ar brint yn cael ei ddefnyddio i ostwng y pris gwerthu. Heb **gymhorthdal**, byddai testunau cyfryngol seiliedig ar brint yn costio dwywaith cymaint. Byddwn yn edrych yn agosach ar y berthynas rhwng cylchgronau a hysbysebwyr yn ddiweddarach yn y bennod hon.

Termau allweddol

Incwm gwario Yr arian sydd gan rywun ar ôl i'w wario ar ôl talu am hanfodion fel cartref a bwyd.

Cymhorthdal Gostwng pris testun cyfryngol, fel cylchgrawn neu bapur newydd, drwy werthu gofod hysbysebu.

Pam mae pobl yn defnyddio testunau cyfryngol?

Mae rhai damcaniaethwyr ym maes y cyfryngau wedi awgrymu bod cynulleidfaoedd y cyfryngau yn gwneud penderfyniadau *gweithredol* am beth i'w ddefnyddio i ateb anghenion penodol. Weithiau caiff hyn ei alw'n Theori Defnyddiau a Boddhad, ac mae'n ceisio dangos y gwahanol anghenion y mae cynulleidfaoedd am eu diwallu drwy ddefnyddio rhai testunau cyfryngol.

Theori Defnyddiau a Boddhad

Mae defnyddwyr y cyfryngau yn dewis testunau sy'n diwallu un neu ragor o'r anghenion hyn:

- yr angen i gael GWYBODAETH a chael eu HADDYSGU am y byd y maent yn byw ynddo
- yr angen i UNIAETHU yn bersonol â chymeriadau a sefyllfaoedd er mwyn dysgu mwy amdanynt eu hunain
- yr angen i gael eu DIFYRRU gan ystod ac amrywiaeth o destunau sydd wedi'u saernïo'n dda
- yr angen i ddefnyddio'r cyfryngau fel testun siarad ar gyfer RHYNGWEITHIO CYMDEITHASOL neu DRAFODAETH
- yr angen i DDIANC rhag rhigol bywyd bob dydd i fydoedd a sefyllfaoedd eraill.

1. ***Dewiswch un rhaglen deledu yr ydych yn ei mwynhau. Eglurwch sut mae modd defnyddio'r theori Defnyddiau a Boddhad i ddangos pam rydych yn ei hoffi. Rhoddwyd enghraifft i'ch helpu.***

   Rwy'n mwynhau gwylio '*Big Brother*' oherwydd rwy'n hoffi dewis pa gymeriadau sydd fwyaf tebyg i mi ac sy'n gwneud fel y byddwn i'n ei wneud yn y tŷ (UNIAETHU). Mae gwylio'r bobl yn y tŷ yn gwneud y fath ffyliaid ohonynt eu hunain yn llawer o hwyl (DIFYRRU). Mae fy ffrindiau'n mwynhau '*Big Brother*' hefyd ac weithiau byddwn yn gwylio gyda'n gilydd ar noson taflu allan i weld sut mae'r pleidleisio wedi mynd a phwy fydd yn gorfod gadael (RHYNGWEITHIO CYMDEITHASOL). Fyddwn i byth yn mynd ar 'Big Brother' fy hun, ond mae'n tynnu fy meddwl oddi ar fy ngwaith (DIANC)!

2. ***Nawr cymhwyswch y Theori Defnyddiau a Boddhad i gylchgrawn yr ydych yn ei ddarllen yn rheolaidd.***

Cylchgronau ffordd o fyw

Mae cylchgronau ffordd o fyw yn cynnig ymdeimlad o hunaniaeth, cwmnïaeth a chysur. Maent yn cynnwys teitlau fel *Cosmopolitan, FHM, Heat, Nuts, OK* a *Closer*. Maent yn rhannu gyda'u darllenwyr y problemau a'r materion o bwys sy'n codi ym mywydau pobl eraill debyg sydd hefyd yn darllen y cylchgrawn. Mae cylchgronau ffordd o fyw yn cynnig arweiniad a chyfarwyddyd ar sut i fyw mewn ffordd neilltuol, yn ogystal â difyrru a chynnig dihangfa. Mae'r cylchgronau hefyd yn herio'r darllenwyr i ymateb i'r cyngor a gynigiwyd ar faterion fel perthnasoedd, gyrfaoedd ac eiddo materol. Byddai'n ddiddorol ystyried pa mor realistig yw'r ffordd o fyw sy'n cael ei hyrwyddo.

Pryd a sut mae pobl yn defnyddio testunau cyfryngol?

Mae cynulleidfaoedd yn defnyddio – hynny yw, yn gwylio, darllen neu wrando ar – gynnyrch cyfryngol mewn amrywiaeth eang o sefyllfaoedd a mannau. Weithiau maent yn rhoi eu holl sylw i'r testun – prif ddefnydd. Bryd arall, efallai y byddant yn gwylio, darllen neu wrando ac yn gwneud pethau eraill yr un pryd – defnydd eilaidd. Y term am hyn yw **defnydd o'r cyfryngau**. Sut mae'r merched yn y lluniau hyn yn defnyddio'u testunau?

Mae pobl yn defnyddio cynnyrch y cyfryngau mewn ffyrdd gwahanol

Termau allweddol

Defnydd o'r cyfryngau Y testunau cyfryngol y byddwch yn eu gwylio, yn gwrando arnynt neu'n eu darllen.

Awgrym yr arholwr

Gallai'r math hwn o ymchwil trylwyr i ddefnydd cynulleidfaoedd fod o fudd ar gyfer eich pecyn Asesiad dan Reolaeth.

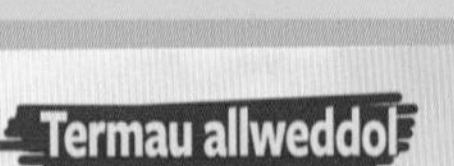

Termau allweddol

Prif ddefnyddiwr Rhywun sy'n canolbwyntio ar wylio, gwrando ar neu ddarllen testun cyfryngol.

Defnyddiwr eilaidd Rhywun sy'n gwylio, gwrando ar neu ddarllen testun cyfryngol gan wneud rhywbeth arall yr un pryd, fel siarad neu waith cartref.

GWEITHGAREDD 6

Rydych yn mynd i ymchwilio i'r cyfryngau yr ydych yn eu defnyddio mewn wythnos.

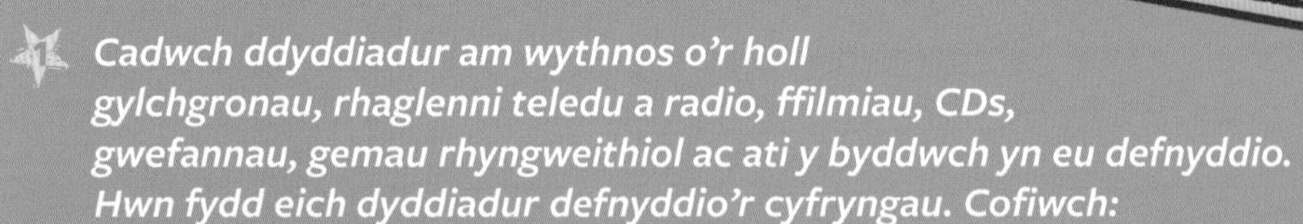

1. *Cadwch ddyddiadur am wythnos o'r holl gylchgronau, rhaglenni teledu a radio, ffilmiau, CDs, gwefannau, gemau rhyngweithiol ac ati y byddwch yn eu defnyddio. Hwn fydd eich dyddiadur defnyddio'r cyfryngau. Cofiwch:*
   - *nodi faint o amser y byddwch yn ei dreulio ar bob testun*
   - *ysgrifennu a oeddech yn **brif ddefnyddiwr** neu'n **ddefnyddiwr eilaidd.***

Gallai cofnod nodweddiadol yn y dyddiadur ddechrau fel hyn:

Dydd Gwener 20 Mawrth 2009

- Gwrando ar y radio wrth wisgo. 45 munud. Eilaidd
- Gwylio C4 wrth fwyta brecwast. 45 munud. Eilaidd
- Gwrando ar albwm Duffy ar fy iPod ar y ffordd i'r ysgol. 20 munud. Prif

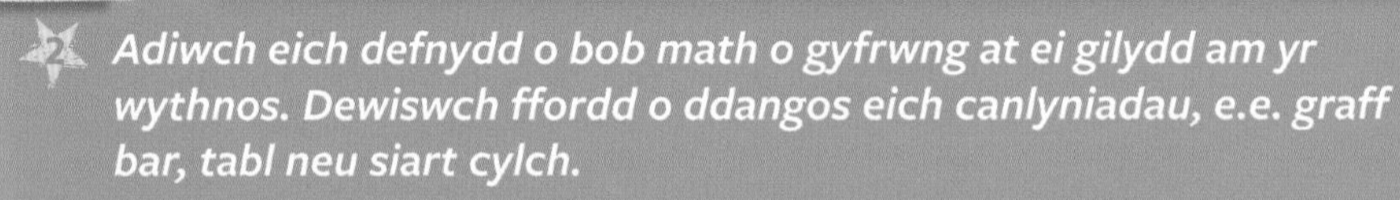

2. *Adiwch eich defnydd o bob math o gyfrwng at ei gilydd am yr wythnos. Dewiswch ffordd o ddangos eich canlyniadau, e.e. graff bar, tabl neu siart cylch.*

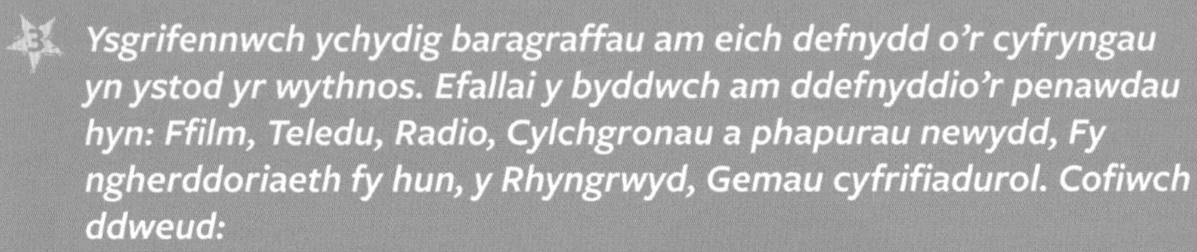

3. *Ysgrifennwch ychydig baragraffau am eich defnydd o'r cyfryngau yn ystod yr wythnos. Efallai y byddwch am ddefnyddio'r penawdau hyn: Ffilm, Teledu, Radio, Cylchgronau a phapurau newydd, Fy ngherddoriaeth fy hun, y Rhyngrwyd, Gemau cyfrifiadurol. Cofiwch ddweud:*
   - *pam y dewisoch chi y testunau a ddefnyddioch*
   - *pa anghenion yr oedd y testunau yn eu diwallu*
   - *beth yw eich patrymau defnyddio*
   - *a oes rhai testunau cyfryngol y byddwch yn dewis peidio â'u defnyddio yn fwriadol. Os felly, pam?*

Termau allweddol

Ideoleg System o werthoedd, credoau neu syniadau sy'n gyffredin i grŵp penodol o bobl.

Gwerthoedd a ffordd o fyw

Gall gwerthoedd a ffordd o fyw – sydd hefyd yn cael eu galw yn **ideoleg** – ymddangos yn gysyniadau anodd eu deall ar yr olwg gyntaf, ond dim ond termau yw'r rhain am y ffordd mae pobl yn meddwl amdanynt eu hunain, am eraill ac am y byd y maent yn byw ynddo. Yr unig beth anodd am ideoleg yw ei bod mor reddfol ac nad yw'n cael ei mynegi, fel ei bod braidd yn anweledig. Ar y cyfan nid yw pobl yn gwybod beth yw eu gwerthoedd a'u credoau oni bai eu bod yn cael eu herio mewn rhyw ffordd.

GWEITHGAREDD 7

Rhowch gynnig ar yr ymarferiad hwn i'ch helpu i ddeall ideoleg a gwerthoedd. Dychmygwch fod y myfyrwyr yn eich dosbarth i gyd wedi cael eu gadael ar ynys bellennig. Does neb arall yno. Rhaid i bob un ohonoch ysgrifennu enwau'r pedwar myfyriwr fyddai'n cyflawni'r swyddogaethau hyn orau:

***A:** Arweinydd y grŵp*

***B:** Y gynhaliaeth emosiynol y gall y grŵp ddibynnu mwyaf arni*

***C:** Y person sydd fwyaf tebygol o ddisgyn oddi ar y rafft yr ydych wedi'i hadeiladu i mewn i'r dyfroedd llawn siarcod*

***Ch:** Y person sydd fwyaf tebygol o beryglu ei fywyd i ddeifio i mewn a'i achub.*

Cyfrifwch y pleidleisiau.

Wrth gyfrif y pleidleisiau, efallai y synnwch chi gymaint o gytuno sydd yna rhwng eich dewisiadau delfrydol ar gyfer y swyddogaethau hyn. Gan fod gennych werthoedd neu ideolegau tebyg, bydd gennych syniadau tebyg am bwy sy'n bodloni gofynion pob swyddogaeth orau hefyd. Er enghraifft, mae'n bosibl iawn mai'r aelod mwyaf di-flewyn-ar-dafod, poblogaidd o'r grŵp fydd yr arweinydd, tra bo'r person sy'n rhoi cynhaliaeth emosiynol yn debygol o fod yn berson aeddfed, siriol, sy'n siarad yn hapus â phawb, nid dim ond ei grŵp ffrindiau. Bydd y dosbarth wedi cytuno ar hyn oherwydd rydych i gyd yn deall bod angen i bobl fod wedi arddangos rhai gwerthoedd a safonau ymddygiad er mwyn derbyn unrhyw un o'r swyddogaethau hyn.

Ideoleg mewn cylchgronau

Mae cylchgronau'n adlewyrchu gwerthoedd ac ideolegau eu darllenwyr oherwydd maent am i'r darllenwyr deimlo eu bod yn gallu uniaethu â'r cylchgrawn.

Dyma ddau ddisgrifiad o ddarllenwyr targed dau gylchgrawn ffordd o fyw, fel y cânt eu nodi ar wefannau'r cylchgronau:

> *'Mae'r sawl sy'n darllen* Elle *yn fywiog, ffasiynol a deallus; mae'n disgwyl llwyddo ym mhopeth a wna. Mae'n arwain y ffordd ac yn torri'r rheolau.'*

> *'Mae gan y sawl sy'n darllen* Sight & Sound *ddiddordeb byw ym myd y ffilmiau ac mae'n disgwyl cael gwybodaeth ddeallus am yr holl ffilmiau sy'n cael eu rhyddhau, nid dim ond ffilmiau prif ffrwd Hollywood.'*

Edrychwch ar y tudalennau gwe isod sy'n dangos fersiynau ar-lein o gylchgronau *Elle* a *Sight and Sound*. Darllenwch y nodiadau o amgylch un o'r tudalennau gwe – bydd y rhain yn help i chi gyda'r gweithgaredd sy'n dilyn.

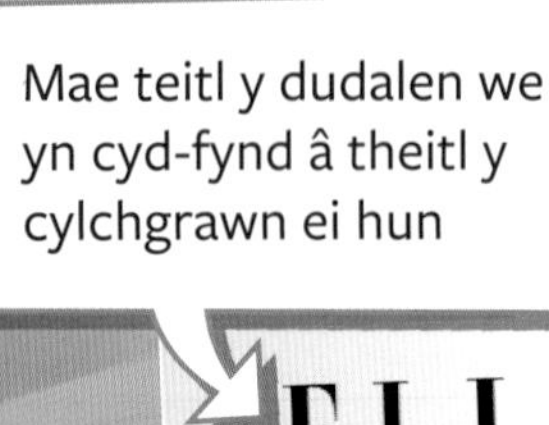

Mae teitl y dudalen we yn cyd-fynd â theitl y cylchgrawn ei hun

Cysylltiadau at y prif feysydd o ddiddordeb

Cymhelliad yn cynnig nwyddau am ddim dim ond i chi danysgrifio

NEWS
JUST IN
Luella's London Fashion Week slot plus all the latest sale news
READ NOW >

Office, pub or party - these days we don't need an excuse rock up in a cocktail frock. Click here to see our expert edit of the high street and designer collections and find your perfect dress now...
SEE MORE NOW >

BEAUTY
HOW TO BEAUTY
Your guide to winter's best beauty looks and how to make them work for you
SEE MORE >

SUBSCRIBE THE WORLD'S BIGGEST SELLING FASHION MAGAZINE
FREE! Zoya nail varnish worth £35.80

Mae'r brif ddelwedd gan un o ddylunwyr amlycaf y byd ffasiwn

> NEW FASHION TRIBES
> NAMES TO KNOW
> WHAT TO WEAR NOW
> WIN A SHOPPING SPREE!

Cysylltiadau at y prif eitemau ffasiwn

more on ELLE

Christmas GIFT GUIDE
Over 100 lust-have fashion, beauty and lifestyle gifts in our luxe shopping guide - add them to your wish-list right now
READ MORE >

editor's PICK
- Instant Outfit... Love Courtney
- Metallic Eyes
- Celebrity Trends

Mae cyfle i danysgrifio i'r cylchgrawn yn cael ei ymgorffori ar y dudalen

Eitem am elfennau ffasiwn y mae'n 'rhaid eu cael'

Mae golygydd y dudalen we yn hoelio'ch sylw ar gyngor ynglŷn â harddwch

CD-ROM

Am Ragor!

ElleUK.com

Agorwch y CD yng nghefn y llyfr hwn a chliciwch ar yr eicon isod i agor cyswllt at wefan ElleUK.com

Mae'r cylchgrawn a'r wefan yn cael eu cynhyrchu gan Sefydliad Ffilm Prydain – corff sy'n cymryd ffilm o ddifrif

Mae'r arweiniad i'r wefan yn ei gwneud yn hawdd gweithio'ch ffordd drwyddi

Gwneir cynnwys y cylchgrawn cyfredol yn glir

→ SEE FILMS
→ SHOP FOR FILMS
→ LEARN ABOUT FILMS
→ RESEARCH FILMS
→ DOWNLOAD FILMS

about BFI
what's on
film & tv info
national archive
members' space
join the BFI

BECAUSE FILMS INSPIRE...

Home > Sight & Sound

Cyswllt clir â'r cylchgrawn ei hun

- Sight & Sound
- December 2008 issue
- Archive
- Subscribe
- Advertise
- The Best Music in Film
- Top ten

Mae'r manylion yn ei gwneud yn hawdd i'r defnyddiwr fynd ar ei union i fan penodol

Sight & Sound

- Discover the best world cinema
- In-depth interviews with leading directors
- Retrospective articles vividly bringing film history to life
- All the latest film news

Sight & Sound

December issue: The DVDs of 2008

BFI Members

Log in to the Members' Space

BFI Emails

Sign up for email bulletins or change your preferences

Contact or Visit the BFI

Telephone numbers and visitor information

In this issue

Our December issue features an interview with Oliver Stone about *W.* while Michael Atkinson considers the cinema of the Bush era. We also talk to the Dardenne brothers about their latest film *The Silence of Lorna* and to Ari Folman about *Waltz with Bashir*, his animated documentary about Israel's 1982 Invasion of Lebanon. Meanwhile, we also pay tribute to two underrated directors, Abel Ferrara whose latest feature will not be distributed in the UK and also Manoel de Oliveira who turns 100 this month.

The DVDs of 2008

Our critics choose their personal favourite DVDs from 2008

Cysylltiadau rhyngweithiol i ddefnyddwyr gyda sawl cyfle i ymuno â'r wefan

Archive

Search our online database for full contents of back issues from 1999 to the present. A list of back issues to purchase is also available.

Subscribe to *Sight & Sound*

If you want grown-up comment on films this is the magazine for you.

Prif ffocws y cylchgrawn a'r wefan – hanes a swyddogaeth adolygwyr ffilm

Mynegi barn am y gerddoriaeth ffilm orau, ar sail polau

Top Ten

Every ten years *Sight & Sound* has asked film critics, directors, writers and academics to compile a list of the best films of all time. All these polls can be viewed online.

The Best Music in Film

In September 2004 *Sight & Sound* invited film-makers and musicians from across the world to reflect on the relationship between cinema and music.

Rhestrau o'r ffilmiau gorau yn cael eu llunio gan bobl uchel eu parch o fyd y ffilmiau

Gwahoddiad i hysbysebwyr i brynu gofod yng nghylchgrawn *Sight & Sound*

Advertise in *Sight & Sound*

Advertise in the UK's original movie magazine.

A chithau wedi edrych ar y ddwy dudalen we erbyn hyn, a ydych yn gallu gweld sut mae gwefannau'r cylchgronau'n adlewyrchu gwerthoedd, diddordebau ac ideolegau eu darllenwyr? Gwnewch nodiadau o dan y penawdau canlynol:

- *teipograffeg (yr arddull ffontiau, lliw, lleoliad a ddewisir)*
- *y defnydd o ddelweddau*
- *sut mae'r dudalen yn cael ei gosod er mwyn denu'r llygad*
- *y defnydd o iaith – chwiliwch am eiriau 'arbenigol' y bydd y darllenydd yn eu deall, a dulliau cyfarch anffurfiol*
- *addewidion yn gysylltiedig â gwerthoedd, ideolegau a/neu bleser.*

CD-ROM

Am Ragor!

BFI

Agorwch y CD yng nghefn y llyfr hwn a chliciwch ar yr eicon isod i agor cyswllt at wefan BFI.

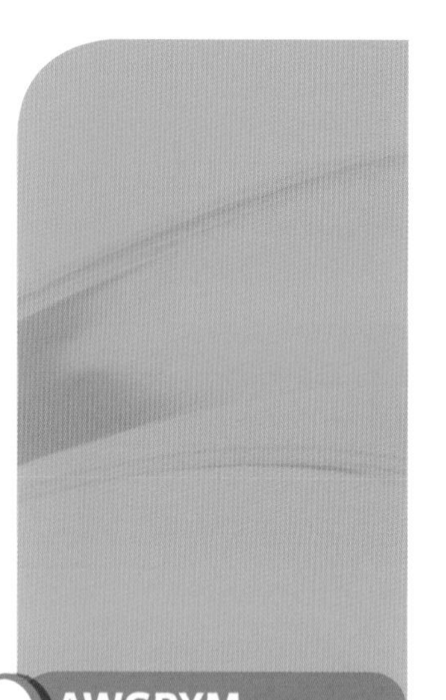

Gellir gweld ideolegau ar lawer o lefelau gwahanol. Mae gan wledydd *ideolegau cenedlaethol*: os ewch ar wyliau dramor, fe sylwch ar batrymau ymddygiad a fyddai'n anarferol yn y DU. Yn Japan, er enghraifft, mae pobl bob amser yn eithriadol o gwrtais tuag at ei gilydd, ac mae dangos dicter yn cael ei ystyried yn ddigywilydd. Allwch chi feddwl am unrhyw bethau y byddai ymwelwyr â'r DU yn sylwi arnynt am ein patrymau ymddygiad ni? Er enghraifft, mae pobl yn aml yn dweud bod Prydeinwyr yn gwerthfawrogi amynedd a'u bod yn hoff o sefyll mewn ciw!

Mae deall ideoleg yn help mawr pan fyddwch yn ymchwilio i'r ffyrdd y caiff cylchgronau a thestunau cyfryngol eraill eu llunio er mwyn apelio at eu cynulleidfaoedd targed, drwy gynnig iddynt bethau y byddant yn eu hoffi, yn eu deall ac yn eu gwerthfawrogi, ac yn ymgyrraedd atynt.

Disgrifio cynulleidfaoedd cylchgronau

Rhyw

Mae rhai testunau â gogwydd rhyw amlwg. Mae *Action Man* a *Girl Talk* yn enghreifftiau o gylchgronau sydd â gogwydd gwryw/benyw clir. Weithiau gallwch ganfod a yw rhyw yn fater perthnasol drwy ystyried themâu neu werthoedd sy'n ganolog i destun. Edrychwch eto ar glawr blaen cylchgrawn *Elle* ar dudalen 74. Mae canolbwyntio ar ymddangosiad a delwedd yn rhywbeth a gysylltir yn aml â chynulleidfaoedd benyw. Mae rhai pobl yn credu bod cylchgronau yn gallu bod yn niweidiol drwy atgyfnerthu stereoteipiau benyw – er enghraifft, gall merched a menywod eu gwneud eu hunain yn sâl yn ceisio edrych fel y modelau yn y lluniau. Beth yw eich barn chi?

Oed

Ceisiwch osgoi gwneud datganiadau bras am oed cynulleidfa darged, megis 'Mae'r testun wedi'i anelu at bobl ifanc yn eu harddegau' neu 'y gynulleidfa darged i'r cylchgrawn hwn yw pobl ganol oed'. Efallai y bydd y dadansoddiad hwn o gymorth i chi gan ei fod yn ystyried bandiau oedran mewn ffordd fwy penodol:

Dan 5	6–8	9–12	13–15	16–18
19–25	26–40	41–60	Dros 60	

AWGRYM

Mae gwybod sut i ddisgrifio cynulleidfaoedd targed yn ddefnyddiol mewn llawer o feysydd eraill o Astudio'r Cyfryngau ac wrth ymchwilio i destunau cyfryngol.

Bydd angen i chi allu disgrifio a phennu cynulleidfaoedd targed drwy gydol y cwrs Astudio'r Cyfryngau ac yn yr Asesiad Allanol terfynol, felly mae'n werth ystyried sawl ffordd o ddiffinio cynulleidfaoedd cylchgronau.

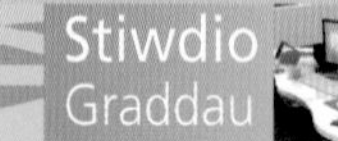

Awgrym yr arholwr

Mae'n well osgoi datganiadau bras, cyffredinol, gan nad ydynt yn benodol ac nid yw'n debygol y cânt farciau uchel yn eich Asesiad dan Reolaeth na'r Asesiadau Allanol.

GWEITHGAREDD 9

Dychmygwch eich bod yn gynhyrchydd yn y cyfryngau yn ystyried y gynulleidfa darged ar gyfer eich cylchgrawn newydd. Beth wyddoch chi am bobl o wahanol oedrannau?

1. ***Rhestrwch a thrafodwch ffordd o fyw debygol pobl yn y grwpiau oedran hyn a'r pethau y maent yn debygol o'u hoffi a'u casáu: 6-8; 16-18; 25-40; dros 60.***
2. ***Holwch eich hun am eu hobïau, eu hoff noson allan, y rhaglenni teledu y maent yn eu gwylio, ac ati.***

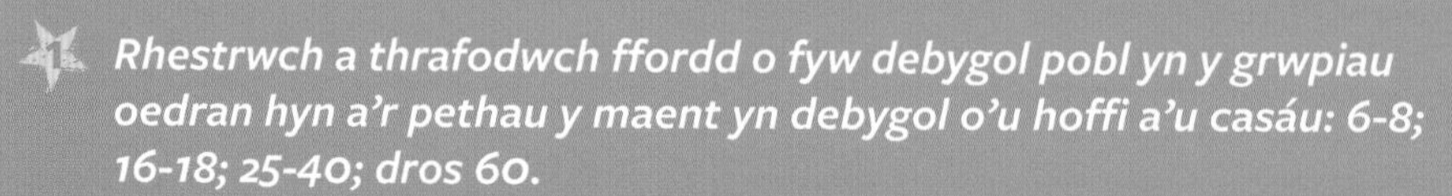
Mae pobl dros 60 yn debygol o: fod ag incwm gwario isel; fod â ffyrdd o fyw tebyg i'w gilydd a bod yn brin o egni; beidio â mwynhau trais; fwynhau ffilmiau a rhaglenni o'r gorffennol.

Wrth ddisgrifio cynulleidfaoedd targed yn ôl eu hoedran a'u ffordd o fyw debygol, mae'n bosibl i grwpiau gael eu **stereoteipio**. Efallai fod y disgrifiad o bobl dros 60 yng Ngweithgaredd 9 yn wir am rai pobl, ond mae'n bwysig cofio bod llawer o bobl dros 60 oed yn dal i ennill cyflogau mawr, rhedeg rasys marathon, mwynhau ffilmiau ias a chyffro a mynd i gyngherddau pop!

Ethnigrwydd

Er nad yw ethnigrwydd bob amser yn berthnasol wrth ystyried cynulleidfa darged – gall testun gael ei dargedu at bob ethnigrwydd – gall cefndir hiliol neu grefyddol cynulleidfa weithiau fod yn ffactor a fydd yn dylanwadu ar yr hyn a geir mewn testun a'r negeseuon y bydd yn eu cyfleu. Er enghraifft, mae Asiana yn gylchgrawn sy'n targedu menywod Asiaidd.

Termau allweddol

Stereoteipio Grwpio pobl gyda'i gilydd yn ôl nodweddion syml y maent yn eu rhannu, heb ganiatáu ar gyfer elfennau unigryw unigolion.

GWEITHGAREDD 10

1. *Pa gliwiau sydd ar glawr y cylchgrawn hwn i awgrymu bod ethnigrwydd y gynulleidfa darged yn bwysig? Efallai yr hoffech ystyried y geiriau a ddewiswyd a'r portread o'r model, er enghraifft.*
2. *Gan weithio mewn grwpiau, ewch ati i ganfod pa gylchgronau yw'r mwyaf poblogaidd gyda phobl yn eich ysgol chi. Ceisiwch holi myfyrwyr sy'n cynrychioli cymysgedd o oedran, rhyw a chefndir ethnig. Pa gysylltiadau allwch chi eu gweld rhwng y ffactorau hyn a'r cylchgronau y mae pobl yn eu mwynhau?*
3. *Cyflwynwch y canlyniadau ar ffurf siart, graff neu dabl a thrafodwch nhw yn y dosbarth.*

Mae ethnigrwydd yn ffactor o bwys wrth dargedu marchnad *Asiana*

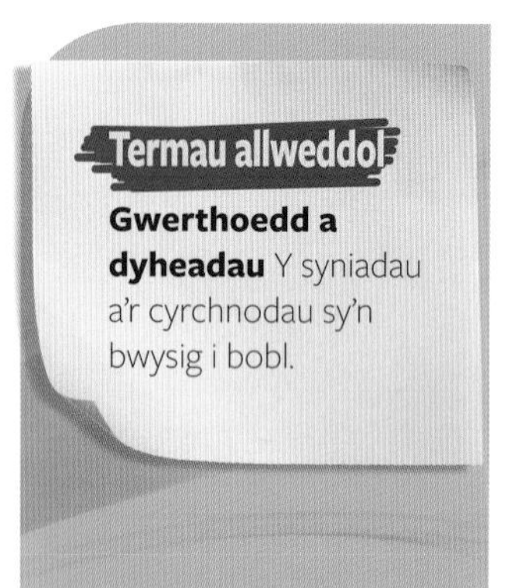

Termau allweddol

Gwerthoedd a dyheadau Y syniadau a'r cyrchnodau sy'n bwysig i bobl.

Ffordd o fyw

Mae gallu trafod ffordd o fyw ac arferion posibl cynulleidfa yn bwysig. Ceisiwch ystyried **gwerthoedd a dyheadau** (ideoleg) cynulleidfa mewn perthynas â'r testun yr ydych yn ymchwilio iddo. Mae cynhyrchwyr yn y cyfryngau yn ymchwilio'n dda i'w cynulleidfaoedd i ganfod pa fathau o bethau sy'n bwysig iddynt, fel y bydd y negeseuon yn eu testunau yn apelio atynt ac yn gwneud iddynt ymateb yn gadarnhaol. Gofynnwch i chi eich hun sut mae'r testun yn amlygu ac efallai yn atgyfnerthu'r gwerthoedd hynny.

Edrychwch ar glawr blaen y cylchgrawn *Shout* isod.

- Mae'n awgrymu y gallai'r gynulleidfa fod yn bryderus am eu hymddangosiad, ar sail dillad, gwallt a cholur y modelau.
- Mae diddordeb mawr gan y gynulleidfa mae'n amlwg mewn storïau am sêr ac enwogion, a mwy na thebyg eu bod yn defnyddio lluniau ohonynt fel delfrydau ymddwyn o safbwynt harddwch, enwogrwydd a llwyddiant.
- Mae'r cylchgrawn yn rhagdybio y bydd y darllenwyr am wybod cymaint â phosibl am fywydau personol enwogion.

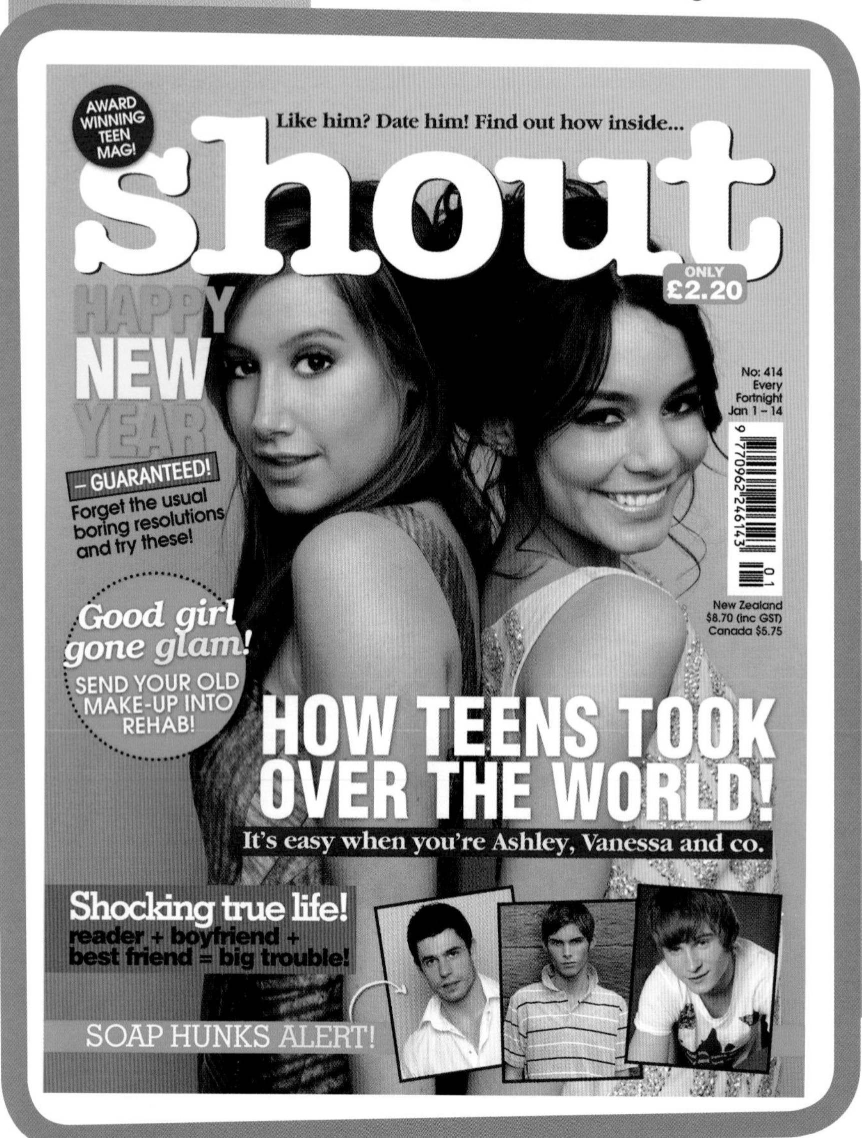

Mewn llawer ffordd mae'r cylchgrawn hwn yn rhagflaenu cylchgronau a dargedir at ferched hŷn, sy'n cynnwys storïau am enwogion a'u partneriaid.

GWEITHGAREDD 11

Edrychwch yn ofalus ar glawr blaen Shout*. Ysgrifennwch atebion pwyntiau bwledi ar y canlynol:*

- *cynulleidfa debygol y cylchgrawn*
- *y mathau o erthyglau a allai apelio at y math hwn o gynulleidfa.*

GWEITHGAREDD 12

Yng Ngweithgaredd 3 ar dudalen 72, buoch yn categoreiddio cylchgronau i grwpiau diddordeb cyffredinol neu arbenigol. Nawr eich bod yn deall sut mae targedu cylchgronau yn gweithio, rhowch y cylchgronau hyn mewn categorïau sy'n cyfeirio at gynulleidfaoedd mwy penodol:

Sugar   Radio Times   Rugby World   Good Housekeeping   FHM

Ideolegau cylchgronau ffordd o fyw

Mae cylchgronau ffordd o fyw, neu gylchgronau o ddiddordeb cyffredinol, yn llythrennol yn cynnig 'ffordd o fyw' i'w darllenwyr. Mewn geiriau eraill, maent yn cynnig model iddynt y gallant seilio'u bywydau arno ar y funud hon a chyngor ynglŷn â'r hyn a allai fod yn ofynnol er mwyn iddynt gael y bywyd y maent yn ei ddymuno. I wneud hyn yn llwyddiannus, mae angen i gylchgronau allu gwneud i'w darllenwyr uniaethu â'r ffordd o fyw sy'n cael ei chynnig ond, ar yr un pryd, maent yn cynnig ychydig mwy nag sydd ganddynt yn barod. Mae'r cylchgronau'n cynnig arweiniad a **dyhead**: 'Gallwch chithau, hefyd, fod fel hyn, dim ond i chi wneud hyn/brynu hwnnw, ac ati.' Mae angen i gylchgronau llwyddiannus fod â darlun clir o'u cynulleidfa darged a mabwysiadu dull cyfarch priodol. Mae'r gynulleidfa ar gyfer cylchgronau ffordd o fyw yn debygol o fod:

- yn llwyddiannus yn fasnachol
- yn fenywod llawn dyheadau
- yn poeni am ymddangosiad a delwedd
- yn gwario mwy na'r rhelyw ar bethau ymolchi/cosmetigau
- â rheolaeth dros eu bywydau eu hunain ac yn byw er eu mwyn eu hunain
- â diddordeb mewn cynrychioliadau 'delfrydol' o'r hunan, y cartref, teulu, gyrfa, perthnasoedd a ffordd o fyw
- yn mwynhau eu rhyddid a'u hannibyniaeth.

Termau allweddol

Dyhead Pan fydd cynulleidfa yn gweld ffasiwn, cyfwisgoedd, ffordd o fyw, ac ati, mewn cylchgrawn yr hoffent hwy eu cael eu hunain.

Ideolegau cylchgronau arbenigol

Mae gan gylchgronau arbenigol gynulleidfaoedd llai na chylchgronau ffordd o fyw, gan eu bod yn canolbwyntio ar feysydd sydd o ddiddordeb penodol, ond maent yn boblogaidd gyda'u cynulleidfaoedd. Ymysg y teitlau mae *Total Film*, *NME*, *Angler's Mail* a *Nintendo*. Pa rai yw eich hoff gylchgronau arbenigol chi? Pam ydych chi'n eu hoffi? Efallai mai'r rheswm yw eu bod yn fwy gwahanol o ran eu cynnwys a'u dull cyfarch na chylchgronau o ddiddordeb cyffredinol neu gylchgronau ffordd o fyw, sydd yn gallu bod yn debyg iawn i'w gilydd gyda phwyslais ar ffasiwn, enwogion ac iechyd. Dyma rai o werthoedd cylchgronau arbenigol:

- Maent yn ceisio dathlu diddordebau cynulleidfaoedd llai, mwy unigol, a'r hyn y maent yn gwirioni arno.
- Maent yn cael eu cyhoeddi gan grwpiau diddordeb arbenigol, ar gyfer y grwpiau hynny.
- Yn aml, cânt eu hysgrifennu gan bobl sydd â diddordeb personol yn y pwnc.
- Maent yn bodoli fel bod pobl sydd â'r un diddordebau yn gallu cwrdd a dweud, 'Hei, mae gen innau hefyd ddiddordeb yn hynny!'
- Maent yn annog darllenwyr sy'n rhannu'r un diddordeb i ddod i adnabod ei gilydd. (Gweler yr adran ar dudalen 93 ar gylchgronau ar lein.)

- Ni fyddant byth yn gwerthu cymaint o gopïau â'r cylchgronau diddordeb cyffredinol neu'r cylchgronau ffordd o fyw, ond byddant wastad yn cael eu gwerthfawrogi gan gynulleidfaoedd sy'n mwynhau cymeriad 'amgen' neu unigol cylchgrawn nad yw'n ceisio cwmpasu gormod o feysydd. Mae'n ddiddorol nodi bod hyn yn wir hefyd mewn meysydd cyfryngol eraill, fel ffilm, lle mae ffilmiau annibynnol, ar gyllideb fach, yn apelio at gynulleidfa sy'n mwynhau actio a sgriptiau o safon, ac yn ymwrthod â ffilmiau Hollywood sydd â chyllideb fawr.

Sêr ac enwogion

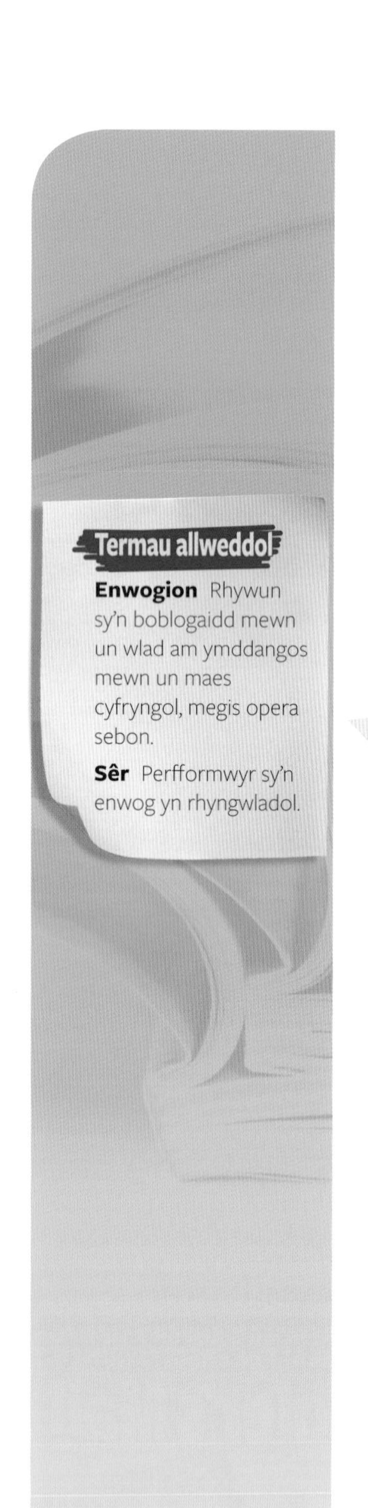

Termau allweddol

Enwogion Rhywun sy'n boblogaidd mewn un wlad am ymddangos mewn un maes cyfryngol, megis opera sebon.

Sêr Perfformwyr sy'n enwog yn rhyngwladol.

Mae cynhyrchwyr cylchgronau yn aml yn rhoi sylw i **rywun enwog** neu **seren** ar glawr blaen er mwyn cynyddu'r gwerthiant a, thrwy hynny, yr elw. Pa rai o'r enwau cyfarwydd hyn y byddech chi'n eu hystyried yn sêr, a pha rai yn enwogion?

Keira Knightley

Madonna

Charlotte Church

Ant and Dec

Davina McCall

Matt Damon

Daniel Craig

Samuel L. Jackson

Ian Wright

Mae pobl yn y Deyrnas Unedig yn llawn chwilfrydedd am fywydau pobl enwog, ond faint o'r brwdfrydedd hwn sy'n cael ei achosi gan y sylw eang a roddir i enwogion yn y cyfryngau yn y DU?

Edrychwch ar y rhestr o sêr a phobl enwog uchod. Dewiswch un enghraifft o seren ac un o rywun enwog. Ysgrifennwch ffeil-o-ffeithiau ar y naill a'r llall, gan nodi:

- *beth yr ydych yn ei wybod amdanynt yn barod*
- *am beth y maent yn fwyaf enwog*
- *pa feysydd cyfryngol allai eu cynrychioli (neu roi sylw iddynt) mewn rhyw ffordd.*

Ffeil-o-ffeithiau enghreifftiol: Charlotte Church

- *Daeth yn enwog gyntaf fel plentyn am ganu cerddoriaeth glasurol ac roedd pobl yn sôn amdani fel cantores a oedd â 'Llais Angel'.*
- *Rhyddhaodd ei chân bop gyntaf, 'Crazy Chick', yn 2005 a rhoddwyd delwedd newydd iddi fel cantores bop.*
- *Bu'n cynnal ei rhaglen sgwrsio ei hun ar y teledu –*The Charlotte Church Show *– yn 2006 ar Channel 4.*
- *Mae'n adnabyddus am briodi seren rygbi Cymru Gavin Henson, ac mae wedi ymddangos gydag ef mewn llawer o gylchgronau ffordd o fyw.*

Mae cynhyrchwyr yn y cyfryngau yn creu testunau sy'n arddangos sêr yn rhannol er mwyn ennyn diddordeb y gynulleidfa, er enghraifft, mewn rhaghysbyseb, ac yn rhannol i fodloni galw'r gynulleidfa am wybodaeth am sêr, er enghraifft, lluniau yn dangos sêr heb eu colur. Ystyriwch y canlynol:

- Mae cynhyrchwyr yn gwneud testunau y mae cynulleidfaoedd yn eu defnyddio ac yn ymateb iddynt.
- Mae'r ymatebion hynny i destunau yn cael eu hystyried gan gynhyrchwyr pan fyddant yn gwneud rhagor o destunau.
- Caiff fformatau poblogaidd eu hailadrodd fel bod cynulleidfaoedd yn cael y math o destunau y maent yn 'gofyn amdanynt'.

Edrychwch ar ddiagram triongl y cyfryngau, sy'n dangos y berthynas rhwng cynhyrchwyr cyfryngau, testunau a chynulleidfaoedd a'i gilydd.

Charlotte Church: Rhywun enwog neu seren?

CYNHYRCHYDD YN Y CYFRYNGAU, e.e. IPC

IPC | MEDIA

TESTUN CYFRYNGOL, e.e. NME

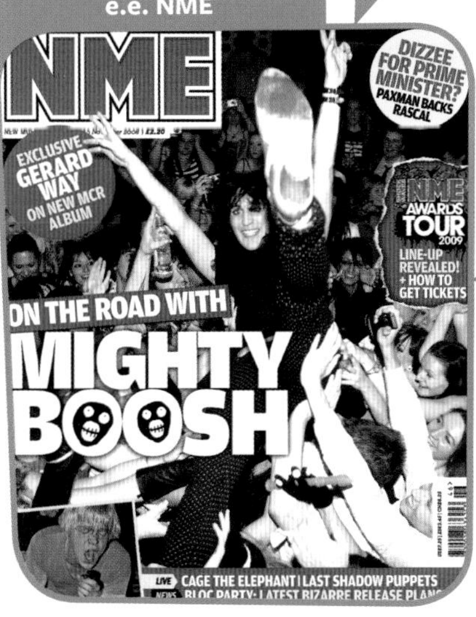

CYNULLEIDFA'R CYFRYNGAU, e.e. glasoed 15-18 oed sy'n mwynhau ystod o gerddoriaeth nad yw'n perthyn i'r brif ffrwd

Triongl y cyfryngau

AWGRYM

Mae'n dda o beth deall cymaint o ddylanwad sydd gan y cyfryngau wrth 'greu' seren. Ystyriwch yr ystod o raglenni sy'n gwneud hyn.

Am ychydig funudau trafodwch y triongl hwn a'r berthynas gymhleth rhwng gwneuthurwyr cylchgrawn, y cylchgrawn ei hun a'i gynulleidfa darged. Pwy sydd â'r mwyaf o rym yn y broses hon – y cynhyrchwyr sy'n gwneud testunau, y testunau eu hunain neu'r cynulleidfaoedd sy'n eu defnyddio ac yn ymateb iddynt?

Mae'r cyfryngau yn aml yn cael eu beirniadu am gynrychioli sêr ac enwogion byth a hefyd, a hyd yn oed ymyrryd yn eu bywyd preifat o bosibl. Fodd bynnag, mae angen y cyfryngau ar bobl enwog i gynnal eu 'henwogrwydd' ac rydym ni, y gynulleidfa, yn farus am ragor o wybodaeth amdanynt. Allwch chi enwi unrhyw rai sydd wedi dod yn enwog yn gyflym iawn oherwydd sylw parhaus yn y cyfryngau? Allwch chi feddwl am unrhyw un sydd wedi cael sylw negyddol yn y cyfryngau? Efallai y byddwch am ystyried delwedd seren Jade Goody, er enghraifft. Daeth Jade yn 'enwog' ar ôl bod yn nhŷ Big Brother yn 2002, ac aeth ymlaen i ymddangos mewn rhaglenni teledu realiti fel *Celebrity Driving School* yn 2003, *Jade's Salon* yn 2005 a *Jade's PA* yn 2006. Aeth i dŷ *Celebrity Big Brother* yn 2007 ac roedd y sylw a gafodd yn y cyfryngau i gyd yn negyddol iawn ar ôl iddi gael ei gweld yn gwneud sylwadau hiliol am un arall o'r cystadleuwyr, Shilpa Shetty. Ers hynny, mae Jade wedi gorfod gweithio'n galed i adennill cymeradwyaeth y cyfryngau.

GWEITHGAREDD 14

Siaradwch gyda phartner am sêr ac enwogion a'r sylw a gânt yn y cyfryngau. Ceisiwch benderfynu i ba raddau yr ydych yn cytuno â'r datganiad hwn:

Mae cylchgronau'n cynnwys llawer gormod o storïau am sêr ac enwogion.

Sut caiff sêr eu cynrychioli

Mae'n werth ystyried sut mae sêr ac enwogion yn cael eu **cynrychioli** mewn unrhyw ffurf gyfryngol yr ydych yn ei hastudio. Mae llawer wedi cael ei ysgrifennu am sêr ffilm a theledu, ac mae llawer o ddamcaniaethau am sut a pham y maent yn dod yn enwog. Ystyriwch y datganiad hwn:

Sêr yw pobl sydd wedi dod yn enwog mewn un maes gweithgaredd arbenigol ond sydd wedyn yn aml wedi llwyddo i gael sylw mewn meysydd eraill hefyd.

Termau allweddol

Cynrychioli Sut mae pobl, lleoedd, digwyddiadau neu syniadau yn cael eu cynrychioli neu eu portreadu i gynulleidfaoedd mewn testunau cyfryngol. Weithiau gwneir hyn mewn ffordd or-syml drwy stereoteipiau fel bod y gynulleidfa'n gallu gweld yr hyn a olygir ar unwaith, ac weithiau mae'r ystyr yn llai amlwg.

Mae'r Beckhams wedi bod yn enwog ers peth amser ond am beth y maent yn fwyaf enwog *erbyn hyn*? Meddyliwch am bob aelod o'r teulu yn ei dro. Sut mae hyn wedi newid dros amser?

Ffordd arall o edrych ar sêr yw dweud eu bod yn '*gynrychioliadau cymhleth o bobl go iawn*'. Mewn geiriau eraill, nid pobl real ydynt yn llwyr, ond maent wedi'u seilio ar rywun sydd yn real. Pobl ydynt sydd wedi cael rhyw fath o driniaeth i'w delwedd a fydd yn effeithio ar y ffordd y mae cynulleidfaoedd yn eu gweld ac yn ymateb iddynt. Er eich bod chi'n teimlo efallai eich bod yn gwybod llawer am David Beckham, allech chi ddweud mewn gwirionedd eich bod yn ei adnabod?

Tyfodd Catherine Zeta Jones, er enghraifft, i fyny yn Abertawe, Cymru, ac actores teledu a llwyfan ddigon anenwog oedd hi nes iddi ennill rhannau mewn ffilmiau Hollywood yn yr 1990au hwyr. Pan symudodd i Hollywood a phriodi Michael Douglas, newidiwyd y ddelwedd ohoni fel 'y ferch drws nesaf' i olwg a weddai'n well i rywun 'enwog', gan wneud iddi edrych yn fwy cyfareddol a thu hwnt i'n cyrraedd.

GWEITHGAREDD 15

'Sêr yw pobl sydd wedi dod yn enwog mewn un maes gweithgaredd arbenigol ond sydd wedyn yn aml wedi llwyddo i gael sylw mewn meysydd eraill hefyd.'

1. ***Trafodwch y dyfyniad hwn gyda phartner, yna adroddwch yn ôl a thrafodwch ef fel dosbarth. Ydy'r dyfyniad hwn o gymorth wrth ystyried y sylw a roddir i sêr/enwogion mewn cylchgronau? Efallai y byddai'n dda o beth i chi gael amryw o gylchgronau i edrych arnynt.***
2. ***Dadansoddwch y cynrychioliad o un o'ch hoff sêr neu enwogion mewn o leiaf ddau gylchgrawn gwahanol. Gwnewch restr o'r pethau sy'n debyg a'r hyn sy'n wahanol rhyngddynt. Sut mae modd dangos yr un person mewn ffyrdd mor wahanol? Efallai y byddai edrych ar y ddwy ddelwedd ar y dde o gymorth i chi.***

Mae'r ffordd y caiff sêr eu cynrychioli yn aml yn adlewyrchu 'delwedd seren'

Mise-en-scène

Mae creu unrhyw ddelwedd, boed hi'n un llonydd neu'n symud, yn golygu cynllunio a pharatoi. Yr enw ar drefnu pob elfen mewn delwedd yn ofalus i greu neges neu ystyr neilltuol yw ***mise-en-scène***.

Termau allweddol

Mise-en-scène
Ymadrodd Ffrangeg sydd yn llythrennol yn golygu 'gosod yn yr olygfa'.

Yn y *mise-en-scène* hwn mae'n ymddangos bod y *myfyrwyr* yn gweithio'n ddyfal

Yma, defnyddir yr un elfennau yn union i greu ystyr gwahanol!

GWEITHGAREDD 16

1. *Y ffordd orau o ddeall sut mae* mise-en-scène *yn gweithio yw rhoi cynnig arno eich hun. Dychmygwch mai chi yw cynhyrchydd cylchgrawn o'r enw* Camu 'Mlaen. *Rydych am i'r cylchgrawn gyfleu wrth ei ddarllenwyr ifanc bod astudio a meddwl am y dyfodol yn cŵl, yn ogystal â bod yn boblogaidd a threndi. Rydych am dynnu llun o berson ifanc 16 oed ar gyfer y clawr blaen. Sut y byddech chi'n creu'r* mise-en-scène*?*

   - *Dewiswch leoliad addas, e.e. ystafell ddosbarth gydag arddangosfeydd da. Rhowch ddesg a chadair yn y saethiad.*
   - *Dewiswch unigolyn/gwrthrych o'ch dosbarth sydd yn eich barn chi â'r ddelwedd iawn ar gyfer y saethiad.*
   - *Ac yntau'n gwisgo gwisg ysgol, sut byddwch chi'n gwneud yn siŵr fod y gwrthrych yn edrych fel pe bai'n gweddu i'r rhan?*
   - *Gofynnwch i'r gwrthrych eistedd wrth ddesg. Sut bydd yn lleoli ei goesau?*
   - *Sut olwg fydd ar ei wyneb?*
   - *Pa fathau o bapurau, llyfrau, ac ati fydd ar y ddesg? Pam?*
   - *Pa fath o fag fydd gan y gwrthrych?*
   - *Cyn tynnu'r llun, ym mha fath o ystum y byddwch chi'n gofyn i'r gwrthrych sefyll?*

   Os yw'n bosibl, tynnwch y llun!

2. *Ar ôl tynnu'r llun, rhowch gynnig ar rywbeth arall. Y tro hwn rydych yn gynhyrchydd y cylchgrawn* Bliss *i ferched 11-14 oed. Mae angen llun o fachgen ifanc yn ei arddegau sy'n anffyddlon i'w gariadon, yn casáu'r ysgol, wedi gwirioni ar bêl-droed, sydd wedi llwyr ddiflasu ar y wers ac yn dyheu am glywed y gloch. Gan ddefnyddio dim ond y pethau sydd gennych yn barod o'r* mise-en-scène *cyntaf, newidiwch drefniant yr elfennau i greu ystyr gwahanol.*
   - *Pa newidiadau allech chi eu gwneud i wisg y gwrthrych a'i ymddangosiad yn gyffredinol?*
   - *Beth allai ddigwydd i'r llyfrau a'r beiros?*
   - *Pa ystum y byddwch chi'n gofyn amdano y tro hwn?*

Awgrym yr arholwr

Gallai'ch ffotograff gael ei ddefnyddio fel rhan o ddarn cynhyrchu mewn Asesiad dan Reolaeth.

GWEITHGAREDD 17

Gan ddefnyddio popeth yr ydych wedi'i ddysgu am destunau, cynulleidfaoedd a chynhyrchwyr, yn ogystal â chynrychioliadau a mise-en-scène, *rydych yn awr yn mynd i'ch gweddnewid chi neu ffrind yn seren yn y cyfryngau. Rydych yn mynd i greu proffil ohonoch eich hun fel seren ac yna byddwch yn tynnu ffotograff ohonoch eich hun fel seren i fynd i mewn i gylchgrawn o'ch dewis chi. Meddyliwch yn ofalus am y canlynol:*

1. *Dewiswch faes arbenigol, er enghraifft, rhywun enwog o fyd y teledu sy'n cyflwyno rhaglenni plant.*
2. *Rhestrwch bum pwynt bwled yn gysylltiedig â'r cynrychioliad ohonoch. Gallech gynnwys:* synnwyr digrifwch gwirion, hoffter o anifeiliaid sy'n amlwg yn eich sioeau, mam enwog.
3. *Nawr crëwch 'olwg' i chi eich hun sy'n cyd-fynd â'ch proffil. Meddyliwch yn ofalus am y* mise-en-scène *ar gyfer y dudalen gylchgrawn, fel bod y cefndir yr un mor briodol â'ch gwisg a'ch colur. Paratowch y saethiad a gofynnwch i rywun dynnu'r llun. Gwnewch yn siŵr fod yr olwg ar eich wyneb yn creu'r argraff o'ch personoliaeth fel seren.*

Ymchwilio i dudalennau cynnwys

Rydych eisoes wedi gweld bod modd canfod llawer am yr hyn sydd gan gylchgrawn i'w gynnig drwy edrych ar y clawr. Y cam nesaf yw edrych ar y dudalen gynnwys. Bydd hyn yn rhoi darlun cyffredinol i chi o'r hyn sydd yn y cylchgrawn yr ydych yn ei astudio. Gallwch weld hefyd sut mae wedi cael ei dylunio er mwyn denu sylw'r darllenydd.

Tudalen gynnwys o *Shout*

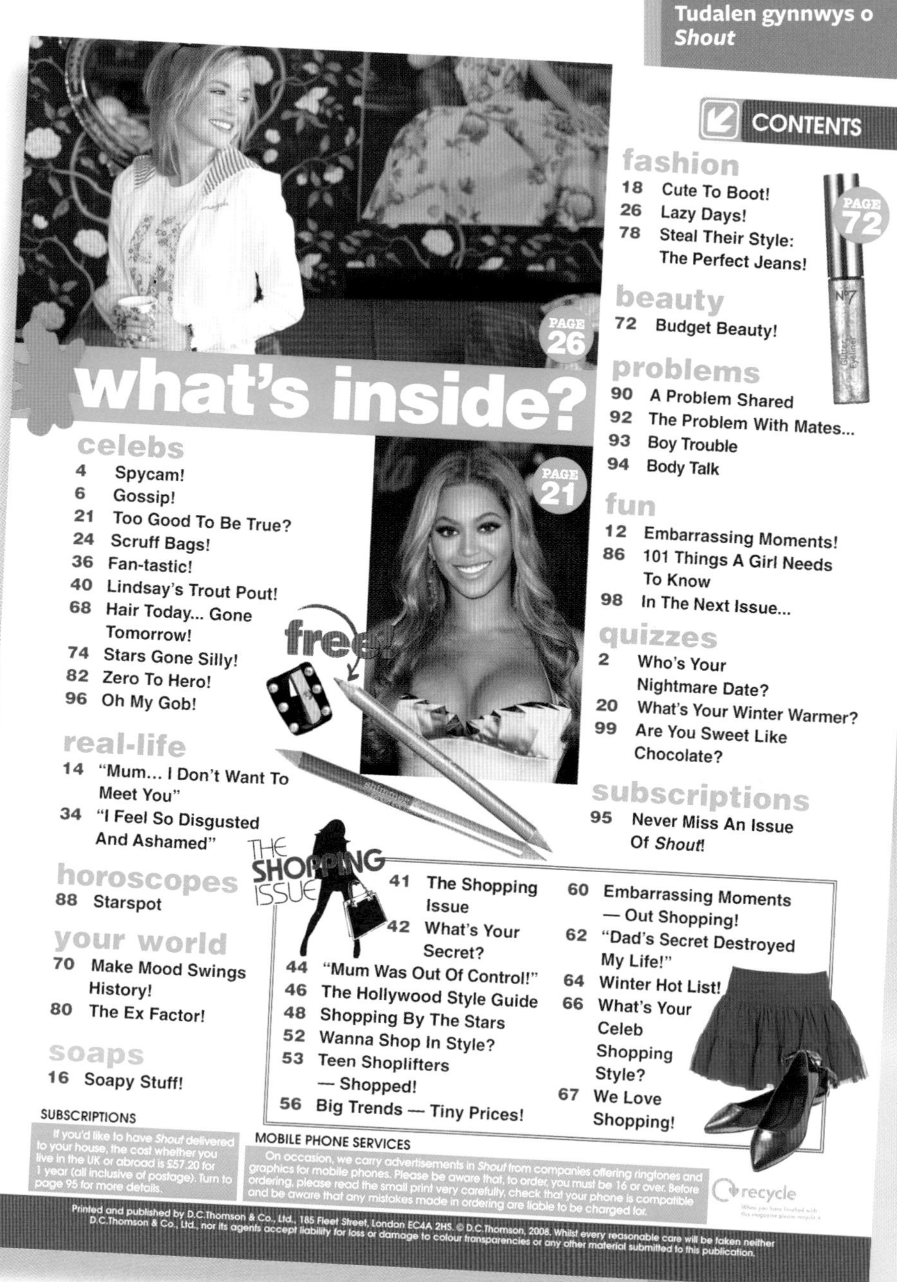

CONTENTS

what's inside?

PAGE 26

PAGE 21

PAGE 72

free

SUBSCRIPTIONS

If you'd like to have *Shout* delivered to your house, the cost whether you live in the UK or abroad is £57.20 for 1 year (all inclusive of postage). Turn to page 95 for more details.

MOBILE PHONE SERVICES

On occasion, we carry advertisements in *Shout* from companies offering ringtones and graphics for mobile phones. Please be aware that, to order, you must be 16 or over. Before ordering, please read the small print very carefully, check that your phone is compatible and be aware that any mistakes made in ordering are liable to be charged for.

recycle

Printed and published by D.C.Thomson & Co., Ltd., 185 Fleet Street, London EC4A 2HS. © D.C.Thomson, 2008. Whilst every reasonable care will be taken neither D.C.Thomson & Co., Ltd., nor its agents accept liability for loss or damage to colour transparencies or any other material submitted to this publication.

Chwiliwch am:

- y prif feysydd diddordeb y mae'r cylchgrawn yn rhoi sylw iddynt, er enghraifft, ffasiwn, enwogion
- y mathau o erthyglau ym mhob maes, er enghraifft, storïau o fywyd go iawn a datrys problemau
- sut mae sylw'r darllenydd yn cael ei dynnu at erthyglau arbennig, er enghraifft, drwy ffontiau lliw mawr mewn blychau trawiadol
- sut mae delweddau a geiriau yn cael eu cyfuno, er enghraifft, y colur am ddim ar y dudalen cynnwys uchod.

Er bod pob cylchgrawn yn wahanol, mae i bob *genre* o gylchgrawn nodweddion amlwg. Er enghraifft, edrychwch ar nodweddion amlwg cylchgrawn sydd wedi'i anelu at ferched yn eu harddegau – *Shout*.

Ymysg y nodweddion allweddol i chwilio amdanynt mae:

- **Cynnwys** – (gweler tudalen 91) mae'n dweud wrth y darllenydd sut i ymgyfarwyddo â'r cylchgrawn. Ar sail eich argraffiadau cyntaf, pa bethau mae'r cylchgrawn hwn yn eu hystyried yn bwysig?
- **Erthyglau am goginio, crefftau a cholur** – mae'r rhain yn annog merched gymryd diddordeb mewn gofalu am eraill a gwneud iddyn nhw eu hunain edrych yn hardd.
- **Y 'stori wir'** – dolen uniongyrchol â bywyd y darllenydd ei hun wrth iddi geisio gweld y cysylltiadau rhwng y stori a'i phrofiadau hi mewn bywyd go-iawn.
- **Y cwis** – senario dychmygol ond realistig sy'n ceisio rhoi prawf ar ymatebion posibl y darllenwyr yn y byd go iawn. Mae cwisiau yn hyrwyddo ymateb 'cyffredin' fel yr un gorau. Os yw merch ifanc yn ei harddegau yn sgorio'r nifer iawn o bwyntiau, mae'n gwybod na fydd yn sefyll allan am ei bod yn rhy wahanol i'w chyfoedion. Gall hyn ddylanwadu'n uniongyrchol ar y ffordd y mae merched ifanc yn eu gweld eu hunain. Maen nhw'n cael eu hannog i gydymffurfio â stereoteipiau penodol o ran ymddangosiad ac ymddygiad, a'u hannog i beidio â thorri 'allan o'r mowld'.
- **Erthyglau am enwogion** – mae storïau am sêr pop, ffilm a theledu yn helpu darllenwyr i deimlo bod ganddynt berthynas â phobl 'fawr' ac enwog. Mae gan bawb bron ddiddordeb ym mywydau preifat pobl gyhoeddus!
- **Tudalennau problemau** – mae'r rhain yn darparu pwynt cyswllt gwirioneddol rhwng y cylchgrawn a'r darllenydd. Mae darllen am sefyllfaoedd neu ofnau cyfarwydd yn rhoi tawelwch meddwl ac yn dileu teimladau o abnormalrwydd ac o fod ar wahân. Edrychwch yn ôl ar y Theori Defnyddiau a Boddhad ar dudalen 76 – pa anghenion mae tudalennau problemau yn eu diwallu?
- **Hysbysebion ac erthyglau am ffasiwn a harddwch** – mae portreadau stereoteipiol o gyfoedion hardd 'perffaith' yn atgyfnerthu delwedd a hunaniaeth ac yn rhoi ystod o gynnyrch i bobl ifanc nad ydynt eto wedi cyrraedd eu harddegau y gallant fod yn siŵr y bydd yn dderbyniol i eraill.

AWGRYM

Ystyriwch y ddelwedd stereoteipiol sy'n cael ei chreu yma. Efallai y byddwch am greu tudalen gynnwys newydd sy'n herio'r ddelwedd hon.

Pam mae rhai cylchgronau yn cael eu beio am fod yn ddylanwad drwg ar bobl ifanc? Efallai y byddwch am gyfeirio at ddwy neu dair enghraifft yn eich esboniad.

Cylchgronau a chyfryngau cydgyfeiriol

Mae gan bob maes cyfryngol berthynas â meysydd cyfryngol eraill – mewn rhai achosion maent hyd yn oed yn dibynnu ar ei gilydd. Mae cylchgronau, er enghraifft, yn dibynnu ar werthu gofod hysbysebu i gadw pris y cyhoeddiadau i lawr i'r darllenwyr.

Hysbysebu

A ydych erioed wedi sylwi faint o dudalennau mewn cylchgrawn sy'n cynnwys dim ond hysbysebion? Os gwnewch chi arolwg o gylchgronau ffordd o fyw neu gylchgronau diddordeb cyffredinol, efallai y byddwch yn synnu canfod bod dros hanner y tudalennau efallai wedi cael eu llenwi â hysbysebion. Amcangyfrifir bod menywod yn gwario £230 miliwn y flwyddyn ar '**gylchgronau sgleiniog**' misol a bod y cylchgronau eu hunain wedyn yn ennill £190 miliwn arall drwy hysbysebion.

Gwyliwch y clip 'Gwneud elw' ar y CD.

1. ***Gyda phartner, trafodwch yr hyn yr ydych wedi'i ddysgu am sut mae cylchgronau'n gwneud arian.***
2. ***Ymchwiliwch i'r hysbysebion mewn cylchgronau. Dewiswch ddau gylchgrawn cyferbyniol. Yna:***
   - ***chwiliwch i weld sawl tudalen sydd yn y naill gylchgrawn a'r llall***
   - ***penderfynwch beth yw prif ideolegau/gwerthoedd y naill gylchgrawn a'r llall***
   - ***cyfrifwch faint o dudalennau sy'n cael eu defnyddio ar gyfer hysbysebion***
   - ***penderfynwch pa fathau o hysbysebion sy'n ymddangos amlaf.***
3. ***Yn eich barn chi, beth yw'r berthynas rhwng y cylchgronau yr ydych wedi'u dewis a'r hysbysebion sydd ynddynt?***

Mae'r **refeniw** a gaiff cylchgronau ffordd o fyw o werthu gofod hysbysebu yn llawer pwysicach na'r incwm a gânt ar sail pris y cylchgrawn a gwerthiannau unigol. Mae'r swm y gallant ei godi am eu gofod hysbysebu yn cael ei seilio ar y **cylchrediad**. Dyna pam mae cylchgronau'n ymdrechu mor galed i fod yn atyniadol, yn ddifyr ac yn ddiddorol – er mwyn cadw'u ffigurau cylchrediad yn uchel a chodi mwy ar hysbysebwyr!

Mae cylchgronau ffordd o fyw i gyd yn ceisio creu ideoleg neu ffordd o fyw a fydd yn darparu cynulleidfaoedd neilltuol i hysbysebwyr, ac mae'r hysbysebwyr yn eu tro yn ceisio adlewyrchu prif ddiddordebau'r cylchgrawn. Bydd hysbysebwyr nwyddau iechyd, harddwch a ffasiwn yn ceisio prynu gofod yn y cylchgronau hyn gan eu bod yn gwybod y bydd eu cynulleidfaoedd targed eisoes yn darllen y cylchgrawn.

Cylchgronau ar-lein

Gyda'r gwelliannau mewn technoleg dros y deng mlynedd diwethaf, mae llawer o feysydd cyfryngol fel ffilm a theledu yn camu drosodd i feysydd eraill. Byddwch yn sylwi yn y bennod ar ffilm, er enghraifft, fod cydgyfeirio rhwng ffilm a chylchgronau, y Rhyngrwyd a hysbysebion. Yn yr un ffordd, mae cylchgronau wedi bod yn cydgyfeirio â'r Rhyngrwyd.

Termau allweddol

Cylchgronau sgleiniog Cylchgronau â phapur trwchus, 'sgleiniog', hysbysebion drud a phris clawr uchel.

CD-ROM
Am Ragor!
Gwneud elw
Agorwch y CD yng nghefn y llyfr hwn a chliciwch ar yr eicon isod i weld darn o ffilm am wneud elw ym maes cyhoeddi cylchgronau.

Termau allweddol

Refeniw Yr arian sy'n cael ei gynhyrchu drwy werthu gofod hysbysebu mewn cylchgrawn neu bapur newydd, ar y teledu, ar wefannau ac ati.

Cylchrediad Y nifer o gopïau o bapur newydd neu gylchgrawn sy'n cael eu gwerthu.

Cylchgronau

ASTUDIAETH ACHOS

EMPIRE AR-LEIN

Yma, byddwn yn ystyried cylchgronau ffilm o safbwynt agweddau cyfryngol cydgyfeiriol. Erbyn hyn mae gan lawer o gylchgronau fersiynau ar-lein cyfatebol.

Cylchgrawn Empire *yw'r cylchgrawn ffilm arbenigol mwyaf poblogaidd yn y DU. Yn 2004, ymddangosodd fersiwn ar-lein y cylchgrawn, sy'n cael ei alw'n* empireonline.co.uk, *ar y we am y tro cyntaf. Mae'n wefan lwyddiannus a phoblogaidd, a gall unrhyw un sydd am i'r cylchgrawn ar-lein gael ei anfon ato bob wythnos danysgrifio am ddim.*

Dyma a ddywedodd un o ddarllenwyr rheolaidd fersiwn brint cylchgrawn Empire *am y fersiwn ar-lein:*

'A minnau wedi bod yn darllen y cylchgrawn ers tipyn, gwelais yr hysbyseb am y wefan a chefais fy rhyfeddu. Roeddwn wedi fy synnu o weld bod cylchgrawn yn bodoli sydd â gwefan fyw a gâi ei diweddaru mewn amser real cyn gynted ag y deuai'r newyddion i law. Mae'r prif nodweddion ar gael i bob defnyddiwr gyda chysylltiadau at y newyddion a'r adran adolygiadau. Mae eu hadolygiadau ffraeth a'u segmentau newyddion coeglyd cystal ag y byddech yn ei ddisgwyl gan y cylchgrawn hwn. Yr olwg gyntaf a gewch ar unrhyw wefan yw'r rhan bwysicaf ohoni ac nid yw Empire *yn siomi!'*

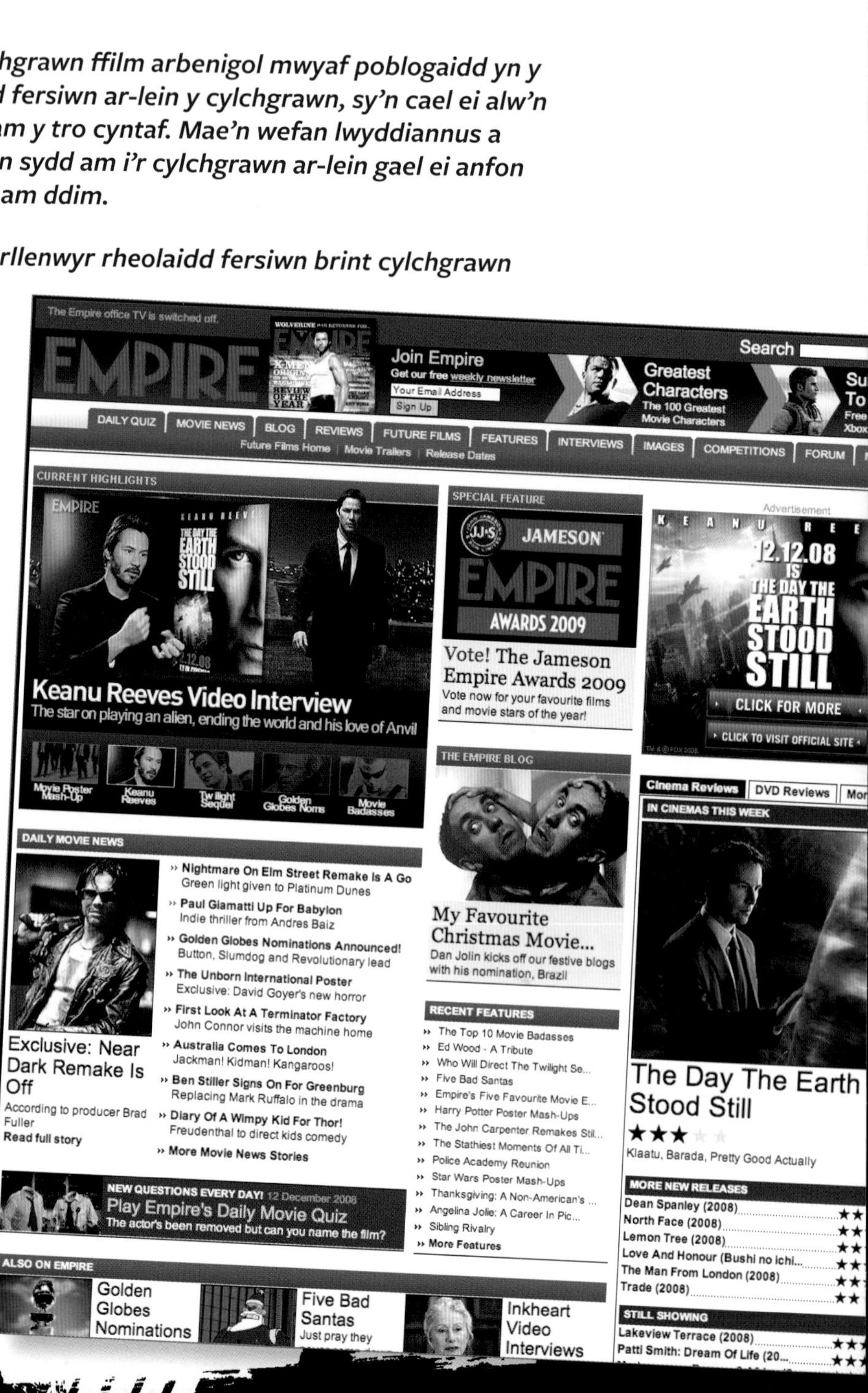

Beth mae'r wefan yn ei gynnig

Mae'r wefan yn cynnig:

- rhaghysbysebion a lluniau llonydd o ffilmiau sydd ar fin ymddangos
- adolygiadau o ffilmiau sydd newydd gael eu rhyddhau
- polau defnyddwyr, yn pleidleisio ar hoff gategorïau o ffilmiau sydd eisoes wedi cael eu rhyddhau
- cyfweliadau gydag actorion, cyfarwyddwyr, cynhyrchwyr, ac ati
- cwis dyddiol a chystadlaethau gyda gwobrau
- blogiau
- diweddariadau ar DVDs sydd newydd gael eu rhyddhau
- barn a safbwyntiau darllenwyr a gwybodaeth berthnasol i selogion y ffilmiau, er enghraifft, yr Wythnos Ffilm Genedlaethol.

CD-ROM
Am Ragor!
Empireonline
Agorwch y CD yng nghefn y llyfr hwn a chliciwch ar yr eicon isod i agor cyswllt at wefan Empireonline.

Agweddau cyfryngol cydgyfeiriol

Mae natur gydgyfeiriol y wefan yn bwysig hefyd, ac mae'n enghraifft dda o'r ffordd y mae meysydd cyfryngol yn gweithio gyda'i gilydd. Mae arni gysylltiadau, er enghraifft, at:

- hysbysebion am recordio rhaglenni teledu i gonsolau PS3 a Play TV
- gwybodaeth am ffilmiau sydd wedi cael eu rhyddhau ar DVD
- cysylltiadau at wefannau teledu
- cysylltiadau at fargeinion sy'n cael eu cynnig gan gylchgronau.

1. *Ewch i wefan empireonline.co.uk. Gweithiwch eich ffordd drwy'r newyddion, yr erthyglau nodwedd ac erthyglau eraill a'r oriel lluniau. Pam mae'r wefan wedi bod mor boblogaidd gyda defnyddwyr, yn eich barn chi?*

2. *Edrychwch yn ôl ar y cylchgronau y rhoddwyd sylw iddynt yn y bennod hon. Dewiswch un neu ddau sy'n apelio atoch ac archwiliwch eu fersiwn ar-lein.*
   - *Sut mae'r tudalennau gwe yn cael eu gosod?*
   - *Allwch chi weld unrhyw debygrwydd neu unrhyw wahaniaethau rhwng y fersiwn brint a'r fersiwn ar-lein?*
   - *Beth yw'r cysylltiadau mwyaf diddorol y mae'r wefan yn gadael i chi eu harchwilio?*
   - *Beth mae'r wefan yn ei gynnig nad yw'n cael ei gynnig yn y fersiwn print?*

Cwmnïau cyhoeddi

Mae cyhoeddwyr cylchgronau yn aml yn rhan o gwmnïau cyfryngau rhyngwladol, enfawr, sydd hefyd yn berchen ar bapurau newydd a gorsafoedd radio a theledu. Mae hyn yn enghraifft dda o gyfryngau cydgyfeiriol. Isod ceir rhywfaint o wybodaeth gefndir am rai o'r cyhoeddwyr cylchgronau:

Mae gan IPC bron 100 o deitlau, yn cynnwys *NME*, ac ar gyfartaledd mae'n gwerthu un cylchgrawn bob 11 eiliad trwy gydol y flwyddyn yn y DU.

BAUER (a arferai gael ei alw'n EMAP) sy'n cyhoeddi cylchgrawn Empire ac mae'n gwerthu 150 o deitlau yn y DU, Ffrainc ac ar draws y byd. Mae hefyd yn marchnata radio, teledu a cherddoriaeth.

Cwmni llai wedi'i leoli yng Nghaerfaddon, sy'n arbenigo mewn cylchgronau ffilm, cyfrifiadura a chwaraeon, yn cynnwys *Total Film* a *PC Gamer*, yw FUTURE.

BBC WORLDWIDE yw'r cyhoeddwr cylchgronau defnyddwyr mwyaf ond dau yn y DU. Mae ei deitlau'n cynnwys y *Radio Times* a chylchgrawn *Good Food*.

Mae EGMONT yn cyhoeddi 12 o deitlau yn y DU wedi'u targedu at blant. Er ei fod yn cyfeirio at ei gyhoeddiadau fel cylchgronau, mae'n amlwg y byddai llawer o bobl yn galw rhai ohonynt, fel *Thomas and Friends*, yn gomics.

1. *Ar y CD, gwyliwch y clip o Gyfarwyddwr Marchnata cwmni cyhoeddi Egmont yn egluro sut mae teitlau Egmont yn cael eu marchnata i'w cynulleidfaoedd. Allwch chi ateb y cwestiynau hyn?*
   - *Sut mae teitlau newydd yn dod i fodolaeth?*
   - *Beth ydych chi wedi'i ddysgu am y berthynas rhwng cylchgronau a ffilmiau a rhaglenni teledu?*
   - *Sut mae cynulleidfaoedd yn cael eu hannog i ddod yn ddarllenwyr teyrngar i deitlau?*
2. *Edrychwch eto ar y rhestr o gylchgronau yng Ngweithgaredd 3. Dewiswch ddeg teitl. Crëwch siart fel yr un isod a llenwch hi. Mae'r teitl cyntaf wedi cael ei gwblhau i chi.*

Cylchgrawn	Cyhoeddwr	Cylchrediad	Cynulleidfa darged
Empire	EMAP	2,000 y mis	Gwryw gan mwyaf, 18-35 oed

Am Ragor!

Marchnata cylchgronau

Agorwch y CD yng nghefn y llyfr hwn a chliciwch ar yr eicon isod i weld Cyfarwyddwr Marchnata cwmni cyhoeddi Egmont yn egluro sut mae teitlau Egmont yn cael eu marchnata i'w cynulleidfaoedd.

Ar ôl darllen yr adran ar gyhoeddwyr, trafodwch y materion a'r cwestiynau isod:

- *Awgrymodd arolwg ar-lein diweddar fod cylchrediad cylchgronau cerddoriaeth a ffilm wedi mynd yn llai. Allwch chi feddwl am unrhyw resymau am hyn?*
- *Beth fyddai'n digwydd i'r dewis o gylchgronau sydd ar gael pe bai yna lai o gwmnïau cyhoeddi?*
- *Sut mae teitlau cylchgronau yn cystadlu yn erbyn ei gilydd? Cyfeiriwch at deitlau penodol os gallwch.*

Beth ydych chi wedi'i ddysgu?

Yn y bennod hon, rydych wedi dysgu am:

Testunau

- Termau newydd yn ymwneud ag ymchwilio i gylchgronau
- Cynnal ymchwiliad cynnwys i weld beth sydd y tu mewn i unrhyw gylchgrawn, sut mae wedi cael ei osod allan a'r elfennau sy'n cael eu pwysleisio gan y cylchgrawn
- Gwerthoedd ac ideolegau cylchgronau penodol
- Creu proffiliau o sêr ar gyfer tudalennau cylchgronau

Iaith y cyfryngau

Genre

- Categoreiddio cylchgronau mewn amrywiaeth o ffyrdd
- Sut mae dadansoddi nodweddion gwahanol cylchgronau print a chylchgronau ar-lein

Naratif

- Y nodweddion hynny mewn cylchgronau sy'n berthnasol i fywydau'r darllenwyr
- Adrodd hanes sêr ac enwogion

Cynrychioliadau

- Sut a pham mae *mise-en-scène* yn cael ei sefydlu
- Sut mae creu *mise-en-scène* er mwyn gweld faint o elfennau mewn saethiad sy'n cyfuno i greu ystyr
- Cynrychioli sêr ac enwogion

Cynulleidfaoedd

- Meddwl am gynulleidfaoedd targed a'u cyrraedd
- Nodi a disgrifio cynulleidfa darged cylchgronau penodol
- Sut mae cynulleidfaoedd yn defnyddio cylchgronau a beth maent yn ei gael ohonynt
- Mae gan wahanol gynulleidfaoedd wahanol werthoedd a chredoau, ac mae hynny'n effeithio ar y ffordd y maent yn ymateb i gylchgronau

Materion trefniadaeth

- Y berthynas uniongyrchol rhwng y dylunio a'r marchnata a'r defnyddwyr
- Y berthynas rhwng cynhyrchwyr, testunau a chynulleidfaoedd
- Proffil rhai cwmnïau cyhoeddi
- Cynhyrchu refeniw hysbysebu

Cyfryngau cydgyfeiriol

- Natur gydgyfeiriol cylchgronau, yn cynnwys eu perthynas bwysig â hysbysebwyr a datblygiad cylchgronau ar-lein

Comics, cartwnau ac animeiddio

Eich dysgu chi

Yn y bennod hon byddwch yn dysgu am:

- gymeriadau comics a chartwnau, yn cynnwys archarwyr
- y codau a'r confensiynau y mae comics, cartwnau ac animeiddiadau yn eu defnyddio i gyfleu ystyr i gynulleidfaoedd
- denu cynulleidfaoedd targed
- mathau o animeiddio a'u heffaith ar gynulleidfaoedd
- comics a chydgyfeirio.

Poblogrwydd comics, cartwnau ac animeiddiadau

Mae comics, cartwnau ac **animeiddiadau** yn boblogaidd gydag amrywiaeth enfawr o gynulleidfaoedd. Mae comics, er enghraifft, yn cael eu mwynhau nid gan blant ifanc yn unig ond (fel ffuglen wyddonol) gan bobl hŷn hefyd. Y rheswm am hynny yw eu bod yn aml yn cael eu defnyddio i archwilio cysyniadau mawr fel y natur ddynol, da a drwg, a materion a phryderon cymdeithasol megis diogelu'r amgylchedd.

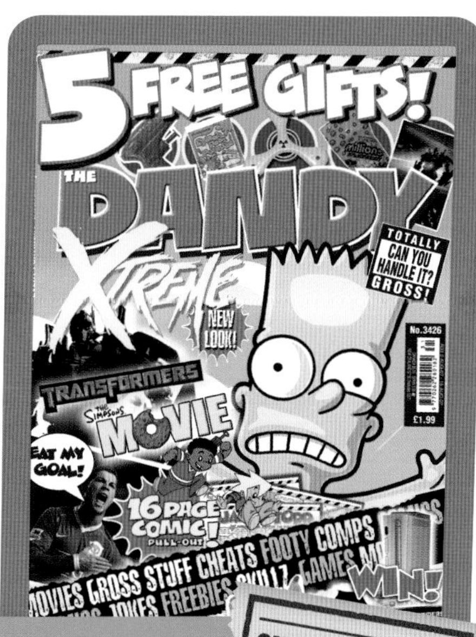

Termau allweddol

Animeiddiadau
Fersiynau clyweled o gomics sy'n cael eu defnyddio mewn amryw o ffurfiau cyfryngol megis ffilmiau a hysbysebion.

AWGRYM

Gallwch esbonio'r cysyniad o gynrychioli yn glir yn yr adran hon drwy edrych ar sut mae adnabod y cymeriadau da a'r cymeriadau drwg.

GWEITHGAREDD 1

Enwch yr enghraifft gyntaf sy'n dod i'ch meddwl o bob un o'r canlynol. Pam y gwnaethoch chi feddwl amdanyn nhw?

- *Comic*
- *Cartŵn*
- *Animeiddiad*

Cymeriadau comics a chartwnau – hen ffefrynnau

AWGRYM
Defnyddiwch wybodaeth gan deulu a ffrindiau, hen gomics a fideos a'r Rhyngrwyd i'ch helpu.

Mae pobl yn teimlo'n gryf iawn am y testunau cyfryngol yr oeddent yn eu mwynhau pan oeddent yn ifanc, yn rhannol am eu bod yn gwirioni cymaint arnynt pan oeddent yn eu darllen neu'n eu gwylio. Mae plant ifanc yn edrych ymlaen yn eiddgar at weld eu hoff gymeriadau ar y teledu, neu at wylio'r fideo dro ar ôl tro, gan ymuno â'r geiriau a'r symudiadau. Daw ffefrynnau eich plentyndod yn rhan o'ch hunaniaeth. Ewch ati i siarad am eich ffefryn – efallai y synnwch chi gymaint o feddwl sydd gennych ohono o hyd!

GWEITHGAREDD 2

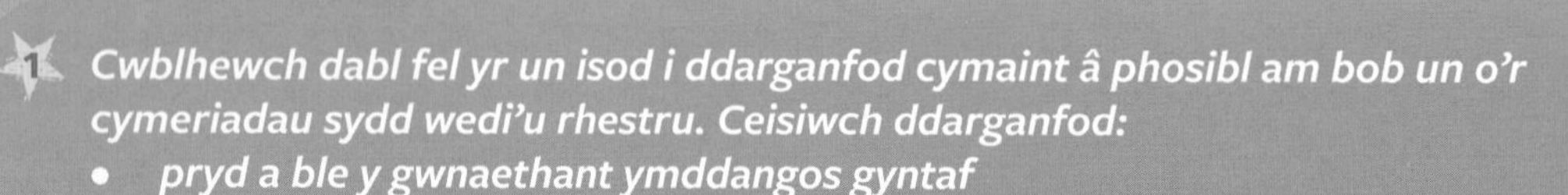

1. ***Cwblhewch dabl fel yr un isod i ddarganfod cymaint â phosibl am bob un o'r cymeriadau sydd wedi'u rhestru. Ceisiwch ddarganfod:***
   - ***pryd a ble y gwnaethant ymddangos gyntaf***
   - ***pwy a'u creodd***
   - ***a gawsant eu defnyddio mewn mwy nag un genre cyfryngol, er enghraifft, stribed comig a ddaeth yn gyfres deledu***
   - ***a ydynt yn dal i ymddangos mewn storïau mewn comics neu ar y teledu heddiw.***

Enw'r cymeriad	Pryd a ble y gwnaeth ymddangos gyntaf?	Pwy a'i creodd?	A yw'n cael ei ddefnyddio mewn mwy nag un genre cyfryngol?	A yw'n dal i ymddangos mewn storïau mewn comics neu ar y teledu?
Scooby Doo	1969 ar deledu CBS, America	Cynyrchiadau Hanna-Barbera	Llawer o gyfresi ar wahanol sianelau teledu, ynghyd â chomics, gemau fideo a ffilmiau	Mae Marvel yn cynhyrchu'r comic heddiw ac mae'r rhaglen deledu yn dal i gael ei hailddarlledu yn y DU
Desperate Dan				
Care Bears				
Mickey Mouse				
Batman				
Tintin				
Zebedee				

2. ***Ceisiwch lunio dalen wybodaeth am un o'r cymeriadau. Os gallwch, beth am dynnu lluniau o'r cymeriad yr ydych wedi'i ddewis? Trafodwch eich darganfyddiadau gyda gweddill y dosbarth.***

CD-ROM

Am Ragor!

Cymeriadau mewn comics

Agorwch y CD yng nghefn y llyfr hwn a chliciwch ar yr eicon isod i ddysgu am ddylunio cymeriadau mewn comics.

Caiff cymeriadau plentyndod eu creu'n fwriadol iawn er mwyn i blant uniaethu â nhw a'u cofio. Mae llawer o gomics a chartwnau'n defnyddio cymeriadau 'trwyddedig' y mae darllenwyr a gwylwyr yn gyfarwydd â nhw'n barod. Mae'r cymeriadau hyn yn galluogi cynhyrchwyr comics a chartwnau i sefydlu perthynas fusnes â'r rhai a greodd y cymeriadau. Bydd stiwdios ffilm yn gwerthu'r hawliau i gymeriadau poblogaidd i ddiwydiannau cysylltiol yn y cyfryngau.

Winnie the Pooh

Er nad Disney a greodd Winnie the Pooh, gan Disney mae'r hawl i drwyddedu'r cymeriad i gael ei ddefnyddio mewn amryw o destunau cyfryngol yn ogystal â ffilmiau Disney. Mae'r testunau hyn yn cynnwys comic, cyfres gartwnau, traciau sain ar CD a gemau cyfrifiadurol, ac mae Disney hefyd yn caniatáu i Marks and Spencer werthu dillad Winnie the Pooh. Mae hyn yn enghraifft dda o natur gydgyfeiriol y cyfryngau, pan fydd un testun cyfryngol yn defnyddio **testunau cysylltiol** a **sgil-gynhyrchion** sy'n cwmpasu diwydiannau cyfryngol eraill.

Termau allweddol

Testunau cysylltiol
Testunau cyfryngol sy'n defnyddio'r cymeriadau, a'r stori o bosibl, o destun mewn ffurf arall.

Sgil-gynhyrchion
Nwyddau sy'n defnyddio cymeriadau o destun cyfryngol.

Tomos yr Injan Danc

Gan y Parchedig W. Awdry y cafodd Tomos yr Injan Danc ei greu gyntaf a hynny o ddarn o goes ysgubell ar gyfer ei fab Christopher. Mae'r cymeriad wedi cael ei drwyddedu mewn cyfres o lyfrau, mewn cyfres deledu ar ITV, mewn ffilm o'r enw *Thomas and the Magic Railroad* (2000) ac yn y comic *Thomas and Friends* (a gyhoeddir gan Egmont Magazines).

1. *Allwch chi feddwl am unrhyw gymeriadau eraill sy'n ymddangos mewn cynifer o ffurfiau â Tomos yr Injan Danc?*
2. *Trafodwch y ffyrdd y mae cynhyrchwyr comics yn creu cymeriadau ac yn defnyddio cymeriadau trwyddedig.*

Stiwdio Graddau

Awgrym yr arholwr

Gallai'r mathau hyn o weithgaredd fod yn rhan o'ch ymchwil ar gyfer Asesiad dan Reolaeth, neu fod yn rhan o ymchwiliad testunol. Gweler tudalennau 215-218 i gael awgrymiadau am waith cwrs yn seiliedig ar gomics.

1. *Dewiswch gymeriad a oedd yn bwysig i chi fel plentyn. Sut gwnaethoch chi ddarganfod y cymeriad a pham oeddech chi'n ei fwynhau?*
2. *Os yw'n bosibl, gwnewch rywfaint o ymchwil gyda phlant ifanc am y cymeriadau y maent yn eu mwynhau mewn comics/cylchgronau. Bydd angen i chi greu arolwg i ofyn cwestiynau iddynt am eu hoff gomics a chymeriadau. Gallai'ch cwestiynau gynnwys:*
   - *Pa gomics/cylchgronau wyt ti'n hoffi'u darllen?*
   - *Beth wyt ti'n ei hoffi fwyaf am gomics/cylchgronau?*
   - *Alli di wneud rhestr o'th hoff gymeriadau o ffilmiau, comics a rhaglenni teledu?*
   - *Alli di dynnu llun un o'th hoff gymeriadau?*
   - *Dylunia gymeriad newydd. Beth wyt ti'n ei hoffi fwyaf am dy gymeriad? Yr wyneb? Y wisg? Yr hyn y mae'n ei wneud? (Efallai y bydd angen i chi roi rhywfaint o help yma.)*
3. *Gan ddefnyddio'ch gwybodaeth o'r mathau o gymeriadau sy'n boblogaidd gyda phlant, crëwch gymeriad newydd sbon ar gyfer comic neu gyfres gartwnau newydd. Tynnwch lun y cymeriad a labelwch ef/hi gyda'r prif bwyntiau o ddiddordeb.*

Mathau o gymeriadau a'u swyddogaeth

Awgrymodd Vladimir Propp yn 1928 mai dim ond nifer cyfyngedig o fathau o gymeriadau a geir byth mewn unrhyw stori, a bod i bob un ei bwrpas yn y naratif. Mae rhai o'r rhain yn cael eu dangos isod.

Prif fathau o gymeriadau yn ôl Propp

Arwr

Y **prif gymeriad** yn y naratif sy'n ei yrru ymlaen ac sydd â rhyw fath o gyrch neu nod i'w gyflawni er mwyn cael ei wobr. Cymeriadau gwryw ydynt yn draddodiadol, er enghraifft, Tomos yr Injan Danc, ond gallant fod yn fenyw mewn naratifau modern, er enghraifft, Dora the Explorer.

Arwres neu Dywysoges

Mae'n gweithredu fel gwobr i'r arwr am lwyddo yn ei gyrch. Mewn naratifau hŷn, mwy stereoteipiol, mae'r arwres yn dywysoges **oddefol** ac yn fenyw, er enghraifft, Minnie Mouse. Mewn naratifau modern, gall yr arwres fod yn fwy egnïol ac eofn, er enghraifft, Leela yn *Futurama*.

Dihiryn

Mae'n ceisio cyfoeth, gogoniant a/neu rym, ac mae hefyd yn ceisio atal yr arwr rhag llwyddo yn ei gyrch neu ei nod, ac mae'n fygythiad gwirioneddol. Weithiau mae am gipio'r arwres iddo'i hun hefyd. Gall fod yn wryw, er enghraifft, Mr Burns yn *The Simpsons* neu'n fenyw, er enghraifft, Mystique yng nghomics *X-Men*.

Rhoddwr neu Fentor

Mae'n rhoi gwybodaeth neu gyfarpar pwysig i'r arwr i'w helpu ef neu hi yn ei gyrch/ei chyrch. Caiff ei bortreadu'n aml fel cymeriad doeth neu rywun sydd â phwerau arbennig, ond ni all gwblhau'r cyrch heb yr arwr, er enghraifft, Shredder yn *Teenage Mutant Hero Turtles*.

Cynorthwywr

Mae'n helpu'r arwr ar ran neu'r rhan fwyaf o siwrnai'r cyrch, a gall hyd yn oed helpu'r arwr i lwyddo, ond ni all gwblhau'r cyrch ar ei ben ei hun, er enghraifft, Jess y gath yn *Postman Pat*.

AWGRYM

Mae'r mathau hyn o gymeriadau yn berthnasol mewn meysydd cyfryngol eraill, megis ffilm a theledu.

Termau allweddol

Prif gymeriad Y prif gymeriad sy'n ganolbwynt y testun a'r naratif.

Goddefol Ddim yn helpu'r naratif i symud yn ei flaen neu ddim yn helpu'r arwr.

Rhaid i chi fod yn hyblyg wrth ddosbarthu cymeriadau i'r mathau hyn. Mae rhai cymeriadau yn cyflawni dwy swyddogaeth, neu fwy. Er enghraifft, gallai'r arwres fod yn gynorthwywr hefyd – April yw'r arwres yn *Teenage Mutant Hero Turtles*, ond mae hefyd yn helpu'r crwbanod ar sawl achlysur.

Arwr, dihiryn, arwres – ond pwy yw pwy?

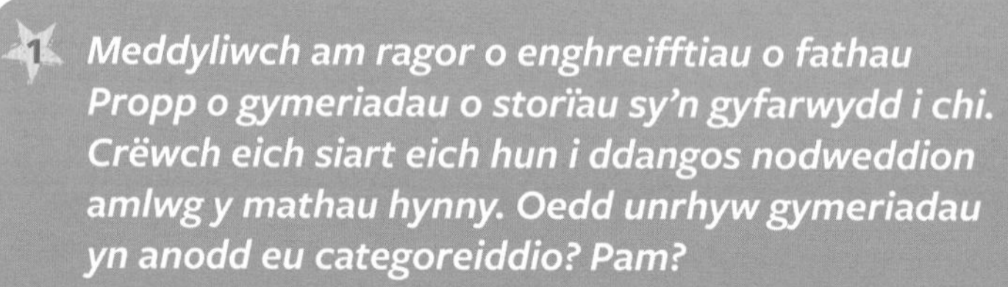

1. *Meddyliwch am ragor o enghreifftiau o fathau Propp o gymeriadau o storïau sy'n gyfarwydd i chi. Crëwch eich siart eich hun i ddangos nodweddion amlwg y mathau hynny. Oedd unrhyw gymeriadau yn anodd eu categoreiddio? Pam?*
2. *Dyluniwch gymeriad newydd, gan ddefnyddio'ch siart o ran un Gweithgaredd 5. Labelwch eich cymeriad i ddangos pa fath yw ef/hi.*

Myfyriwr a greodd y cymeriadau hyn

Cloriau blaen comics

GWEITHGAREDD 6

1. *Edrychwch ar amryw o gloriau blaen comics. Sut y cawsant eu dylunio er mwyn tynnu sylw darllenwyr posibl? Rydym wedi cynnal ymchwiliad i'r clawr blaen isod.*

Mae'r logo yn dangos ansawdd a dilysrwydd.

Mae ffigur anghyfarwydd yn rheswm i'r darllenydd brynu'r comic i gael gwybod rhagor.

Mae arwydd Tŵr Eiffel yn rhoi ymdeimlad o le.

Mae delweddau o'r arwyr yn defnyddio'u pwerau yn dangos bod digon yn digwydd ac yn fodd i'r darllenydd adnabod yr arwyr ar unwaith.

Dangosir dihirod yn ogystal ag arwyr i nodi perygl a chyffro.

Caiff nodwedd ychwanegol yn y comic ei hysbysebu mewn llythrennau breision o dan y prif deitl mewn ymgais i berswadio darllenwyr i brynu'r comic.

Mae dihirod yn ymladd arwyr yn dangos bod digon yn digwydd ac yn rhoi rhyw syniad i'r darllenydd o'r hyn sydd i ddod.

Mae delwedd fawr o'r arwr yn ogystal â delweddau llai o arwyr eraill yn eiconig i'r darllenydd ac yn denu'r darllenydd at yr arwyr.

Ychydig bach o ofod agored fel bod ffigurau pwysig yn llenwi'r rhan fwyaf o'r lle ac yn gwneud y clawr yn fwy cyffrous a deniadol.

2. *Dewiswch gomic gwahanol ac ymchwiliwch i'r prif nodweddion a fydd yn eich barn chi yn apelio at y gynulleidfa darged.*

3. *Crëwch glawr blaen i gomic newydd sbon a fydd yn eich barn chi yn apelio un ai at fechgyn neu at ferched. Meddyliwch yn ofalus am eich cynulleidfa darged yma – edrychwch eto ar y CD-ROM.*

Confensiynau comics

Mae eu cynulleidfaoedd yn deall prif gonfensiynau comics ac maent yn rhan bwysig o'r ffordd y caiff comics eu darllen. Er nad yw stribedi comic yn destunau clyweled, maent yn dilyn llawer o'r un rheolau naratif â ffilm neu deledu, gan eu bod yn cael eu llunio i fod yn debyg i fframiau testunau symudol wedi'u rhewi. Maent yn debyg i **fyrddau stori** dynamig sy'n cyfuno geiriau a lluniau i greu'r argraff o sain, symudiadau a thyndra. Maent yn dibynnu uwchlaw popeth ar sgiliau darllen cymhleth iawn ar ran darllenwyr y comic – mae darllen comics ymhell o fod yn wastraff amser!

Termau allweddol

Bwrdd stori Munudau allweddol stori'n cael eu dangos drwy gyfrwng delweddau a nodiadau – gweler yr enghraifft ar dudalen 107.

Termau allweddol

Gwrthgymeriad Cymeriad a fydd yn chwarae gyferbyn â'r cymeriad canolog allweddol, un ai mewn perthynas (er enghraifft, yr arwr/arwres) neu mewn gwrthdaro (er enghraifft, yr arwr/dihiryn).

Munudau allweddol

Wrth lunio stori-fwrdd ar gyfer stribed comic, mae'n dda o beth cofio Theori Naratif Todorov. Mae hon yn awgrymu pum cam mewn unrhyw stori:

1. Cydbwysedd: sefydlu'r lleoliad, y cymeriadau a rhediad y stori.
2. Tarfu ar y cydbwysedd, a hynny gan **wrthgymeriad** efallai.
3. Cydnabod y tarfiad (y rhan hiraf yn aml).
4. Ymgais i gywiro'r tarfiad.
5. Adfer y cydbwysedd.

Bydd angen o leiaf un ffrâm ar gyfer pob cam ar eich stori-fwrdd.

Trychineb sgrialu Richard

Roedd Richard wedi hen ddiflasu ar yr ysgol. Un min nos, cyn yr ysgol drannoeth, aeth i dŷ ei ffrind Yousaf i wylio ffilmiau brawychus. Cyn iddynt sylweddoli dim, roedd yr amser wedi hedfan ac roedd wedi hanner nos.

Rhuthrodd Richard adref ar ei fwrdd sgrialu a disgyn i'w wely, wedi blino'n lân.

Fore trannoeth, cafodd ei ddeffro gan ei fam yn gweiddi arno ei fod wedi cysgu'n hwyr a bod brecwast yn barod. Neidiodd o'r gwely a gwisgo amdano ar frys i fynd i'r ysgol.

Yn anffodus, anghofiodd ei fod wedi gadael ei fwrdd sgrialu ar ben y grisiau y noson cynt. Wrth iddo geisio rhuthro i lawr y grisiau, sathrodd ar y bwrdd sgrialu, a saethodd allan oddi tano.

Syrthiodd Richard druan i lawr y grisiau a landio ar y gwaelod, wedi torri ei goes yn ddrwg. Galwodd ei fam am ambiwlans ac aed ag ef ar frys i'r adran ddamweiniau.

Bu Richard â'i goes dan dyniant, ac ni allai fynd i'r ysgol am chwe wythnos. Deuai Yousaf i ymweld ag ef yn rheolaidd a, choeliwch chi fyth, clywyd Richard yn cyfaddef wrth ei ffrind ei fod yn gweld eisiau'r ysgol!

Rydych yn mynd i weithio mewn parau i greu stori-fwrdd am stori Richard. Gallwch weld enghraifft o stori-fwrdd ar gyfer comic isod. Efallai yr hoffech edrych ar y lluniau o dechnegau comic ar dudalen 108 i'ch helpu.

1. *Penderfynwch ar fanylion pwysicaf y stori – gwnewch restr yn gyntaf. Rydych yn mynd i adrodd y stori mewn chwech i wyth ffrâm, ond rhaid i chi gofio hefyd fod angen i'r stori reoli'r* **cyflymder** *a'r* **tyndra** *a gwneud synnwyr.*
2. *Nawr lluniwch stori-fwrdd i ddweud y stori. Ceisiwch wneud yn siŵr fod yr ystyr yn glir. Amrywiwch ffrâm y camera fel y bydd rhai fframiau/ panelau yn lluniau agos a rhai ymhellach i ffwrdd.*
3. *Meddyliwch am y wybodaeth yr ydych am ei hychwanegu o dan bob ffrâm/panel – dylai roi rhyw syniad o'r effaith a gaiff pob delwedd.*
4. *Pasiwch y stori-fyrddau o amgylch y dosbarth er mwyn i bawb gael eu gweld. Trafodwch yr hyn sy'n debyg ac yn wahanol rhwng y stori-fyrddau. Wnaeth unrhyw barau ddefnyddio technegau eraill yn ogystal â thynnu lluniau'r munudau allweddol? Sut oedden nhw'n help i'r stori greu mwy o argraff?*

Termau allweddol

Cyflymder Pa mor gyflym y mae rhywbeth yn digwydd neu y mae stori'n datblygu.

Tyndra Y cyffro a'r disgwyliadau'n cynyddu wrth i'r stori ddatblygu.

Enghraifft o stori-fwrdd ar gyfer comic a ysgrifennwyd gan fyfyriwr.

Saethiad lleoli – castell
Saethiad llydan yn tremio. 4 eiliad
Telyn yn canu

Saethiad hyd llawn – ffenestr y dywysoges
2 eiliad
y delyn yn dal i ganu
(sŵn wylo)

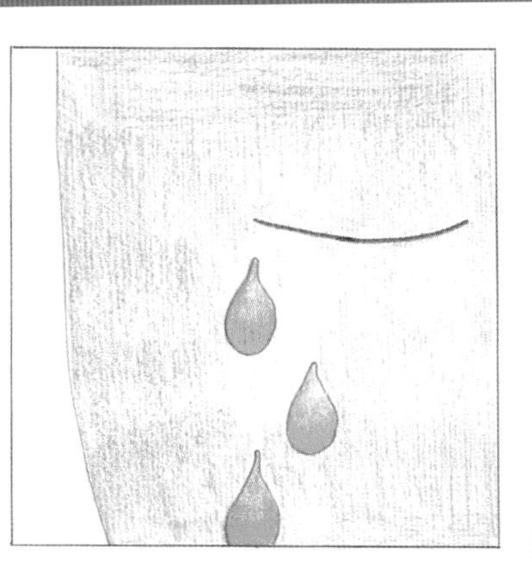

Saethiad agos iawn
3 eiliad
y delyn yn dal i ganu
(troslais: 'The mouse princess was very sad')

Byddwch wedi gweld mor bwysig yw dewis munudau sy'n llawn ystyr ac yn cyfleu llawer o wybodaeth i'r gynulleidfa. Cofiwch fod darllenwyr comics yn dda iawn nid yn unig am ddarllen y wybodaeth ym mhob ffrâm, ond hefyd y wybodaeth sydd ymhlyg rhwng fframiau. Er enghraifft, os dangosir cymeriad ym Man A mewn un ffrâm a Man B yn y ffrâm nesaf, bydd y gynulleidfa yn deall bod y cymeriad wedi teithio yno a bod amser wedi mynd heibio rhwng y fframiau.

CD-ROM

Am Ragor!

Storïau comics

Agorwch y CD yng nghefn y llyfr hwn a chliciwch ar yr eicon isod i gael dysgu rhagor am greu storïau ar gyfer comics.

1. *Gwyliwch y clip ar y CD ar greu storïau ar gyfer comics. Gwnewch nodiadau ar sut mae cyhoeddwyr comics yn creu naratifau ar gyfer comics.*
2. *Ewch ati i ymarfer creu fframiau/panelau a fyddai'n dangos munudau allweddol o storïau tylwyth teg a storïau adnabyddus yr oeddech yn eu mwynhau fel plentyn.*

Enghreifftiau o dechnegau comics

Mae'r technegau isod yn cael eu defnyddio'n aml mewn stribedi comic:

ROEDD YN MYND YN HWYR, A DOEDD DAFYDD DDIM WEDI GORFFEN EI DRAETHAWD HANES...

Blychau testun – blychau bach o destun sy'n rhoi manylion y byddai'n anodd eu dangos drwy luniau yn unig. Cânt eu rhoi ar frig neu waelod ffrâm, neu o dan ffrâm (cyffredin iawn mewn comics wedi'u hanelu at blant ifanc).

Swigod meddwl – tebyg i swigod siarad, ond rhoddir y geiriau mewn swigod siâp cymylau i ddangos yr hyn mae'r cymeriad yn ei feddwl.

YN DDIWEDDARACH, YNG NGHARTREF LIZ...

Dolennau fframiau – copi a leolir rhwng fframiau i helpu'r darllenydd i ddeall digwyddiadau a allai fod wedi digwydd ar ôl y ffrâm ddiwethaf ond cyn yr un nesaf.

Swigod siarad – geiriau llafar a roddir mewn swigen sy'n pwyntio at geg y cymeriad sy'n siarad. Weithiau gall swigod siarad bwyntio allan o'r ffrâm i ddangos mai cymeriad nad yw'r darllenydd yn gallu ei weld sy'n siarad.

GWEITHGAREDD 9

Rhannwch yn dimau o dri neu bedwar person. Edrychwch ar nifer o gomics sydd wedi'u hanelu at gynulleidfaoedd targed gwahanol. Er enghraifft, mae The Beano yn targedu plant 9-13 oed, bechgyn yn bennaf, sy'n mwynhau storïau digrif. Ceisiwch ddod o hyd i bob un o'r technegau comic sydd wedi'u rhestru gyferbyn ac isod. Y tîm sy'n gwneud hyn gyflymaf sy'n ennill.

Geiriau sain – mae comics yn rhoi'r argraff o seiniau drwy ddefnyddio geiriau onomatopëig dyfeisgar fel 'POW' a 'ZAPP!!'

Geiriau emosiwn – fel geiriau sain, mae comics hefyd yn defnyddio geiriau i ddangos yn union sut mae cymeriad yn teimlo, e.e. 'TRIIIIIIIIIIST!!!!'

Y mynegiant ar wynebau pobl – newidiadau syml i wyneb cymeriad i ddangos emosiwn.

Llinellau symud – rhoir yr argraff o symudiad o fewn fframiau comics drwy ychwanegu llinellau bach ar hyd ymylon cyrff cymeriadau a gwrthrychau sy'n symud.

Y ffordd orau i werthfawrogi mor soffistigedig yw technegau comics yw drwy eu defnyddio eich hun. Ewch drwy'r camau yn y gweithgaredd isod i greu ffoto-gomic pedair i chwe ffrâm wedi'i seilio ar stori tylwyth teg neu stori plentyndod sy'n gyfarwydd i chi. Eich nod yw creu testun sy'n drawiadol i'r llygad ac yn hawdd ei ddeall.

GWEITHGAREDD 10

1. ***Dechreuwch drwy fraslunio'r fframiau fel stori-fwrdd syml (gweler tudalen 107). Penderfynwch gyda'ch gilydd sut i dynnu'r lluniau.***
2. ***Tynnwch y lluniau. Does dim angen lleoliadau na gwisgoedd cymhleth oherwydd gallwch newid y ffotograffau drwy ddefnyddio pen gel neu ben cywiro, drwy ludio pethau arnynt neu drwy dorri rhannau ohonynt allan. Os ydych yn defnyddio camera digidol gallwch ddefnyddio pecyn ffoto-olygu.***
3. ***Pan fydd eich lluniau'n barod, crëwch eich ffoto-gomic. Bydd arnoch angen:***
   - dalen fawr o bapur siwgr
   - papur mowntio ar gyfer pob llun
   - papur plaen i ysgrifennu neu deipio blychau testun a swigod siarad arno
   - cymysgedd o bennau lliw ac ati i addurno'r stori-fwrdd.
4. ***Rhowch gyflwyniad grŵp i weddill y dosbarth: dangoswch eich ffoto-gomic ac eglurwch sut yr aethoch ati i'w greu a pham. Neu, gwnewch arddangosfa wal: labelwch eich ffoto-gomic i ddangos sut a pham yr aethoch ati i'w lunio fel y gwnaethoch.***

Disgrifiwch y broses o greu comics. Er enghraifft, dewis munudau allweddol naratif ac amrywio cymaint â phosibl ar faint a siâp y fframiau y bydd y munudau allweddol hyn yn cael eu dangos ynddynt.

Archarwyr

Mae llawer o storïau mewn comics, cartwnau a ffilmiau wedi'u hanimeiddio yn canolbwyntio ar weithredoedd arwrol. Eto i gyd, mae'n amlwg bod gwahaniaeth rhwng arwr – sy'n gyrru'r naratif yn ei flaen gyda nod i'w gyflawni – ac **archarwr**, sydd yn aml â phwerau arbennig sy'n ei helpu ef neu hi i achub y byd! Pam rydych chi'n meddwl bod animeiddio yn *genre* cyfryngol arbennig o dda i bortreadu archarwyr?

Termau allweddol

Archarwr Cymeriad arwrol sydd â phwerau arbennig a chyrch oes (*lifelong mission*).

GWEITHGAREDD 12

1. *Pe baech chi'n archarwr, pa oruwchbwerau y byddech chi'n eu dewis? Pam?*
2. *Gwnewch nodiadau am y math o archarwr fyddech chi, neu tynnwch lun ohono.*
3. *Eglurwch sut yr enillodd eich archarwr ei bwerau.*
4. *Os oes gennych amser, gwnewch nodiadau neu tynnwch lun yr arch-ddihiryn sy'n gwrthwynebu eich archarwr.*

Termau allweddol

Arch-ddihiryn Y cymeriad sy'n gwrthwynebu'r archarwr – yn aml, mae ganddo yntau bwerau arbennig hefyd, sy'n cael eu defnyddio er drwg yn unig. Yr arch-ddihirod mwyaf cofiadwy yw'r rhai y mae ganddynt reswm i droi at ddrygioni, er enghraifft, Doctor Octopus yn *Spiderman*.

Mae cynulleidfaoedd wrth eu bodd ag archarwyr oherwydd trwyddynt maent yn gallu:

- archwilio y tu hwnt i ffiniau posibiliadau dynol, er enghraifft, dychmygu sut brofiad fyddai gallu hedfan fel Superman
- mynd i'r afael â'r gwrthdaro rhwng da a drwg, er enghraifft, cydymdeimlo â Spiderman wrth iddo ymladd Sandman
- mwynhau archwilio'r 'ochr dywyll' sydd i lawer o archarwyr, er enghraifft, ceisio dyfalu sut brofiad fyddai rhoi'r gorau i fod yn boblogaidd, fel Batman.

Dros y blynyddoedd diwethaf, mae ffimiau sydd wedi'u seilio ar gymeriadau archarwyr o gomics neu gartwnau wedi dod yn boblogaidd iawn. Mae hyn yn dangos natur gydgyfeiriol comics, cartwnau ac animeiddiadau.

Mae'n ddiddorol ymchwilio i'r hyn sydd wedi dylanwadu ar greu neu ddatblygu archarwyr. Er enghraifft, mae arfau niwclear yn lledaenu'n fwy eang neu'r newidiadau a achosir gan ymbelydredd yn ddatblygiadau hanesyddol gwirioneddol sydd wedi dylanwadu ar archarwyr.

Superman: archarwr comics a ffilmiau

ASTUDIAETH ACHOS

COMICS MARVEL

Mae'r astudiaeth achos hon yn ystyried rhai o agweddau cydgyfeiriol comics Marvel. Mae'n bur debyg y bydd eich hoff archarwyr ffilm yn rhan o'r oriel sydd wedi cael ei chreu gan gomics Marvel. Mae Marvel yn adnabyddus am lu o archarwyr lliwgar a dramatig, sy'n cynnwys Spiderman, The Incredible Hulk, the Fantastic Four a The Silver Surfer.

Cyhoeddwyd comic cyntaf Marvel yn UDA yn 1939, gan gyflwyno'r *Submariner*. Crëwyd llawer o gymeriadau mwyaf adnabyddus Marvel yn yr 1960au, gan ddechrau gyda'r *Fantastic Four* yn 1961. Yn fuan wedyn daeth *The Incredible Hulk* (1962) – dan ddylanwad cymeriadau'r llyfrau Frankenstein a *Dr Jekyll and Mr Hyde* – a *Spiderman* (1963). Roedd Marvel eisoes yn defnyddio **cyfeiriadau rhyngdestunol** i greu bydysawd Marvel – byddai'r cymeriadau yn ymddangos fel gwesteion yn stribedi comic ei gilydd.

> **Termau allweddol**
>
> **Cyfeiriad rhyngdestunol**
> Pan fydd un testun cyfryngol yn dynwared neu'n cyfeirio at destun cyfryngol arall mewn ffordd y bydd llawer o ddefnyddwyr yn ei hadnabod.

Erbyn 1966 roedd gan gymeriadau Marvel eu cyfresi animeiddiedig (*animated*) eu hunain ar y teledu, yn dangos pum stori wahanol gyda *Capten America*, *Iron Man*, *The Incredible Hulk*, *Thor* a *Submariner*. Yn yr 1970au, nid yn unig yr ymddangosodd arwyr Marvel mewn prif ffilmiau ond gofynnwyd i Marvel greu comics wedi'u seilio ar ffilmiau poblogaidd fel *Star Wars*.

Heddiw mae Marvel Enterprises yn berchen ar yr hawliau i dros 4000 o gymeriadau a ddefnyddir mewn comics, ffilmiau, rhaglenni teledu a gemau fideo. Mae llwyddiant sawl ffilm flocbyster am archarwr yn ystod y blynyddoedd diwethaf wedi arwain at sgil-gynhyrchion fel gêm Marvel Superhero Top Trumps.

Iron Man

Gweithgaredd ymchwil defnyddiol fyddai dewis un o'ch hoff archarwyr a mynd ati i ddysgu am ei hanes a'i ddatblygiad. Cafodd *Iron Man*, er enghraifft, ei gyflwyno gyntaf yn 1963 gan ddylunydd Marvel, Stan Lee: roedd am greu arwr o ddyn busnes, Tony Stark, a byddai'n 'ferchetwr cyfoethog, soffistigedig, ond hefyd yn ddyn a chanddo gyfrinach a fyddai'n ei flino a'i boenydio'. Roedd *Iron Man* yn gymeriad comic a ddefnyddiwyd yn gyntaf i edrych ar yr ofnau a oedd wrth wraidd y Rhyfel Oer, ond yn ddiweddarach fe'i defnyddiwyd i godi ymwybyddiaeth o broblemau'r galon ac alcoholiaeth.

Cafodd *Iron Man* ei addasu ar gyfer ffilm yn 2008 gyda Robert Downey Jr yn actio Tony Stark.

Archarwyr Marvel

Mae gan archarwyr Marvel rai nodweddion penodol yn aml:

- rhyw fath o drasiedi yn eu gorffennol y maent am gael dial amdani, er enghraifft, *The Incredible Hulk*
- hunaniaeth ddwbl, er enghraifft, *Superman*
- rhyw fath o newid i'w cyfansoddiad genetig sy'n rhoi iddynt eu goruwchbwerau, er enghraifft, *Spiderman*.

1. *Gwnewch ffeiliau-o-ffeithiau am eich hoff arwyr a dihirod Marvel. Dylech gynnwys disgrifiadau o:*
   - *eu pwerau*
   - *eu hanes personol*
   - *eu hanturiaethau pennaf.*

   Defnyddiwch lyfrau, comics a pheiriant chwilio ar y Rhyngrwyd. Gallech hefyd siarad â selogion comics, neu ymweld â chwmni cyflenwi comics fel **Forbidden Planet.**
2. *Nawr cymharwch fersiynau comics a fersiynau ffilm rhai archarwyr cyfarwydd iawn, fel* **Superman, X-Men** *a* **The Incredible Hulk.** *Rhestrwch a thrafodwch y prif bethau sy'n debyg ac yn wahanol rhwng y ddwy driniaeth. Efallai y byddai o gymorth i chi ddarllen drwy'r wybodaeth isod ar ymchwilio i agoriadau cyn cwblhau'r gweithgaredd hwn.*

Ymchwilio i agoriadau

Mae'r ffordd y mae cartŵn neu animeiddiad yn dechrau yn bwysig o ran sefydlu ei naratif, y cymeriadau, y lleoliad, y prif themâu a'r naws cyffredinol. Mae comics Marvel yn sail i lawer o addasiadau ffilm. Fel arfer mae'r ffilmiau hyn yn dechrau gyda *nod adnabod* ar ffurf stribed comic o archarwyr enwog i ddangos gwreiddiau stori'r ffilm i'r gynulleidfa. Gallai'r dilyniant agoriadol ddangos rhai o'r nodweddion hyn:

- lluniau lleoli
- ymddangosiad cyntaf yr archarwr (er nid yn ei ffurf fel archarwr efallai)
- trac sain sy'n sefydlu'r naws
- graffigwaith sy'n sefydlu arddull y ffilm
- codau a symbolau sy'n awgrymu'r plot.

1. *Yn gyntaf darllenwch y nodiadau hyn a ysgrifennodd myfyriwr am agoriad* **Daredevil:**

- Saethiad tremio agoriadol o nendyrau yn closio at oleuadau unigol sy'n edrych fel 'braille' ac yn cael eu 'trosi' wedyn yn gredydau teitl. Ydy'r arwr yn ddall tybed?
- Mae'r arwr yn gwisgo gwisg Lycra coch tywyll ac mae ei wyneb wedi'i guddio. Tynnir ei fasg a chawn sioc o'i weld yn cael ei 'ddinoethi'.
- Mae ôl-fflach yn ein helpu i ddeall iddo ddioddef trasiedi pan oedd yn blentyn, ond iddo hefyd gael clyw solar uwchsonig o ganlyniad i'r ddamwain.

2. *Gwyliwch ddau neu dri agoriad arall i ffilmiau sydd wedi'u seilio ar archarwyr Marvel. Ysgrifennwch y pwyntiau pwysicaf ar ffurf nodiadau tebyg i'r rhai uchod.*
3. *Rhannwch eich syniadau am yr agoriadau yr ydych wedi'u gweld gyda'r dosbarth. Gwnewch restr ddosbarth o nodweddion pwysicaf yr agoriadau.*

Cydgyfeirio ym maes animeiddio

Mae ymgyrch cwningod animeiddiedig Bravia Sony wedi bod yn llwyddiannus iawn

Rydym yn tueddu i feddwl am animeiddio fel rhywbeth sy'n cael ei ddefnyddio mewn rhaglenni cartwnau a ffilmiau, ond mae technegau animeiddio yn cael eu defnyddio ar draws meysydd y cyfryngau. Bydd animeiddio'n cael ei ddefnyddio'n aml mewn:

- hysbysebion, er enghraifft, hysbyseb Bravia Sony gyda chwningod animeiddiedig plastisin gan ddefnyddio animeiddio stop-ffrâm (gweler y ddelwedd). Mae'r hysbyseb hon wedi cael ei defnyddio mewn ffurf brint a ffurf glyweled
- ffilmiau ar wahân i rai wedi'u hanimeiddio fel effaith arbennig, er enghraifft, y golygfeydd yn *The Lord of the Rings* yn dangos Gollum a'r Orcs lle mae delweddau a gynhyrchir gan gyfrifiaduron yn cael eu defnyddio
- agoriadau ffilmiau a rhaglenni teledu ar wahân i rai wedi'u hanimeiddio, er enghraifft, agoriad ffilm *Juno* (2008) - sydd wedi ennill gwobrau - sy'n defnyddio cyfuniad clyfar o symud byw ac animeiddio llinell.

Technegau animeiddio

Mae modd defnyddio gwahanol dechnegau i 'animeiddio' delweddau llonydd, ac mae pob un yn dod â'i harddull unigryw ei hun i'r animeiddio.

Lluniadu llinell neu luniadu sel

Dyma'r dechneg a ddefnyddiwyd gan yr animeiddwyr cyntaf. Byddent yn tynnu ffigur, wedi'i fframio mewn cefndir, lawer o weithiau, gan wneud addasiadau mân iawn bob tro, yna'n ffilmio pob llun am ffrâm neu ddwy. Pan gâi'r ffilm ei dangos ar gyflymder arferol, edrychai'r ffigur fel pe bai'n symud.

Mae'r chwe ffrâm syml hyn yn creu animeiddiad syml pan gânt eu chwarae drosodd a throsodd

GWEITHGAREDD 13

Rhowch gynnig ar greu'ch animeiddiad llinell eich hun. Meddyliwch am ffigur syml y gallwch dynnu ei lun, a dewiswch weithred syml, er enghraifft, codi llaw ar rywun. Gallech hyd yn oed gopïo'r animeiddiad chwe ffrâm syml uchod a'i animeiddio fel y dangosir isod.

1. *Tynnwch lun y ffigur yng nghornel de uchaf tudalen gyntaf nodiadur bach.*
2. *Ar yr ail dudalen tynnwch yr un ffigur gyda newid bach i ddangos dechrau'r weithred.*
3. *Ar y dudalen nesaf, symudwch y ffigur ymhellach, ac felly ymlaen nes bydd y weithred wedi'i chwblhau.*
4. *Gan ddal y nodiadur yn gadarn mewn un llaw, ffliciwch yn gyflym drwy'r tudalennau gyda'r bawd arall fel eich bod yn gweld y lluniau yn gyflym yn eu dilyniant. Bydd eich cymeriad yn edrych fel pe bai'n symud.*

Animeiddiad model neu stop-symud

Techneg animeiddio arall sy'n llwyddiannus a hawdd ei hadnabod yw **animeiddiad model**. Mae model wrth raddfa o gymeriad yn cael ei symud a'i ffilmio fesul camau bach iawn. Mae hyn yn amlwg yn cymryd llawer iawn o amynedd ac amser, a meddalwedd sy'n caniatáu i'r camera ffilmio fframiau unigol i greu'r effaith o symudiadau dechrau-stopio.

Daeth y dechneg hon yn boblogaidd yn yr 1960au a'r 1970au, wrth i Ray Harryhausen arbenigo yn y dechneg. Creodd gymeriadau fel y fyddin ysgerbydau yn *Jason and the Argonauts* (1963), y dduwies Kali yn *The Golden Voyage of Sinbad* (1974) a Pegasus yn *Clash of the Titans* (1980). Cymerodd y ffilm hon, ffilm olaf Harryhausen, flwyddyn iddo i greu'r effeithiau a defnyddiodd 202 o saethiadau wedi'u saernïo'n arbennig.

CD-ROM

Am Ragor!

Ray Harryhausen

Agorwch y CD yng nghefn y llyfr hwn a chliciwch ar yr eicon isod i fynd i wefan swyddogol Ray Harryhausen.

Termau allweddol

Animeiddiad model
Techneg animeiddio sy'n defnyddio modelau wrth raddfa y mae modd newid eu hystum.

Y fyddin ysgerbydau yn *Jason and the Argonauts*

CD-ROM

Am Ragor!

Gwefan Curse of the Were Rabbit

Agorwch y CD yng nghefn y llyfr hwn a chliciwch ar yr eicon isod i agor cyswllt at y wefan swyddogol.

HTML

Yn 1985, ymunodd Nick Park ag Aardman Animations ym Mryste ac ychydig flynyddoedd yn ddiweddarach dyma nhw'n cyflwyno Wallace and Gromit i'r byd. Daeth y tair ffilm fer a dwy ffilm lawn yn anhygoel o boblogaidd gyda'r ifanc a'r hen fel ei gilydd, gan ennill cydnabyddiaeth fawr yn cynnwys dwy Academy Award. Yn 2000, cynhyrchodd Aardman *Chicken Run*, sy'n cynnwys lleisiau Mel Gibson a Julia Sawalha, ac yn 2005 ymddangosodd lleisiau Ralph Fiennes a Helena Bonham Carter yn *Curse of the Were Rabbit*. Mae poblogrwydd arddull animeiddiad model unigryw Aardman yn siŵr o barhau.

Awgrym yr arholwr

Gallai'r ymchwil a wnewch yma gael ei ddefnyddio mewn ymchwiliad testunol neu fel rhan o gynhyrchiad.

GWEITHGAREDD 14

1. ***Gwyliwch un neu ddwy olygfa o animeiddiadau Nick Park. Ceisiwch sylwi ar sut mae'r animeiddwyr wedi gwneud y cymeriadau a'r lleoliadau mor realistig ac agos at fywyd bob dydd â phosibl, er enghraifft, Gromit yn codi ei aeliau i ddangos ei deimladau, y papur wal a'r lluniau ar y wal.***
2. ***Archwiliwch wefan swyddogol** **Curse of the Were Rabbit.** **Mae'n fywiog, yn llawn gwybodaeth...ac wedi'i hanimeiddio! Edrychwch ar y deunydd y 'tu ôl i'r llenni' a thrafodwch yr hyn yr ydych wedi'i ddarganfod am greu cymeriadau animeiddiad model.***

GWEITHGAREDD 15

Os yw'r dechnoleg iawn ar gael i chi, gallech greu eich animeiddiad model syml eich hun fel darn o waith cwrs. Gallwch ddefnyddio unrhyw beth bron ar gyfer hyn: plastisin, potiau iogwrt, doliau, Lego, bagiau plastig...unrhyw beth y gallwch ei ddychmygu'n dod yn fyw.

1. *Gwnewch gymeriad syml neu tynnwch ei lun.*
2. *Meddyliwch am gyfres syml o symudiadau i'r cymeriad eu perfformio, a ffilmiwch bob cam am 1-2 eiliad.*
3. *Recordiwch rhyw ddwy funud o ffilm yn unig. Yn ddelfrydol, dylech ddefnyddio meddalwedd animeiddio fel* **istopmotion.**

Delweddau a gynhyrchir gan gyfrifiadur (CGI)

Roedd yn amlwg yn cymryd llawer iawn o amser i dynnu cynifer o fframiau. Cymerodd dair blynedd, er enghraifft, i animeiddwyr *Snow White* Walt Disney (1937) gwblhau eu lluniadau. Mor gynnar â'r 1960au, roedd pobl yn gweithio ar ffyrdd o ddefnyddio cyfrifiaduron i wneud addasiadau bach i'r ffrâm wreiddiol.

Ers yr 1970au, mae cyfrifiaduron wedi cael eu defnyddio mewn ffyrdd mwy a mwy soffistigedig wrth animeiddio. Y ffilm gyntaf i ddefnyddio **delweddau a gynhyrchir gan gyfrifiadur** (***computer-generated imagery, CGI***) oedd *Tron* Disney (1983). Ffilm oedd hon am raglennwr cyfrifiadurol (yn cael ei actio gan Jeff Bridges) sy'n cael ei sugno i mewn i'w gyfrifiadur a'i droi'n 'rith berson' sy'n gorfod ymladd y brif raglen er mwyn goroesi. Os oes modd i chi weld y ffilm hon, byddwch yn sylwi ar unwaith mor syml oedd y dechnoleg o'i chymharu â thechnoleg heddiw.

Termau allweddol

Delweddau a gynhyrchir gan gyfrifiadur (CGI) Defnyddio graffigwaith cyfrifiadurol, yn enwedig graffigwaith cyfrifiadurol tri dimensiwn, mewn effeithiau arbennig .

***Tron* (1983)**

AWGRYM

Efallai yr hoffech archwilio sut mae ***Shrek*** yn gwrthdroi rolau (*role reversal*) ac yn tanseilio naratifau traddodiadol.

Heddiw, mae CGI yn caniatáu i ni greu bydoedd cyfan a rhoi pobl i fyw ynddynt – weithiau heb actorion dynol o gwbl. Ymysg y ffilmiau sydd wedi'u hanimeiddio'n llwyr gan y cyfrifiadur mae *Toy Story* (1995) a thrioleg ffilmiau *Shrek* (2001-2007), tra mae *Beowulf* (2007) yn defnyddio technoleg gyfrifiadurol cipio-symudiadau gemau fideo.

Beth yw'ch hoff enghreifftiau o ddarnau o ffilm sy'n defnyddio CGI? Allwch chi feddwl am unrhyw enghreifftiau lle nad yw'r dechnoleg yn gweithio cystal?

Mae CGI wedi newid llawer iawn ers y dyddiau cynnar!

Awgrym yr arholwr

Mae hwn yn weithgaredd delfrydol i'w ddefnyddio ar gyfer ymchwiliad testunol yn edrych ar gynrychioli. Trowch at y bennod ar Asesiadau dan Reolaeth yng nghefn y llyfr hwn am ragor o help.

GWEITHGAREDD 16

Allwch chi feddwl am unrhyw ystyriaethau sy'n codi wrth ddefnyddio CGI? Meddyliwch am CGI yn cael ei ddefnyddio wrth dynnu lluniau enwogion, mewn fideos cerddoriaeth ac mewn hysbysebion yn ogystal ag mewn ffilmiau a chartwnau.

GWEITHGAREDD 17

Gwyliwch y ffilm Simone *(2002) a gyfarwyddwyd gan Andrew Niccol. Mae'n archwilio'r holl syniad o ddefnyddio technoleg gyfrifiadurol i greu pobl neu actorion cyfrifiadurol perffaith. Mae hefyd yn codi rhai pwyntiau diddorol mewn perthynas â chynulleidfaoedd a'r ffordd y maent yn edmygu'r sêr.*

Ar ôl gwylio'r ffilm, trafodwch gyda'ch cyd-ddisgyblion a fyddai 'rhith actorion' yn gweithio mewn gwirionedd ai peidio. Cyfeiriwch at eiliadau yn y ffilm i ategu'ch dadleuon.

Anime

Dull animeiddio Japaneaidd yw ***anime*** sy'n cyfuno gwneud ffilmiau gyda'r ffurf gomics **Manga**. Mae comics manga wedi cael eu cynhyrchu yn Japan ers blynyddoedd lawer, gan ddefnyddio'r hen draddodiad o gelfyddyd llinell a sgroliau Bwdhaidd yr oedd yn rhaid eu dadrolio i ddatgelu neges. Roeddent hefyd yn defnyddio'r traddodiad Gorllewinol o adrodd storïau mewn dilyniant, a thraddodiadau arbennig llyfrau comics Americanaidd.

Termau allweddol

Anime Ffurf animeiddio Japaneaidd sy'n cyfuno symudiadau camera gyda fframiau llonydd.

Manga Comics Japaneaidd poblogaidd sydd wedi dylanwadu ar ffilmiau *anime*.

Nofel graffig manga

Mae gan gyfarwyddwyr *anime* ddiddordeb yn yr effaith a gaiff technoleg ar gymdeithas. Mae'r cysylltiadau â chomics yn hawdd iawn eu gweld, gan mai bwriad anime yw rheoli'r ffyrdd y mae llygad y gwyliwr yn edrych ar y sgrin. Mae llawer o'r cymeriadau mewn *anime* wedi'u gwneud yn fwy gorllewinol, ac mae rhai hyd yn oed yn edrych fel cymeriadau Disney.

Roedd animeiddiadau *anime* cynnar yn pwyso'n drwm ar y syniad o fframiau comic mawr (oedd yn rhai llonydd) gyda sels mawr wedi'u peintio, ond rhoddent yn rhoi'r argraff o symudiad gan fod y camera yn tremio ar eu traws fel y byddai mewn ffilm. Y canlyniad oedd animeiddiad wedi'i led-rewi, a bwysleisiai onglau a'r olwg ar wynebau'r cymeriadau, gan ogwyddo'r camera i fyny ac i lawr i roi'r argraff eich bod yn gweld mwy o'r olygfa, a thynhau'r lens i dynnu sylw at fanylion dramatig.

Hayao Miyazaki a gyfarwyddodd yr animeiddiad Japaneaidd *Spirited Away* (2001)

GWEITHGAREDD 18

1. *Gan weithio mewn grŵp bach neu ar eich pen eich hun, rhowch gynnig ar ddefnyddio technegau* anime. *Tynnwch nifer o fframiau comic mawr neu rhowch ddilyniant o ffotograffau at ei gilydd i ddweud stori syml – stori eich gwyliau, hyd yn oed.*
2. *Ffilmiwch y fframiau neu'r delweddau yn agos atynt, yna arbrofwch drwy dynhau'r lens ar rai manylion.*
3. *Chwaraewch y darn ffilm yn ôl i weld pa mor effeithiol yw'r animeiddio syml hwn.*
4. *Gallech ddatblygu eich gwaith yn yr arddull* anime *drwy ysgrifennu sylwebaeth drosleisio i siarad dros y ffilm, neu drwy ychwanegu blychau testun, swigod siarad, ac ati.*

Mae animeiddio Japaneaidd yn canolbwyntio llawer ar ystyr a symbolaeth. Mae'n tynnu sylw at fanylion pwysig – gan fod yr olygfa wedi'i rhewi yn caniatáu mwy o amser i edrych ar bopeth – ac mae'n rhoi cliwiau am y cymeriadau drwy eu hymddangosiad. Er enghraifft, mae llygaid mawr yn awgrymu cymeriadau sy'n arwyr neu arwresau, a'u calonnau a'u bwriadau yn dda. Mae llygaid bach yn awgrymu bwriad drwg ac maent fel arfer yn perthyn i gymeriadau sy'n ddihirod neu'n gynorthwywyr dihirod.

Mae Akira (1988), *Ghost in the Shell* (1995) a *Howl's Moving Castle* (2004) yn enghreifftiau da o *anime*. Os cewch gyfle i'w gweld nhw neu unrhyw ffilmiau neu gartwnau *anime* eraill, byddwch yn sylwi hefyd fel mae cerddoriaeth ac effeithiau sain yn cael eu defnyddio i greu naws ac awyrgylch.

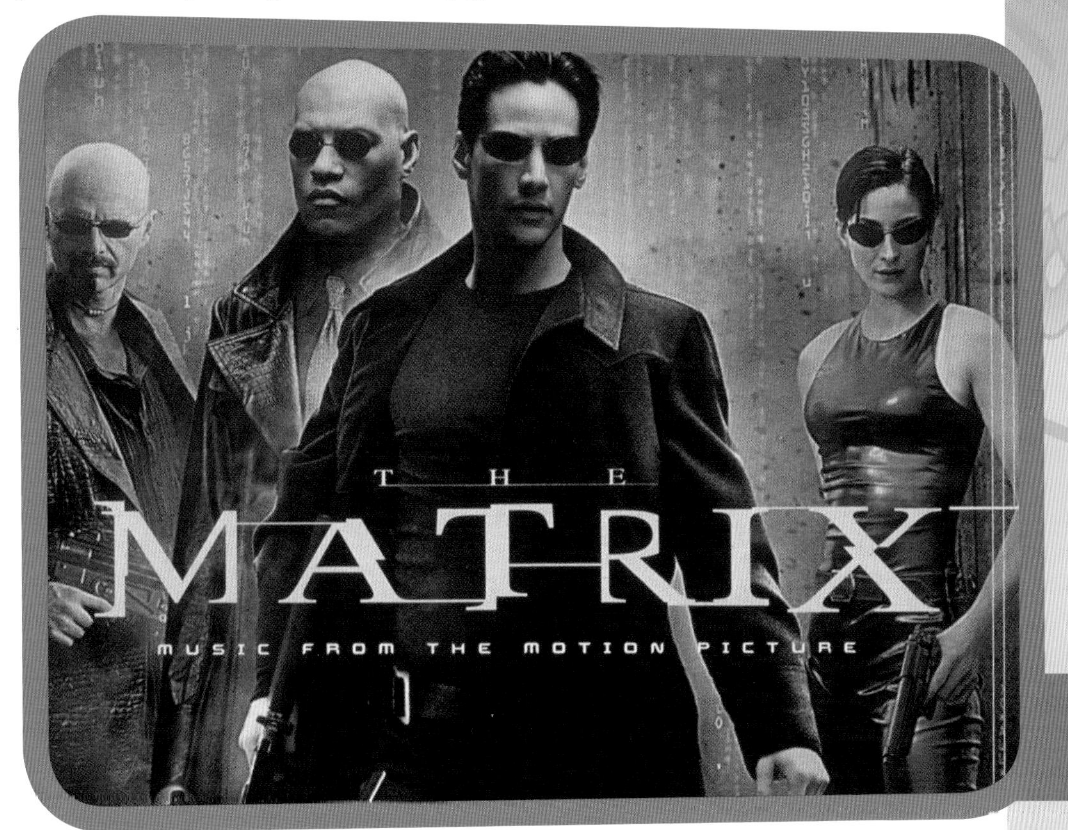

Mae dylanwad manga ac *anime* i'w weld ar drioleg *The Matrix*

Bydd llawer ohonoch wedi gweld un neu fwy o drioleg *The Matrix*, a gyfarwyddwyd gan y brodyr Wachowski sydd wedi cyfaddef bod manga ac *anime* yn ddylanwad mawr ar eu gwaith ffilm. Maent hefyd wedi cynhyrchu cyfres *Animatrix* o gartwnau *anime* i gyd-fynd â'r ffilmiau. Dyma enghraifft dda arall o'r cyfryngau yn cydgyfeirio.

GWEITHGAREDD 19

1. ***Gwyliwch bennod o Animatrix.***
2. ***Ysgrifennwch am y technegau y mae'n eu defnyddio i greu naws a thyndra. Canolbwyntiwch ar yr olwg ar wynebau'r cymeriadau a'u hymateb, y gerddoriaeth, y technegau camera (yn enwedig fframio, saethiadau safbwynt a thremio o le i le) a'r effeithiau sain.***
3. ***Ceisiwch archwilio'r ystyron a'r negeseuon posibl yn y testun.***

Beth ydych chi wedi'i ddysgu?

Yn y bennod hon, rydych wedi dysgu am:

Testunau

- Ymchwilio i gomics ac agoriadau cartwnau ac animeiddiadau
- Edrych ar gyfansoddiad cloriau blaen comics
- Creu stori-fyrddau a chanolbwyntio ar fframiau a phanelau

Iaith y cyfryngau

Genre

- Y ffordd y mae comics, cartwnau ac animeiddiadau yn defnyddio nodweddion clir i alluogi cynulleidfaoedd i lunio perthynas â nhw a'u mwynhau
- Bod technegau comics ac animeiddio yn bodoli mewn amrywiaeth eang o *genres*
- Sut mae cynnwys dealltwriaeth o gomics/animeiddio mewn gwaith cwrs

Naratif

- Pwysigrwydd mathau o gymeriadau a'u swyddogaeth mewn naratifau
- Dweud stori syml drwy'r munudau allweddol
- Codau realaeth yn naratifau comics ac animeiddiadau

Cynrychioliadau

- Cynrychioliadau o fodau dynol a bodau eraill
- Sut y caiff mathau o gymeriadau eu cynrychioli
- Archarwyr
- Sut mae cynrychioliadau yn cael eu defnyddio mewn *anime*

Cynulleidfaoedd

- Meddwl am gynulleidfaoedd targed a'u denu
- Creu arolygon a holiaduron
- Archwilio ymateb y gynulleidfa
- Trafod effaith cymeriadau trwyddedig ar gynulleidfaoedd

Materion trefniadaeth

- Y berthynas uniongyrchol rhwng y dylunio a'r defnyddwyr
- Effeithiau negyddol posibl delweddau a gynhyrchir gan gyfrifiadur
- Hanes rhai cyhoeddwyr
- Defnyddio cymeriadau animeiddiedig fel llofnod i gwmni animeiddio

Cyfryngau cydgyfeiriol

- Natur gydgyfeiriol comics, cartwnau ac animeiddiadau, yn cynnwys y defnydd ohonynt mewn hysbysebion, ar wefannau, mewn ffilmiau ac ar y teledu
- Gwefannau wedi'u hanimeiddio

Cerddoriaeth bop

Eich dysgu chi

Yn y bennod hon byddwch yn dysgu am:

- sut mae'r diwydiant cerddoriaeth yn newid yn wyneb technoleg newydd, er enghraifft, y Rhyngrwyd
- pwy sy'n penderfynu ar ba gerddoriaeth yr ydym yn gwrando
- pwysigrwydd *genre* yn y diwydiant cerddoriaeth
- pwysigrwydd y fideo cerddoriaeth wrth werthu cerddoriaeth
- pa newidiadau sy'n digwydd yn y ffordd y mae'r wasg gerddoriaeth yn ymdrin â'r byd cerddoriaeth.

Rafins gwyllt: hanes cerddoriaeth bop a diwylliant pobl ifanc yn fyr

Yn y degawd ar ôl yr Ail Ryfel Byd, roedd pobl ifanc yn eu harddegau yn gweld eu hunain fel pobl wahanol iawn i'w rhieni. Gwisgai'r bechgyn siwtiau llaes a phan oedd y ffilm *Rock Around the Clock* yn cael ei dangos buont yn rhwygo seddau sinemâu o'u lle. Cribai'r merched eu gwallt i steil 'cwch gwenyn' ac roeddent yn gwisgo sodlau stileto.

Awgrym yr arholwr

Bob tro y byddwch yn cwblhau tasg ar gerddoriaeth bop, rhaid i chi ystyried ei hagweddau cydgyfeiriol yn y cyfryngau.

Roedd pobl ifanc yn cael eu portreadu'n aml gan y cyfryngau fel pobl afreolus a threisgar. Pan fu'r Mods yn ymladd y Rocers ar draeth tref glan môr Margate dros benwythnos y Pasg yn 1964, cafodd yr hanes ei ddisgrifio mewn llawer o bapurau newydd fel pe bai rhyfel wedi dechrau. Ymddangosodd 44 o bobl ifanc yn y llys i ateb cyhuddiadau amrywiol, a disgrifiodd yr ynad nhw fel *'miserable specimens', 'strutting hooligans', 'louts', 'dregs'* a *'long-haired, mentally unstable, petty hoodlums'*.

Ond er bod y wasg yn cyflwyno darlun negyddol o bobl yn eu harddegau, buan y sylweddolodd y diwydiant cerddoriaeth a ffasiwn fod llawer o arian i'w wneud ohonynt. Roeddent yn gynulleidfa ifanc, newydd a oedd ag arian i'w wario i fwynhau eu hunain. Yn 1960, roedd 5 miliwn o bobl yn eu harddegau yn y DU, yn gwario £800 miliwn ar ddillad ac adloniant – un rhan o ddeg o'r holl wariant ar hamdden. O safbwynt recordiau a chwaraewyr recordiau, pobl yn eu harddegau oedd hanner y farchnad.

Termau allweddol

Genre Mae hyn yn golygu 'math'. Mewn cerddoriaeth, gallai gwahanol *genres* gynnwys metel trwm, RnB, canu'r felan, pync, ac ati.

Yn 1955, dim ond 4 miliwn o senglau a brynwyd (wedi'u cofnodi) gan wrandawyr o Brydain. Erbyn 1960 roeddent yn prynu 52 miliwn o senglau'r flwyddyn ac erbyn 1963, 61 miliwn. Nid dim ond poblogrwydd sêr pop fel Elvis Presley oedd i gyfrif am hyn – erbyn hyn roedd y radio'n darlledu cerddoriaeth ac roedd yn dod yn aruthrol o boblogaidd.

Daeth ***Genre*** yn rhan bwysig o'r diwydiant recordiau. Er mwyn cadw'r gwerthiant ar ei anterth, da o beth oedd bod datblygiadau newydd a oedd yn apelio at bobl ifanc – *genres* gwahanol – yn ymddangos yn rheolaidd. Ac os oedd modd cysylltu steiliau ffasiwn gwahanol â'r *genres* cerddorol, byddai mwy fyth o arian yn mynd drwy'r tils.

Bydd y gweithgaredd hwn yn help i chi ymchwilio i bwysigrwydd cerddoriaeth bop i wahanol genedlaethau.

1. *Ewch ati i gyfweld rhywun sydd o leiaf 20 mlynedd yn hŷn na chi am ei atgofion o'r gerddoriaeth yr oedd yn gwrando arni pan oedd yn ifanc a pha mor bwysig oedd y gerddoriaeth iddo. Gallech ddefnyddio rhai o'r cwestiynau isod i'ch helpu:*

Cwestiynau i'w gofyn	Ymateb
Ym mha ddegawd oeddech chi yn eich arddegau (1950au, 1960au, 1970au, 1980au, 1990au)?	
Pa fath o gerddoriaeth oeddech chi'n ei hoffi pan oeddech yn eich arddegau?	
Pa fath o ffasiwn neu steil oeddech chi'n ei gwisgo? Oes cysylltiad rhwng hynny a'r gerddoriaeth?	
Sut oeddech chi'n prynu cerddoriaeth? Ar finyl? Ar dâp? Ar CD? Ydy'n well gennych chi un o'r fformatau hyn yn arbennig, a pham?	
Pa gyfarpar technegol oeddech chi'n ei ddefnyddio i wrando ar gerddoriaeth?	
Pa raglenni cerddoriaeth oeddech chi'n eu gwylio ar y teledu?	
Pa orsafoedd neu raglenni radio oeddech chi'n gwrando arnynt?	
Oeddech chi'n darllen cylchgronau cerddoriaeth? Pa rai?	
Beth oeddech chi'n ei hoffi am y cylchgronau cerddoriaeth bryd hynny?	
Ydych chi'n meddwl bod y gerddoriaeth yn well bryd hynny?	

2. *Nawr gofynnwch y cwestiynau isod i chi eich hun am y gerddoriaeth y byddwch chi'n gwrando arni?*

Cwestiynau i'w gofyn	Ymateb
Sut wyt ti'n cyrchu at neu'n prynu'r gerddoriaeth yr wyt yn ei hoffi?	
Faint mae hyn yn ei gostio?	
Ym mha fformat y mae'r rhan fwyaf o dy gerddoriaeth di?	
Pa dechnoleg sydd ar gael i ti i wrando ar gerddoriaeth?	
Sut wyt ti'n clywed cerddoriaeth newydd?	
Sut wyt ti'n dod o hyd i wybodaeth am gerddoriaeth neu fandiau?	
Pa wefannau cerddoriaeth yr wyt ti'n gwybod amdanynt?	
Pa gylchgronau cerddoriaeth yr wyt ti'n eu darllen? Pam wyt ti'n eu hoffi?	
Pa wefannau cerddoriaeth yr wyt ti'n ymweld â nhw? Pam wyt ti'n eu hoffi?	
Pa steil o ddillad sy'n gysylltiedig â'r math o gerddoriaeth yr wyt ti'n ei hoffi?	

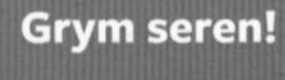

Termau allweddol

Ailryddhau Pan fydd cwmni recordiau'n rhyddhau caneuon a recordiwyd beth amser yn ôl a'u bod mwy na thebyg wedi gwerthu'n dda yn barod.

Ôl-gatalog Yr holl waith blaenorol sydd wedi cael ei recordio gan artistiaid neu fandiau.

Cerddoriaeth ar draws amser

Byddai gwrando ar yr un hen gerddoriaeth ag yr oedd eich rhieni yn ei hoffi wedi bod yn hynod o anffasiynol yn yr 1960au. Ond byddai rhai pobl yn dadlau bod yr **ailryddhau** parhaus a'r marchnata ar ddeunyddiau **ôl-gatalog** gan y cwmnïau recordiau yn golygu nad oes y fath beth â gorffennol, dim ond presennol parhaol. Drwy shifflad iPod, mae llif y gerddoriaeth yn neidio yn ôl ac ymlaen ar draws amser bob tro y mae'r trac yn newid.

Mewn dim mwy na 300 o eiriau, cymharwch eich profiad chi o gerddoriaeth gyda phrofiad y person hŷn y gwnaethoch ei gyfweld yng Ngweithgaredd 1.

1. ***A ydych yn cytuno bod pobl ifanc heddiw yn gwrando ar ystod lawer ehangach o genres cerddorol? Dylech roi enghreifftiau o'r gwahanol genres yr ydych chi a'ch ffrindiau yn gwrando arnynt.***
2. ***Sut mae technoleg a'r chwyldro digidol wedi newid y ffordd yr ydym yn cyrchu at gerddoriaeth ac yn ei mwynhau? Rhaid i chi feddwl am y cyfyngiadau a oedd yn effeithio ar bobl hŷn pan nad oedd ganddynt ddim ond disg finyl a chwaraewr recordiau. Sut mae pethau fel y Rhyngrwyd a'r chwaraewr MP3 yn gwneud gwahaniaeth i chi?***

Genres mewn cerddoriaeth bop

Edrychwch yn ôl ar y cyfweliad a wnaethoch gyda pherson hŷn am ei arferion gwrando ar gerddoriaeth yng Ngweithgaredd 1. Bydd yn sicr wedi enwi artistiaid neu fandiau unigol yn ôl eu henw. Ond a wnaeth ddweud ei fod yn gwrando ar *genre* neu fath arbennig o gerddoriaeth? Os oedd yn ei arddegau yn yr 1960au cynnar, efallai ei fod yn dilyn canu gwerin, yn gwrando ar artistiaid fel Bob Dylan neu Joan Baez. Os datblygodd ei arferion gwrando ddeng mlynedd yn ddiweddarach, efallai ei fod yn ddilynwr roc wrth ei fodd gyda Led Zeppelin, neu'n gwirioni ar *reggae* a Bob Marley.

Grym seren!

Efallai eich bod yn holi pam mae *genres* yn bwysig mewn cerddoriaeth. Maent yn bwysig am yr un rhesymau ag mewn unrhyw ran arall o'r cyfryngau:

- Maent yn helpu cynulleidfaoedd i adnabod pethau y credant y byddant yn eu hoffi.
- Maent yn helpu'r diwydiant cerddoriaeth i drefnu'r pethau y maent am eu gwerthu i'r gynulleidfa.

Y ffordd amlycaf o weld hyn ar waith yw drwy bwyso'r cyswllt *genre* ar iPod – bydd iTunes wedi rhoi *genre* i bopeth. Os ydych am samplu'r alawon *indie* heb i gerddoriaeth roc dorri ar eu traws, gallwch wrando yn ôl *genre*.

Ffordd arall o archwilio sut mae'r diwydiant cerddoriaeth yn defnyddio *genres* yw mynd i unrhyw siop gwerthu cerddoriaeth. Mae'r cynnyrch sydd ar werth yn cael ei drefnu mewn categorïau. Mae rhai o'r categorïau sy'n cael eu defnyddio mewn siopau cerddoriaeth mawr yn cwmpasu amryw o fathau gwahanol o gerddoriaeth. Mae jazz yn enghraifft dda o hyn. Dim ond hyn a hyn o le arddangos sydd gan siopau, felly mae'n haws rhoi Kid Ory (trombonydd o'r 1920au o New Orleans) a *Weather Report* (band roc jazz o'r 70au) gyda'i gilydd mewn adran o dan y teitl 'Jazz'. Mae hyn yn gadael llawer mwy o le i'r *genres* sy'n gwneud yr arian mwyaf i'r siopau. Y *genres* hynny, drwy ddiffiniad, yw cerddoriaeth 'boblogaidd' – cerddoriaeth sy'n gwerthu llawer iawn.

Ewch i'ch siop gerddoriaeth fawr agosaf a nodwch y categorïau y mae'n eu defnyddio i drefnu ei chynnyrch.

1. ***Ydy rhannu'r siop yn adrannau fel hyn yn ei gwneud hi'n haws neu'n anoddach dod o hyd i'r gerddoriaeth yr ydych yn chwilio amdani?***
2. ***Pa mor aml ydych chi'n mynd i siop gerddoriaeth erbyn hyn i brynu CD (neu finyl hyd yn oed)?***
3. ***Dychmygwch eich bod yn artist newydd, gyda'ch albwm cyntaf i'w werthu. Sut yn eich barn chi allech chi fynd ati'n fwyaf effeithiol i gyflwyno'ch cynnyrch i gynulleidfa eang? Fyddech chi'n cysylltu â label recordiau mawr gyda fersiwn demo o'ch caneuon? Fyddech chi'n rhoi hysbyseb yn y papur lleol? Neu fyddech chi'n defnyddio YouTube?***

ASTUDIAETH ACHOS

GARY BROLSMA: ARCHSERE

Mae'r astudiaeth achos hon yn trafod rhai o agweddau cydgyfeiriol cerddoriaeth bop yn y cyfryngau heddiw. Mae'n canolbwyntio ar Gary Brolsma, a ddaeth yn enwog drwy'r Rhyngrwyd am ei fersiwn o sengl a oedd wedi cael ei recordio o'r blaen. Ar y diwedd, bydd y Gweithgaredd yn gofyn i chi drafod y materion sy'n codi o'r astudiaeth achos hon.

Gary Brolsma'r Rhyngrwyd

Ydych chi wedi clywed am Gary Brolsma? Gallai honni mai ef yw un o'r artistiaid mwyaf llwyddiannus yn hanes cerddoriaeth bop. Cafodd ei fersiwn dynwared o'r gân *Dragostea din tei* gan y band o România, O-Zone, ei ryddhau dan y teitl *Numa Numa* ar 14 Awst 2006. Erbyn mis Mawrth 2008, roedd ei gân wedi cyrraedd nifer anhygoel o bobl – 700 miliwn.

Gadewch i ni roi hynny mewn cyd-destun. Yn 1964, cafodd y Beatles y sengl finyl a werthodd gyflymaf erioed gyda *I Want to Hold Your Hand*. Gwerthodd y gân 250,000 o gopïau mewn tri diwrnod yn UDA ac 1 miliwn mewn pythefnos. Erbyn mis Hydref 1972, ddeng mlynedd ar ôl iddynt ryddhau eu record gyntaf, roedd cyfanswm gwerthiant y Beatles ar draws y byd – popeth yr oeddent wedi'i recordio erioed – yn 545 miliwn o unedau. Mewn geiriau eraill, cyrhaeddodd fersiwn Gary o *Numa Numa* lawer mwy o bobl na'r grŵp pop mwyaf llwyddiannus erioed!

Gary Brolsma: llwyddiant byd-eang

Fel y Beatles, mae llwyddiant Gary yn fyd-eang. Mae Ana Peñalosa yn ffan o Brolsma ym México. Daeth yn ymwybodol o'i apêl fyd-eang gyntaf pan gyrhaeddodd bentref bach oriau lawer o unrhyw ddinas o bwys.

'Gweithiais am chwe mis yn Bachajón, tref yn nhalaith Chiapas, tua 16 awr ar y bws o Ciudad de México. Y diwrnod y cyrhaeddais Bachajón roedd marchnad drws nesaf i'r eglwys hynafol, a honno'n ymledu ar draws yr unig stryd. Roedd rhai o'r stondinwyr yn gwerthu ffrwythau a llysiau, rhai'n gwerthu crysau a jîns, eraill yn gwerthu CDs a DVDs o gerddoriaeth a ffilmiau. Roedd pobl yn eistedd ac yn sefyll mewn grwpiau bach, rhai'n siarad, eraill yn chwerthin. Allan o system sain, roedd cerddoriaeth yn rhuo. Y gân oedd **Numa, Numa.'**

Felly, ble mae Gary nawr? Yn yfed siampên mewn fila enfawr ar draeth wedi'i amgylchynu gan goed palmwydd? Yn hedfan i gigs yn ei awyren breifat? Yn paratoi i achub y blaned drwy neilltuo cyfran o'r enillion o'i record nesaf er mwyn ymladd cynhesu byd-eang?

Na. Ni wnaeth Gary geiniog erioed o *Numa Numa*. Ffilmio ei hun a wnaeth yn **cydamseru'i wefusau** i eiriau'r gân ar we-gamera yn ei ystafell wely, a'i lwytho i fyny wedyn i YouTube. Ni farchnatodd y trac erioed. Ni chafodd ei gyfweld yn y wasg gerddoriaeth erioed. Ac yn sicr ni thalodd unrhyw freindal i O-Zone am ddwyn eu cân. Y cyfan a wnaeth oedd eistedd i lawr a meimio'r fersiwn dynwared, pwysodd y botwm llwytho i fyny a chafodd miliynau o bobl ei weld am ddim.

Termau allweddol

Cydamseru gwefusau
Lle mae person mewn fideo yn meimio fel bod symudiadau ei wefusau yn cyd-fynd â'r geiriau a glywir ar drac sain.

CD-ROM
Am Ragor!
Numa Numa
***Agorwch y CD yng nghefn y llyfr hwn a chliciwch ar yr eicon isod i agor cyswllt er mwyn gweld* Numa Numa.**

HTML

Rhag ofn i chi *golli'r* holl stŵr am *Numa Numa,* dylech fedru dod o hyd iddo ar y Rhyngrwyd.

Ar ôl gwylio ymdrech Gary, gallwch archwilio'r *genre* newydd a greoedd. Fe welwch fod sgil-gynhyrchion di-rif ar ffurf fideos cerddoriaeth sy'n cydnabod *Numa Numa*, yn cynnwys un gan rywun sy'n dynwared Osama Bin Laden, a hefyd sengl ddilynol Gary, *New Numa*.

★ASTUDIAETH ACHOS★
GWEITHGAREDD

Mae Numa Numa yn codi nifer o faterion o bwys sy'n wynebu'r diwydiant cerddoriaeth ar hyn o bryd. Gan weithio gyda phartner neu mewn grŵp bach, trafodwch y canlynol:

1. ***O'r hyn yr ydych wedi'i glywed amdano, fyddech chi'n dweud bod Gary Brolsma yn enwog a llwyddiannus? Beth yw'r gwahaniaeth rhwng y ddau beth hyn?***
2. ***Pam y dylai Gary fod wedi cynnig talu O-Zone cyn llwytho'i fersiwn ef o'u trac i fyny? Neu efallai na ddylai fod wedi cynnig talu? Os na ddylai, pam hynny?***
3. ***Sut y gallai O-Zone fod wedi elwa, o bosibl, am fod Gary wedi defnyddio eu halaw?***
4. ***Yn 1964, roedd rhaid i gynulleidfaoedd fynd i'r siopau a thalu arian er mwyn dal un o recordiau'r Beatles yn eu llaw. Nawr, gall unrhyw un gael cerddoriaeth am ddim drwy lwytho i lawr. Ydych chi'n meddwl bod ots nad yw artistiaid a'u cwmnïau recordio yn cael eu talu am eu gwaith?***

Effaith y Rhyngrwyd

Nid yw *Numa Numa* yn ddim ond un arwydd arall o'r newid rhyfeddol y mae'r Rhyngrwyd wedi ei achosi yn ein bywydau. Mae'n galluogi cân bop ddi-nod o ganolbarth Ewrop i ledaenu'n aruthrol o gyflym, a chyrraedd hyd yn oed dref fach ym México, heb unrhyw help gan 'fusnesau mawr'.

I'r diwydiant cerddoriaeth, mae astudiaeth achos *Numa Numa* yn amlygu newid dramatig mewn grym. Cyn y Rhyngrwyd, y cwmnïau recordiau oedd yn penderfynu pwy gâi wneud recordiau, faint roedd rhaid i ni ei dalu amdanynt a ble y gallem eu prynu. Cyn gynted ag yr oedd y Rhyngrwyd wedi cael ei sefydlu, gallai'r rhai sy'n mwynhau cerddoriaeth rannu eu casgliadau â'i gilydd a gallai bandiau lwytho eu halbymau newydd i fyny am ddim.

Dyma beth mae'r diwydiant cerddoriaeth yn ei alw'n **ddull dosbarthu**. Yn syml, mae hyn yn golygu sut maent yn trefnu bod pethau'n cyrraedd dwylo pobl sy'n barod, nid yn unig i wrando, ond hefyd i dalu am y fraint. Yn sydyn, mae'r Rhyngrwyd wedi darparu dull dosbarthu hollol newydd – a rhad ac am ddim. Fel cwningen wedi'i dal yng ngoleuadau blaen y Rhyngrwyd, mae'r diwydiant cerddoriaeth wedi bod yn araf iawn i ymateb i oblygiadau llwytho i lawr a llwytho i fyny. O ganlyniad, mae perygl iddo gael ei chwalu gan jygarnot technoleg y Rhyngrwyd.

Nid yw'r argyfwng yn y diwydiant cerddoriaeth yn ddim ond rhan o'r effaith ehangach y mae'r chwyldro digidol wedi'i chael ar ddiwydiannau'r cyfryngau torfol. Os yw'r diwydiant cerddoriaeth yn poeni am ei einioes, felly hefyd gynhyrchwyr ffilmiau mawr, cwmnïau teledu a meistri'r papurau newydd.

Gall y model cyfathrebu syml isod eich helpu i ddisgrifio sut mae'r newid o **gynhyrchydd** i **ddefnyddiwr** yn digwydd. Mae angen i ni feddwl am dri math o **rwydwaith**:

Termau allweddol

Dull dosbarthu Y ffordd y mae'r diwydiant cerddoriaeth yn dosbarthu traciau cerddoriaeth i'w gynulleidfa.

Cynhyrchydd Y sawl sy'n creu cynnyrch.

Defnyddwyr Y bobl sy'n prynu, yn darllen, yn gwylio neu'n gwrando ar gynnyrch y cyfryngau.

Rhwydwaith Grŵp neu system gydgysylltiedig.

Rhwydwaith darlledu: Yma mae un neu ddau o gynhyrchwyr mawr (fel y BBC neu ITV) sy'n darlledu pethau fel rhaglenni teledu y gall cynulleidfa anhysbys eu derbyn yn unigol. Ni allant ymateb ac nid ydynt yn gwybod faint o bobl eraill y mae'r cynhyrchwyr yn cysylltu â nhw yn yr un ffordd.

Rhwydwaith Metcalfe: Y system ffôn yw'r enghraifft orau o'r math hwn o rwydwaith. Mae mwy o gyfle i ryngweithio ag aelodau eraill o'r rhwydwaith gan fod modd i unrhyw unigolyn ffonio unrhyw unigolyn arall yn y rhwydwaith sydd hefyd â ffôn.

Rhwydwaith Reed: Mae'r Rhyngrwyd yn enghraifft o rwydwaith Reed. Mae'n golygu nid yn unig y gall unrhyw unigolyn gyfathrebu ag unigolyn arall, ond y gallant hefyd ffurfio grwpiau. Mae'r nifer o gysylltiadau posibl yn ddiddiwedd. Lledaenodd *Numa Numa* ar draws y byd gan fod rhwydwaith Reed y Rhyngrwyd yn golygu y gallai unigolion, drwy un clic, ei hanfon at bawb yn eu llyfr cyfeiriadau. Mae YouTube a Facebook yn ffyrdd clasurol i grwpiau ddefnyddio rhwydwaith Reed.

Chwyldroadau cyn y Rhyngrwyd

Nid y Rhyngrwyd yw'r enghraifft gyntaf o newid sydyn yn y cydbwysedd grym rhwng y rhai sy'n cynhyrchu'r negeseuon a'r rhai sy'n eu derbyn. Enghraifft lawer cynharach fyddai dyfeisio'r wasg argraffu yn 1450 gan Johannes Gutenerg. Yn y dyddiau hynny, yr Eglwys oedd yn cyfateb i gwmnïau mawr y cyfryngau. Yr Eglwys oedd yr unig sefydliad a allai ddarparu gwybodaeth: hi oedd Rhwydwaith Darlledu'r oes. Byddai mynachod yn copïo'r efengylau yn llafurus â llaw, felly prin bod unrhyw lyfrau ar gael o gwbl.

Ar ôl i Gutenburg ddyfeisio'r wasg argraffu, daeth tro ar fyd. Gallai pobl eraill gyhoeddi eu syniadau am grefydd a llawer o bethau eraill. Ac wrth i lyfrau ddod yn fwy cyffredin, gellid addysgu mwy o bobl i ddarllen. Gallai pobl herio'r hyn y byddem yn ei alw'n **benarglwyddiaeth** yr Eglwys.

AWGRYM

Ystyriwch sut y byddech yn hyrwyddo'ch hun pe baech yn creu gwefan.

Termau allweddol

Penarglwyddiaeth Y ffordd y dylanwadir ar bobl i dderbyn goruchafiaeth grŵp grymus sy'n gorfodi ei farn ar weddill y boblogaeth.

Johannes Gutenberg: dyfeisiwr y wasg argraffu

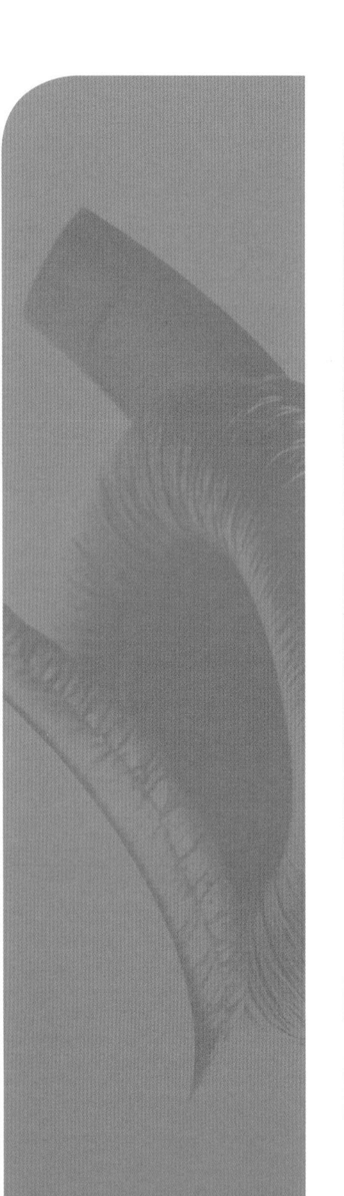

Gan weithio mewn pâr neu grŵp bach, trafodwch sut mae'r chwyldro digidol yn effeithio ar y cyfryngau canlynol.

1. Y diwydiant ffilm – *yn y gorffennol yr unig ffordd y gallai pobl weld ffilm oedd drwy dalu i fynd i'r sinema. Dylech feddwl am y llu o ffyrdd gwahanol sydd ar gael i chi erbyn hyn i wylio'r blocbyster diweddaraf, yn cynnwys DVDs a gynhyrchir yn gyfreithlon sy'n cael eu rhyddhau yr un adeg â phrint y ffilm, fersiynau DVD ffug o ffilmiau a fersiynau o ffilmiau sy'n cael eu ffrydio ar y we.*
2. Y diwydiant papurau newydd – *erbyn hyn mae gan y rhan fwyaf o bapurau newydd argraffiad Rhyngrwyd. Beth mae hyn yn ei ychwanegu at brofiad y darllenydd?*
3. Y diwydiant cerddoriaeth – *mae llwytho cerddoriaeth i lawr yn ddigidol yn ffordd gyffredin o brynu cerddoriaeth erbyn hyn (neu o gael traciau am ddim). Mae cyfarpar recordio ar gael yn eang. Mae'r manteision i gyd, yn ôl pob golwg, i ddefnyddwyr cerddoriaeth yn hytrach nag i'r cynhyrchydd. Ydych chi'n cytuno?*

Ym mhob achos, dylech ystyried y ffordd y gwnaethant ddechrau fel rhwydweithiau Darlledu ac i ba raddau y gallem eu disgrifio erbyn hyn fel rhwydweithiau Reed. Beth yw effaith y newid hwn ar bob diwydiant?

Cerddoriaeth oddi ar y Rhyngrwyd: llwytho i lawr yn anghyfreithlon

Roedd astudiaeth achos *Numa Numa* yn tynnu sylw at faterion llwytho i fyny, llwytho i lawr a rhannu ffeiliau. Ond pam oedd gan y cwmnïau recordiau gymaint o ofn y datblygiad newydd hwn?

Hawlfraint

Y mater pennaf yw hawlfraint. Hawlfraint sy'n dod â thua thraean ei elw i gwmni recordio, felly mae cwmnïau yn amlwg yn awyddus i orfodi deddfau sy'n atal pobl rhag llwytho caneuon i lawr yn anghyfreithlon neu eu copïo.

Mae'r frwydr yn erbyn torri hawlfraint yn mynd yn ôl cyn belled â'r 1980au pan ddechreuodd cwmnïau boeni bod pobl yn copïo traciau wedi'u recordio ar gasetiau gwag. Ond dim ond yn y degawd diwethaf y mae hyn wedi dechrau taro'r diwydiant yn ei boced o ddifrif.

1968–1998

Roedd cwmnïau recordiau yn ennill y rhan fwyaf o'u harian drwy albymau yn y cyfnod hwn. Mae albymau'n troi 'bandiau'n frandiau', ac mae grym y sgil-gynhyrchion yn golygu bod modd gwneud arian o grysau T a chalendrau. Gellir cynhyrchu arian hefyd o destunau cysylltiol, fel teithiau neu raglenni teledu.

Dyma pryd cododd materion torri hawlfraint gyntaf wrth i bobl ddechrau recordio caneuon ar gasetiau gwag.

Aeth Cymdeithas Diwydiant Recordio America (*Recording Association of America* RIAA) â gwefan Ryngrwyd Napster i'r llys yn 2000, ynglŷn â'i system rhannu ffeiliau cerddoriaeth.

1999

Mae gwerthiant y diwydiant wedi gostwng yn gyson er 1999 oherwydd rhannu ffeiliau sengl. Mae rhannu ffeiliau hefyd wedi golygu, am y tro cyntaf ers yr 1960au, fod traciau sengl wedi dod yn ôl i'r ffasiwn.

2001

Cafodd Napster ei ddyfarnu'n euog, ei orfodi i gau ac i ddyfeisio system newydd o dalu am lwytho i lawr. Mae ei wefan newydd yn cynnwys logos Visa a Mastercard! Parhaodd **uwchgwmnïau'r cyfryngau**, a oedd yn rheoli dosbarthiad cerddoriaeth cyn dyfodiad rhannu ffeiliau, i frwydro i atal hynny drwy barhau i ddefnyddio'r gyfraith. Bu'r cwmnïau hefyd yn ymladd yn y dirgel yn erbyn y rhanwyr ffeiliau. Aethant ati i gyflogi arbenigwyr cyfrifiadurol i ollwng ffeiliau wedi'u llygru ar wefannau fel bod rhaid i ddefnyddwyr chwilio am oriau i ddod o hyd i'r trac yr oeddent yn chwilio amdano.

2003

Aeth Madonna ati hyd yn oed i gylchredeg traciau ffug o'i halbwm American Life, 2003. Wrth i gefnogwyr geisio llwytho'r caneuon i lawr, yr hyn a glywent oedd tawelwch ac yna neges flin gan 'Madeg' ei hun, yn gofyn iddynt beth yn y byd oedden nhw'n ei wneud!

Erlynodd RIAA 914 o Americanwyr am filiynau o ddoleri am rannu caneuon. Roedd y bobl hyn yn defnyddio pecynnau meddalwedd KaZaA a BearShare i rannu ffeiliau caneuon. Merch 12 oed oedd un o'r rhai a gyhuddwyd. Setlodd ei mam y tu allan i'r llys drwy dalu $2000 i RIAA, a gwaharddodd miloedd o deuluoedd yn America eu plant rhag defnyddio gwefannau rhannu ffeiliau. (Does neb yn gwybod a weithiodd y gwaharddiad!) A gafodd hynny wared â'r bygythiad? Naddo. Mae ffigurau gan gwmnïau ymchwil yn 2004 yn awgrymu bod hyd at 5 miliwn o bobl yn rhannu caneuon yn anghyfreithlon ar draws y byd ar unrhyw adeg.

Termau allweddol

Uwchgwmnïau'r cyfryngau
Corfforaethau mawr sy'n berchen ar fwy nag un cwmni yn y cyfryngau; weithiau, maent yn berchen ar nifer mawr o gwmnïau.

Gorffennaf 2008

Honnodd y diwydiant y byddai'n colli dros £1 biliwn dros y pum mlynedd nesaf oherwydd llwytho i lawr yn anghyfreithlon.

Mae cwmnïau recordiau yn dechrau derbyn mai cerddoriaeth ddigidol yw'r dyfodol a bod rhaid iddynt ymaddasu i dechnoleg fodern neu farw. Yn 2007, cafodd EMI (un o'r cwmnïau recordiau mwyaf yn y DU) ei brynu gan gwmni o'r enw Terra Firma. Cafodd y perchenogion newydd wared â phobl fel y cyn is-gadeirydd, David Munns, a oedd wedi dweud bod rhannu ffeiliau yr un fath â mynd i siop gerddoriaeth a dwyn CDs. Dywed y perchenogion newydd eu bod am i ddoniau cerddorol gyrraedd cynifer â phosibl o bobl drwy ddefnyddio amryw o ddulliau cyflwyno a'r holl sianelau digidol y credant y gallai eu cwsmeriaid eu defnyddio. Maent yn cydnabod mai digidol yw'r dyfodol – nid gwerthu CDs nac erlyn rhai sy'n llwytho i lawr.

Marchnata yn yr oes ddigidol

Michael Stipe: prif leisydd REM

Pe na baent wedi dychryn cymaint, efallai y byddai'r cwmnïau recordiau wedi sylweddoli'n gynt fod y Rhyngrwyd yn rhoi iddynt bosibiliadau enfawr i farchnata eu cynnyrch.

Un duedd ddiweddar fu defnyddio'r Rhyngrwyd i lansio albymau newydd. Lansiodd Warner record newydd REM, *Supernatuaral Superseriou*s, ar Facebook. Cymerodd Radiohead y cam anarferol o gyhoeddi bod eu halbwm *Rainbow* ar gael i'w lwytho i lawr oddi ar y Rhyngrwyd gan ofyn i'w cefnogwyr dalu cymaint neu gyn lleied ag oedd ei werth yn eu barn nhw. Roedd y cyhoeddusrwydd a greodd hyn yn golygu ei fod yn gwerthu'n helaeth iawn mewn dim o dro a bu'n llwyddiant enfawr. Gwerthodd Prince 3 miliwn copi o un o'i albymau drwy gytundeb gyda *The Mail on Sunday* a oedd yn rhoi copi o'r albwm am ddim gyda'r papur. Mae Lily Allen, Arctic Monkeys a llawer o artistiaid eraill wedi lansio eu hunain drwy e-bost neu wefannau rhwydweithio cymdeithasol fel Myspace.

AWGRYM

Efallai yr hoffech lunio rhestr o'r holl ffyrdd o wrando ar gerddoriaeth bop. Yna, yn fyr, disgrifiwch y drefniadaeth y tu cefn i bob un o'r dulliau defnyddio hyn.

GWEITHGAREDD 5

Gan weithio gyda dau neu dri o bobl eraill, dychmygwch eich bod yn asiantaeth hysbysebu sydd wedi cael ei chyflogi gan berchenogion newydd EMI, Terra Firma. Maent wedi gofyn i chi baratoi adroddiad byr ar y ffyrdd y dylen nhw eu defnyddio yn eich barn chi i farchnata'r deunydd yn eu catalog. Mae ganddynt ddiddordeb arbennig yn y gynulleidfa 12-24 oed.

Meddyliwch am y ffordd yr ydych chi'n defnyddio'r Rhyngrwyd i ddod o hyd i gerddoriaeth, gwybodaeth am fandiau a gigs. Pa fandiau ydych chi wedi'u darganfod yn ddiweddar? Sut y clywsoch chi amdanyn nhw? Pe baech yn clywed gan ffrind am fand newydd cyffrous, i ble y byddech chi'n mynd i gael gwybod rhagor am ei gerddoriaeth?

Ysgrifennwch eich adroddiad a cheisiwch gynnwys o leiaf bedwar awgrym am ffyrdd posibl i Terra Firma farchnata deunydd yr artistiaid sydd ganddynt yn eu catalog.

Dyfodiad y fideo cerddoriaeth bop

Mae llawer o bobl yn honni mai Queen a ddyfeisiodd y fideo cerddoriaeth yn 1975. Ond cafodd clipiau byr o ffilm eu defnyddio i hyrwyddo cerddoriaeth ymhell cyn hynny.

1940au Dangoswyd ffilmiau a gâi eu galw'n 'ffilmiau sain', a wnaed gan gerddorion fel Big Joe Turner a Nat 'King' Cole, mewn bariau yn UDA.

1956 Manteisiodd ffilmiau fel *Rock Around the Clock* ar farchnad newydd yr arddegau i gerddoriaeth bop.

1964 Rhyddhawyd ffilm y Beatles, *A Hard Day's Night*. Daeth yn dempled i lawer o'r fideos cerddoriaeth a'i dilynodd.

1975 Gwnaeth Queen y fideo cerddoriaeth cyntaf fel yr ydym ni'n adnabod y *genre* nawr.

1981 Lansiwyd MTV fel sianel, gan ddangos dim ond fideos cerddoriaeth.

1982 Lansiwyd *Thriller*, gan Michael Jackson.

2005 Sefydlwyd YouTube a daeth yn wefan o bwys yn gyflym iawn i gerddorion amatur a phroffesiynol lansio eu fideos cerddoriaeth eu hunain arni.

Digwyddiadau allweddol yn natblygiad y fideo cerddoriaeth bop

Dechreuad roc a rôl yn yr 1950au oedd yr hwb a arweiniodd at lawer o ffilmiau a oedd yn dangos y math newydd o gerddoriaeth. Câi'r ffilmiau hyn eu gwneud yn rhad ac yn gyflym er mwyn manteisio ar y ffasiwn ddiweddaraf, ac felly nid oedd y rhan fwyaf ohonynt yn gofiadwy. Roedd *Rock Around the Clock* (1956) yn arddangos cerddoriaeth Bill Haley a chipiodd ddychymyg 'glaslanciau' newydd Ewrop ac UDA yn gyflym iawn.

Erbyn yr 1960au canol, roedd y Beatles a'r Rolling Stones yn sêr rhyngwladol mawr yn teithio'r byd. Dechreuasant wneud ffilmiau hyrwyddo yr oedd modd eu darlledu ar y teledu tra oedden nhw'n teithio. Perfformiadau o gân wedi'u ffilmio mewn stiwdio syml, gyda'r grŵp yn meimio i'r record, oedd y rhan fwyaf o'r hyrwyddiadau hyn yn y bôn. Ond gallai'r Beatles honni mai nhw a gynhyrchodd y fideos cerddoriaeth cyntaf fel yr ydym ni'n meddwl amdanynt heddiw. Ffilm ddogfennol ffuglennol am fywyd y band oedd *A Hard Day's Night*, wedi cael ei chyfarwyddo gan Richard Lester yn 1964. Mae'r ffilm yn gymysgedd o ganeuon a chomedi, yn cynnwys helfeydd a dilyniannau sy'n cynnwys golygu camneidio. Roedd yn **dempled** i lawer o'r fideos cerddoriaeth a ddaeth ar ei hôl.

Termau allweddol

Camneidio Lle teimlwn fod yr uniad rhwng dau saethiad yn digwydd yn sydyn gan nad ydym yn disgwyl gweld yr hyn a ddaw nesaf.

Templed Patrwm sy'n helpu i bennu ffurf y cynnyrch a ddaw ar ei ôl.

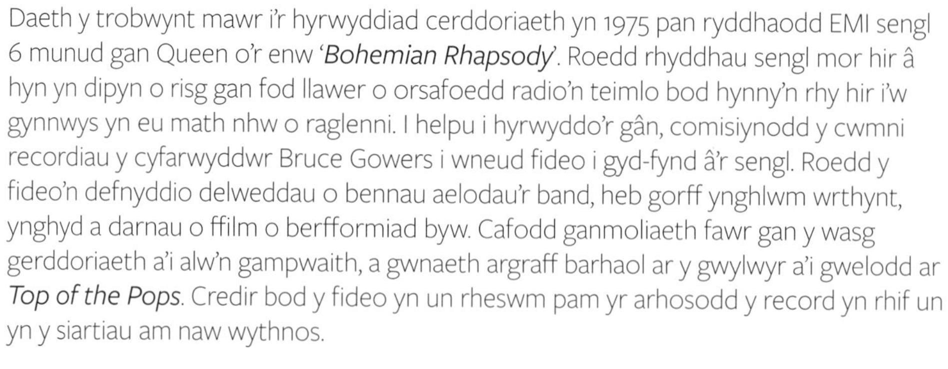

Daeth y trobwynt mawr i'r hyrwyddiad cerddoriaeth yn 1975 pan ryddhaodd EMI sengl 6 munud gan Queen o'r enw '*Bohemian Rhapsody*'. Roedd rhyddhau sengl mor hir â hyn yn dipyn o risg gan fod llawer o orsafoedd radio'n teimlo bod hynny'n rhy hir i'w gynnwys yn eu math nhw o raglenni. I helpu i hyrwyddo'r gân, comisiynodd y cwmni recordiau y cyfarwyddwr Bruce Gowers i wneud fideo i gyd-fynd â'r sengl. Roedd y fideo'n defnyddio delweddau o bennau aelodau'r band, heb gorff ynghlwm wrthynt, ynghyd a darnau o ffilm o berfformiad byw. Cafodd ganmoliaeth fawr gan y wasg gerddoriaeth a'i alw'n gampwaith, a gwnaeth argraff barhaol ar y gwylwyr a'i gwelodd ar *Top of the Pops*. Credir bod y fideo yn un rheswm pam yr arhosodd y record yn rhif un yn y siartiau am naw wythnos.

Yn 1981, lansiwyd MTV. Yn sicr, nid oedd yn cael ei ystyried yn llwyddiant digamsyniol yn ei gyfnod cynnar – yn arbennig gan fod ganddo lai na 200 o fideos i'w chwarae. Fodd bynnag, comisiynodd y cwmni ymchwil a oedd yn ôl pob golwg yn dangos bod darlledu'r fideo ar MTV yn cynyddu gwerthiant record. Argyhoeddwyd y diwydiant cerddoriaeth, a chafodd mwy o fideos eu gwneud; arweiniodd hynny at gynnydd mewn gwerthiant ac felly cafodd y cysylltiad rhwng cerddoriaeth a fideo ei sefydlu'n gadarn.

Yn 1982, symudodd fideo Michael Jackson ar gyfer '*Thriller*' y *genre* gam arall ymlaen. Ac yntau wedi cyflogi'r cyfarwyddwr ffilm o Hollywood, Jon Landis, a wnaeth *American Werewolf in London*, aeth Jackson ati i actio nifer o wahanol rannau wrth i'r fideo barodïo'r *genre* 'arswyd'. Roedd ynddo ddilyniant byw hir, llawn mynd, cyn i'r gân ei hun gychwyn, gan symud y cynhyrchiad cyfan y tu hwnt i gonfensiynau cydnabyddedig a chyfyngiadau hyrwyddiadau cerddoriaeth ar y pryd – roedd bron iawn yn ffilm fer ynddo'i hun a, law yn llaw â hynny, roedd ganddo gyllideb gynhyrchu enfawr. Oherwydd ei natur unigryw, helpodd yr albwm i gyrraedd gwerthiant o fwy na 35 miliwn o gopïau – ac mae'n dal yn un o'r recordiau sydd wedi gwerthu mwyaf erioed.

Mae pwysigrwydd y fideo hyrwyddo cerddoriaeth wedi parhau hyd heddiw. Y prif newid fu'r dull dosbarthu: rydych mor debygol o wylio fideos ar y Rhyngrwyd ag ar sianel gerddoriaeth ar y teledu. Ym mis Tachwedd 2005, lansiwyd YouTube ac, ar amrantiad, daeth yn brif wefan i gerddorion o bob oedran a lefel o allu i rannu eu fideos cerddoriaeth. Mae wedi dod mor llwyddiannus fel bod artistiaid recordio mawr yn ei defnyddio erbyn hyn i lansio'u fideos eu hunain.

Fideo '*Thriller*' Michael Jackson

GWEITHGAREDD 6

1. *Trafodwch y pwyntiau isod gyda phartner:*
   - *A yw fideos hyrwyddo caneuon yn dal yn bwysig i helpu i werthu cerddoriaeth?*
   - *Ai gwefannau fel YouTube yw'r man lle'r ydych chi'n gwylio hyrwyddiadau fideos cerddoriaeth erbyn hyn, neu a ydych yn dal i wylio MTV hefyd? Beth fyddai'n cael ei golli pe na bai yna sianelau MTV?*
2. *Nawr ysgrifennwch erthygl 200 gair i'w chyhoeddi mewn cylchgrawn cerddoriaeth o'ch dewis chi, i ateb y cwestiwn canlynol:*
   - *A yw'r fideo cerddoriaeth yn rhywogaeth sydd mewn perygl?*

Ymchwilio i fideos cerddoriaeth

Waeth ble y byddwch yn eu gwylio, prif bwrpas fideos cerddoriaeth yw hyrwyddo cân. I'r rhai sy'n ei gofio, mae'n amhosibl clywed '*Bohemian Rhapsody*' heb hefyd gofio pennau di-gorff aelodau band Queen yn ymlwybro braidd yn lletchwith o amgylch y sgrin. Mae'r fideos yn creu rhyw fwrlwm o amgylch y band a'r gân sy'n help i dynnu sylw ati, a'r gobaith yw y bydd yn hybu pobl i'w phrynu.

Ond mae rhai beirniaid, fel Andrew Goodwin, wedi dadlau bod pwysigrwydd y fideo cerddoriaeth – ac MTV a oedd yn sicrhau ei fod yn cael ei ddarlledu i gynulleidfa eang – yn mynd y tu hwnt i werthu cerddoriaeth. Mae wedi newid y ffordd yr ydym yn 'darllen' delweddau symudol. Un o'r prif bethau ynglŷn â fideo cerddoriaeth yw'r ffordd y mae'n symud oddi wrth naratifau llinellol clasurol Hollywood (gweler Pennod 1: Ffilm, tudalen 9). Felly, os ceisiwch chi eu dadansoddi fel pe baent yn dilyn yr un 'rheolau' â ffilm neu deledu, ni fydd hynny'n gweithio.

AWGRYM

Mae astudio fideos cerddoriaeth yn gyffrous gan eu bod yn tanseilio'r codau a'r confensiynau arferol. Efallai yr hoffech ddadelfennu rhai fideos cerddoriaeth i weld sut mae'r tanseilio'n digwydd.

Golygu

Y gwahaniaeth mwyaf rhwng y rhan fwyaf o *genres* ffilm neu deledu a'r fideo cerddoriaeth yw'r ffordd y cânt eu golygu. Erbyn hyn, mae rhai o'r llawlyfrau technegol i bobl sy'n cael hyfforddiant i fod yn olygyddion ffilm neu deledu yn sôn am 'olygu yn arddull MTV'. Maent yn tynnu sylw at y ffordd y caiff y fideo cerddoriaeth ei olygu ac yn dangos sut y cefnodd ar yr arddull a ddefnyddir yn Hollywood fel arfer – sy'n cael ei alw'n **olygu dilyniant**.

Mae golygu dilyniant wedi'i seilio ar nifer o reolau sy'n sicrhau, pan fydd cannoedd (neu, yn achos ffilmiau blocbyster Hollywood, miloedd) o saethiadau unigol yn cael eu golygu at ei gilydd, ei bod yn ymddangos eu bod yn llifo'n naturiol. Y nod yw gwneud yn siŵr nad yw'r sawl sy'n gwylio yn sylwi ar yr uniadau ond yn canolbwyntio ar y stori sy'n cael ei hadrodd gan y delweddau.

Mae golygu yn arddull MTV yn mynnu sylw'r sawl sy'n gwylio, gan wneud yr holl broses o uno'r saethiadau ynghyd yn amlwg iawn. Yn arbennig, gwneir defnydd helaeth o'r camnaid mewn fideos cerddoriaeth. Ystyr hyn yw bod yr uniad rhwng dau saethiad yn edrych fel pe bai'n digwydd yn sydyn gan fod un saethiad yn cael ei ddilyn gan rywbeth na fyddem yn disgwyl ei weld. Mae'n gwneud i'r gwyliwr 'neidio' a gofyn i ble tybed y mae rhediad naratif y stori'n mynd. Mae'r torri rhwng saethiadau hefyd yn digwydd yn llawer cyflymach mewn golygu yn arddull MTV nag mewn golygu dilyniant.

Termau allweddol

Golygu dilyniant
Golygu sydd wedi'i fwriadu i wneud i un digwyddiad ddilyn yn naturiol o ddigwyddiad arall. Nid oes dim anarferol yn digwydd i wneud i'r gwyliwr sylwi bod y testun wedi cael ei olygu.

CD-ROM

Am Ragor!

Darlunio mewn fideo

Agorwch y CD yng nghefn y llyfr hwn a chliciwch ar yr eicon isod i agor cyswllt at fideo trac 'That's Entertainment' The Jam.

HTML

Mae Andrew Goodwin yn Ddarlithydd Cyswllt yn y Celfyddydau Cyfathrebu ym Mhrifysgol San Francisco. Mae'n awdur llyfr ar y fideo cerddoriaeth o'r enw *Dancing in the Distraction Factory* sy'n dosbarthu fideos cerddoriaeth i dri phrif gategori. Efallai y bydd y rhain yn helpu pan fyddwch yn ceisio ysgrifennu am fideos:

- *Darlunio* – yn y math hwn o fideo, mae popeth a welwn yn y fersiwn terfynol yn deillio'n uniongyrchol o eiriau'r gân. Efallai mai dim ond yr artist neu'r band yn perfformio'r gân a welwn. Os oes saethiadau eraill, mae'n hawdd cysylltu'r rhain â'r hyn sy'n cael ei ganu. Mae Goodwin yn rhoi trac The Jam, '*That's Entertainement*', fel enghraifft. Yma, mae'r fideo'n dangos y band yn perfformio'r gân yn y stiwdio.

AWGRYM

Yn ei hanfod, mae dau brif fath o fideo cerddoriaeth – perfformiad a naratif. Fodd bynnag, mae yna yn amlwg fideos sy'n cyfuno'r ddau (fideos hybrid).

The Jam

CD-ROM

Am Ragor!

Mwyhau mewn fideo

Agorwch y CD yng nghefn y llyfr hwn a chliciwch ar yr eicon isod i agor cyswllt at fideo trac 'I'm Only Happy When It Rains' Garbage.

- *Mwyhau* – yn y math hwn o fideo ceir dilyniannau sy'n ychwanegu ystyron ychwanegol nad ydynt o reidrwydd yn y geiriau eu hunain. Enghraifft fyddai'r fideo i gân Garbage '*I'm Only Happy When It Rains*'. Yn ogystal â llawer o saethiadau o'r lleisydd Shirley Manson yn cydamseru'i gwefusau i'r geiriau, ceir saethiadau o aelodau eraill y band yn drilio tyllau yn eu hofferynnau ac yn gwisgo gwisgoedd a masgiau rhyfedd.
- *Digyswllt* – yma, nid oes cyswllt yn ôl pob golwg rhwng y delweddau ar y fideo a geiriau'r gân. Yn aml, mae gwneuthurwr ffilm wedi cael ei gomisiynu i gynhyrchu'r hyn sydd i bob diben yn ffilm fer, gyda'r gân yn drac sain iddi. Enghraifft fyddai '*There Goes the Fear*' gan Doves.

CD-ROM

Am Ragor!

Digyswllt mewn fideo

Agorwch y CD yng nghefn y llyfr hwn a chliciwch ar yr eicon isod i agor cyswllt at fideo 'There Goes the Fear' gan Doves.

Mae fideos sy'n perthyn i'r categorïau mwyhau neu ddigyswllt yn llawer mwy diddorol i ysgrifennu amdanynt na'r rhai sy'n gwneud dim ond darlunio. Nod y cyfarwyddwr fydd cymryd naws neu deimlad y gân a'i datblygu wedyn mewn rhyw ffordd. Mae Goodwin yn awgrymu bod bandiau sy'n defnyddio'r dulliau hyn am gael eu gweld fel bandiau mwy 'ffug-artistig' a difrifol am eu cerddoriaeth.

Bydd y gweithgaredd hwn yn help i chi ganolbwyntio ar iaith gyfryngol fideos cerddoriaeth.

1. ***Dewiswch esiampl o fideo cerddoriaeth sydd un ai'n mwyhau neu sy'n ddigyswllt.***
2. ***Ysgrifennwch ymchwiliad 300 gair i'r ffordd y mae'r elfennau gweledol yn adlewyrchu naws neu deimlad y gân wreiddiol. Dylech ganolbwyntio ar:***
   - ***saethiadau sy'n arbennig o effeithiol i chi – am beth y maen nhw'n gwneud i chi feddwl?***
   - ***yr arddull golygu a sut y mae'n effeithio ar y ffordd y caiff y 'stori' ei hadrodd***
   - ***y naratif – mwy na thebyg ni fydd iddo strwythur 'dechrau-canol-diwedd' nodweddiadol, ond pa 'stori' y mae'r fideo wedi'i hadrodd?***

Cerddoriaeth bop

ASTUDIAETH ACHOS

Y WASG GERDDORIAETH

Mae'r astudiaeth achos hon yn trafod rhai o agweddau cydgyfeiriol cerddoriaeth bop heddiw. Ar y diwedd, bydd cyfle i drafod rhai o'r materion sy'n codi.

Mae pawb ohonom yn cael gwybodaeth am ein hoff fandiau o rywle. Yn aml, bydd ffrindiau yn tynnu'n sylw at bethau newydd – clywed ar 'lafar gwlad' neu *WOM* ('*word of mouth*') fel y mae'r diwydiant yn ei alw. Gyda dyfodiad y ffeil MP3, mae'n fwy na 'wom' erbyn hyn – gallwch anfon y trac ei hun yn uniongyrchol at eich ffrind.

Gyda'r holl weithgarwch digidol hwn, efallai y byddech yn meddwl y byddai cylchgronau cerddoriaeth seiliedig ar brint yn mynd allan o fusnes. Ond byddech yn anghywir. Mae teitlau fel *Kerrang!* a *Mojo* yn gwerthu cystal ag erioed – er bod ganddynt hefyd wrth gwrs wefannau yn gysylltiedig â'u cylchgronau print.

Ddeng mlynedd ar hugain yn ôl, byddai'r wasg gerddoriaeth wedi honni mae'n siŵr mai hi oedd yn bennaf cyfrifol am wneud cynulleidfaoedd yn ymwybodol o wahanol fandiau. Felly, ydyn nhw'n dal yn rym pwerus o ran ffurfio barn?

Yma, ceir tri safbwynt gwahanol gan bobl sy'n rhan o fyd y wasg gerddoriaeth ynglŷn â phwysigrwydd y wasg honno.

CD-ROM
Am Ragor!
Smash Hits – dod i'r brig, yna methu
Agorwch y CD yng nghefn y llyfr hwn a chliciwch ar yr eicon isod i agor cyswllt at gyfweliad gyda golygydd Smash Hits.

CD-ROM
Am Ragor!
Kerrang!
Agorwch y CD yng nghefn y llyfr hwn a chliciwch ar yr eicon isod i agor cyswllt at gyfweliad gyda golygydd Kerrang!

***David Hepworth, cyn olygydd* Smash Hits *sydd bellach yn gyfarwyddwr cyhoeddi* Word *a* Mixmag:**

'Nid y wasg gerddoriaeth sy'n gwneud bandiau'n llwyddiannus. Dydyn nhw ddim yn ddigon mawr i wneud hynny. Mae pobl wastad yn meddwl bod rhyw gynllwyn a'u bod, rywle yn ystafell bwrdd cwmni recordiau, yn mynd i orfodi pobl i hoffi rhywbeth nad yw pobl yn ei hoffi. Wel, nid yw'n gweithio felly.

Os ydych yn llwyddiannus, rydych yn lwcus, ac yn dalentog efallai, ond mae pobl yn eich hoffi.

Ond, wrth gwrs, mae yna fandiau y mae'r wasg gerddoriaeth yn eu hoffi. Fel arfer, y rhai ffasiynol, sy'n edrych yn dda mewn lluniau, sy'n rhywiol ac yn creu copi da yw'r rheini. Ond doedd dim un o'r pethau hynny'n wir am Keane; doedden nhw ddim yn ateb y meini prawf hynny o gwbl ond fe lwyddodd Keane i gyrraedd sylfaen enfawr o gefnogwyr.'

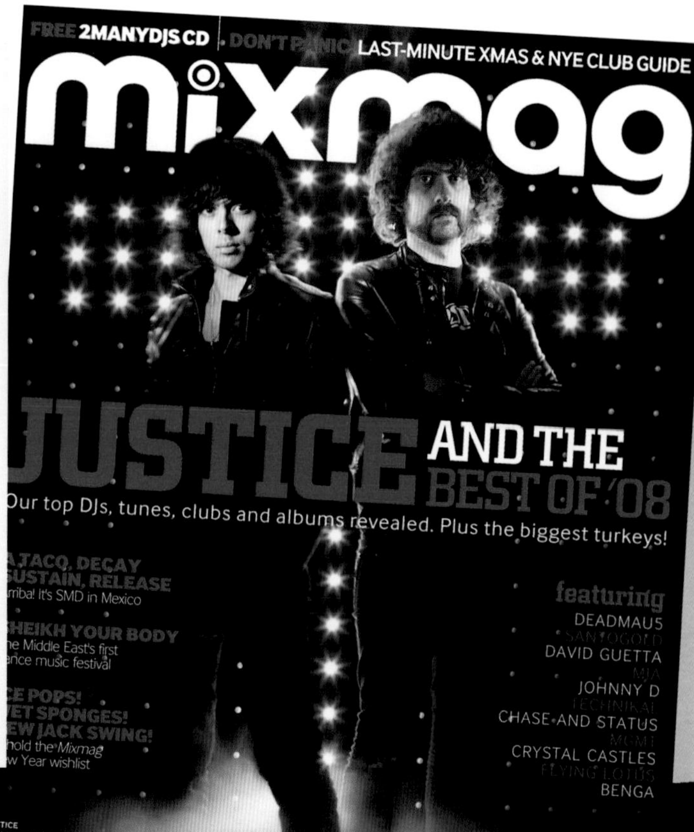

Paul Brannigan, golygydd Kerrang!:

'Mae'r wasg gerddoriaeth yn dal yn eithriadol o bwysig. Yn enwedig nawr yn oes y Rhyngrwyd, mae cymaint o ddewis ar gael.

Ond mae angen rhywun arnoch o hyd i hidlo'r holl stwff hwnnw. Does gan neb ddigonedd o amser i fynd i edrych ar wefan pob band, felly rydych yn dibynnu ar y wasg gerddoriaeth i ddweud wrthych ble mae'r stwff da. Dyna yw rôl cylchgrawn cerddoriaeth.'

Karis Ferguson, y golygydd a sefydlodd www.thisisfakediy.co.uk:

'Pan sefydlon ni thisisfakediy fe gyfwelais i fand o'r enw Parva o Leeds. Fe gyhoeddon ni'r cyfweliad, ond ni ddigwyddodd fawr ddim. Rai misoedd yn ddiweddarach cefais e-bost oddi wrthynt yn dweud eu bod wedi newid eu henw a bod ganddynt rai MP3s newydd. Llwythais beth ohono i lawr a'r hyn oedd gen i oedd Kaiser Chiefs.

Roedd rhaid i ni ddweud wrth bobl amdanynt. Fe lwython ni stori i fyny ar unwaith: "rhaid i chi glywed yr MP3s hyn!" Dechreuodd pobl gymryd diddordeb. Rhyddhaodd gwefan indie arall, drownedinsound, eu sengl gyntaf. Fe adolygon ni hi. Roedd yn waith tanddaearol gwirioneddol dda, ac roedd pawb yn siarad amdano. Cawsant gytundeb gyda Be Unique ac erbyn hyn maent yn teithio'r byd. Ond maent bob amser yn diolch i ni am i ni eu helpu pan nad oedd neb arall yn gwrando.'

CD-ROM

Am Ragor!

Dylanwad

Agorwch y CD yng nghefn y llyfr hwn a chliciwch ar yr eicon isod i agor cyswllt at ddarn o ffilm sy'n sôn am ddylanwad y wasg.

★ASTUDIAETH ACHOS★

GWEITHGAREDD

O'r cyfweliadau hyn gallwch weld nad yw pawb yn cytuno ynglŷn â faint yn union o ddylanwad sydd gan y wasg gerddoriaeth o ran gwneud bandiau neu artistiaid yn llwyddiannus.

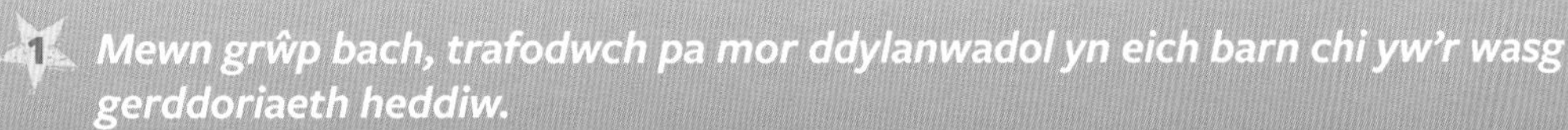

1. Mewn grŵp bach, trafodwch pa mor ddylanwadol yn eich barn chi yw'r wasg gerddoriaeth heddiw.
2. Fel grŵp, ysgrifennwch dri neu bedwar paragraff yn nodi eich barn, gan roi enghreifftiau o brofiadau gwirioneddol aelodau'r grŵp eu hunain.
3. Rhannwch eich barn gyda grwpiau eraill i weld a allwch ddod i benderfyniad fel dosbarth ynglŷn â dylanwad y wasg gerddoriaeth heddiw.

Cynrychioliadau yn y wasg gerddoriaeth

Termau allweddol

Cynrychioli
Sut mae pobl, lleoedd, digwyddiadau neu syniadau yn cael eu cynrychioli neu eu portreadu i gynulleidfaoedd mewn testunau cyfryngol. Weithiau gwneir hyn mewn ffordd or-syml drwy stereoteipiau fel bod y gynulleidfa'n gallu gweld yr hyn a olygir ar unwaith, ac weithiau mae'r ystyr yn llai amlwg.

Termau allweddol

Stereoteipiau
Pobl wedi'u grwpio gyda'i gilydd ar sail nodweddion syml y maent yn eu rhannu, heb ganiatáu ar gyfer unrhyw elfennau unigryw unigol.

Cynrychioli – mae hwn yn Gysyniad Allweddol wrth Astudio'r Cyfryngau. Mae a wnelo â'r ffordd y mae'r cyfryngau'n *cynrychioli* pobl, digwyddiadau neu syniadau i ni. Bydd y cynrychioli hwn bob amser yn golygu gwneud dewisiadau. Gallai unrhyw stori fod wedi cael ei chyflwyno o ongl wahanol neu gyda llun gwahanol.

Mae astudio dulliau cynrychioli yn golygu edrych ar y defnydd o **stereoteipiau**. A yw delweddau yn y cyfryngau yn cael eu defnyddio mor aml ac mor bwerus fel eu bod yn awgrymu i'r cynulleidfaoedd sy'n eu gwylio y dylid edrych ar grwpiau cyfan o bobl neu syniadau mewn ffordd neilltuol? Fel unrhyw gyfrwng arall, bydd y diwydiant cerddoriaeth yn cynrychioli pobl, lleoedd a syniadau yn gyson i'w gynulleidfa mewn ffyrdd neilltuol. Er enghraifft, edrychwch ar glawr *Mixmag* isod. Oes unrhyw nodweddion stereoteipiol yn y ffordd y mae'r ddau ddyn yn cael eu cynrychioli ar glawr y cylchgrawn hwn?

Yn yr enghraifft isod, sy'n dod o *Smash Hits* yn yr 1980au, mae'r gantores Toyah yn cael ei chynrychioli fel rhywun i'w 'ffansïo' yn hytrach na chael ei thrafod fel rhywun sydd â llais diddorol neu sy'n ysgrifennu geiriau deallus. Mae'r gwrywod yn rhoi 'marciau' iddi ar sail ei hymddangosiad yn hytrach na'i dawn gerddorol.

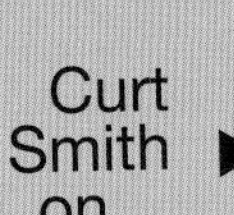

Excuse me, my mate fancies you...

What do most people want to know about their favourite pop stars?

Toyah

Curt Smith on... 'When she's got all her make-up on she looks good. Not a very good actress though.'

Nick Heyward on... 'I wouldn't go out with her. She looks quite headstrong and she's ambitious, which is good. She's good-looking but I've never seen her without any make-up on.'

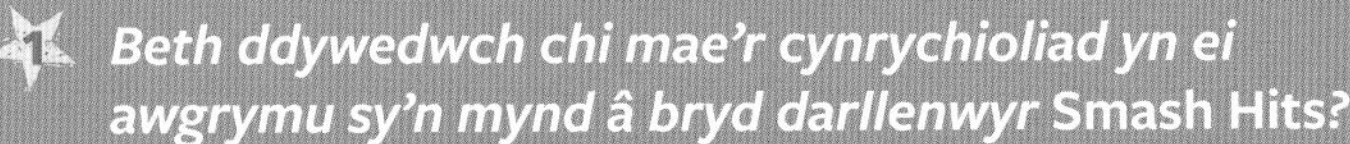

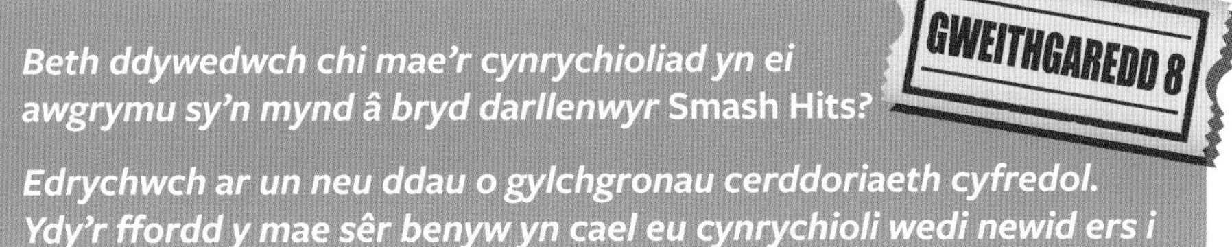

GWEITHGAREDD 8

1. *Beth ddywedwch chi mae'r cynrychioliad yn ei awgrymu sy'n mynd â bryd darllenwyr* Smash Hits*?*
2. *Edrychwch ar un neu ddau o gylchgronau cerddoriaeth cyfredol. Ydy'r ffordd y mae sêr benyw yn cael eu cynrychioli wedi newid ers i* Smash Hits *gael ei gynhyrchu?*

GWEITHGAREDD 9

Agorwch y cyswllt ar y CD-ROM lle mae staff Kerrang! *yn siarad am gynrychioli.*

1. *Sut mae cylchgrawn* Kerrang! *yn cynrychioli mater camddefnyddio cyffuriau?*
2. *Sut mae Nichola Brown yn dweud bod newyddion yn* Kerrang! *yn wahanol i newyddion yn y wasg dabloid? Pam yn eich barn chi y byddai cylchgronau cerddoriaeth yn dewis mynd ati mewn ffordd wahanol i gynrychioli newyddion am y diwydiant cerddoriaeth a'i sêr?*
3. *O'r hyn sy'n cael ei ddweud gan dîm* Kerrang!*, pa fathau o fandiau sy'n debygol o gael eu cynrychioli yn y cylchgrawn a pham?*

CD-ROM

Am Ragor!

Cynrychioliadau

Agorwch y CD yng nghefn y llyfr hwn a chliciwch ar yr eicon isod i agor cyswllt at ddarn o ffilm sy'n sôn am gynrychioli.

Beth ydych chi wedi'i ddysgu?

Yn y bennod hon, rydych wedi dysgu am:

Testunau

- Sut mae'r fideo cerddoriaeth wedi dod yn fwy a mwy pwysig
- Sut mae'r wasg gerddoriaeth wedi newid i ymdopi â datblygiadau technolegol newydd fel y Rhyngrwyd

Iaith y cyfryngau

Genre

- Sut mae *genres* cerddorol yn cael eu defnyddio i gategoreiddio a gwerthu cerddoriaeth bop

Naratif

- Y ffordd y mae fideos cerddoriaeth yn defnyddio naratif aflinellol i werthu caneuon

Cynrychioliadau

- Sut mae'r wasg gerddoriaeth yn cynrychioli artistiaid a materion

Cynulleidfaoedd

- Sut mae cynulleidfaoedd yn defnyddio *genres* cerddoriaeth bop
- Sut mae technolegau newydd wedi newid y ffordd yr ydym yn gwrando ar gerddoriaeth

Materion trefniadaeth

- Sut mae'r Rhyngrwyd wedi trawsnewid y ffordd y mae'r diwydiant cerddoriaeth yn gweithredu
- Sut mae'r diwydiant cerddoriaeth yn ymateb i'r bygythiad sy'n deillio o lwytho i lawr

Cyfryngau cydgyfeiriol

- Astudiaeth achos: enghraifft ryfedd Gary Brolsma, 'Archseren', a sut y cafodd ei wneud yn enwog drwy'r Rhyngrwyd
- Sut mae'r wasg gerddoriaeth wedi ymateb i dechnoleg newydd a'r Rhyngrwyd

Hysbysebu a marchnata

Eich dysgu chi

Yn y bennod hon byddwch yn dysgu am:

- y tair prif strategaeth farchnata er mwyn gwerthu cynnyrch, gwasanaethau neu syniadau:
  - ymgyrchoedd hyrwyddo
  - hysbysebu
  - cysylltiadau cyhoeddus
- sut mae patrymau hysbysebu a marchnata yn newid oherwydd y Rhyngrwyd
- sut mae hysbysebion yn cyfleu eu hystyr
- sut mae hysbysebwyr yn targedu grwpiau neilltuol o gynulleidfa
- sut mae hysbysebwyr yn defnyddio stereoteipio.

Termau allweddol

Marchnata Y broses o wneud cwsmeriaid yn ymwybodol o gynnyrch, gwasanaethau a syniadau yn y gobaith y byddant am eu prynu.

Marchnata

Mae **marchnata** cynnyrch a gwasanaethau yn fusnes mawr. Y nod yw ein hannog i brynu pethau neu i feddwl am bethau mewn ffordd neilltuol. Mae'r diwydiant marchnata'n gwario biliynau o bunnoedd bob blwyddyn ac yn cyflogi cannoedd o filoedd o bobl.

Mae ymchwilwyr yn credu bod dros 1500 o negeseuon yn cael eu targedu atom bob dydd. Mae'r negeseuon hyn yn ymddangos ar dudalennau'r Rhyngrwyd, sgriniau teledu, y radio, yn dod drwy'r blwch llythyrau, yn ymddangos ar dudalennau cylchgronau a phapurau newydd, ar fyrddau hysbysebu yn y stryd, ar fysiau a threnau, yn yr archfarchnad ... i enwi dim ond rhai. Mae'r ffaith fod cymaint o hysbysebu o'n cwmpas yn golygu bod rhaid i'r diwydiant marchnata feddwl drwy'r amser am ffyrdd mwy soffistigedig o hoelio ein sylw.

GWEITHGAREDD 1

1. ***Cadwch gofnod o bob darn o hysbysebu yr ydych yn sylwi arno ar eich siwrnai o'ch cartref i'r ysgol neu'r coleg un bore.***
2. ***Lluniwch ail gofnod o'r nifer o hysbysebion naid neu hysbysebion bar ochr Rhyngrwyd a welwch un noson tra byddwch yn eistedd wrth eich cyfrifiadur.***
3. ***Cymharwch eich nodiadau gyda nodiadau partner. Oeddech chi'n synnu at y nifer o hysbysebion a welsoch? Pa rai yn eich barn chi oedd yn eich targedu chi yn fwyaf effeithiol, gan olygu eich bod yn debygol o fynd ar eu trywydd mewn rhyw ffordd?***

Tair ffordd o farchnata eich cynnyrch

Os yw busnes am gyfathrebu â'i gwsmeriaid, neu ei **ddefnyddwyr**, gall ddewis gwneud hynny mewn tair prif ffordd:

1. **Hyrwyddiad gwerthu** – dyma'r dull sy'n cael yr effaith fwyaf uniongyrchol ar lwyddiant **brand** gan fod y dechneg yn effeithio'n uniongyrchol ar y gwerthiant. Fe welwch ymgyrchoedd hyrwyddo ym mhobman bob dydd. Bydd cynigion 'prynwch un – cewch un am ddim' ar silffoedd yr archfarchnadoedd; bydd cylchgronau cerddoriaeth yn cynnwys CD rhad ac am ddim ar y clawr; bydd pacedi grawnfwyd yn cynnwys rhodd rad ac am ddim.
2. **Hysbysebu** – mae hysbysebion yn cyrraedd defnyddwyr drwy greu neges mewn amryw o ffurfiau posibl: hysbyseb 30 eiliad ar y teledu, tudalen mewn cylchgrawn, poster, ac ati. Dyma'r rhan o'r diwydiant marchnata lle mae'r glamor, oherwydd dyma lle caiff yr arian mawr ei wario. Ond i gwmni neu frand, dyma hefyd y ffordd ddrutaf o gyfleu'r neges i ddefnyddwyr. Nid yn unig y bydd hysbyseb 30 eiliad ar y teledu yn costio cannoedd o filoedd o bunnoedd i'w chreu, rhaid wedyn i chi brynu'r **gofod cyfryngol** i'w dangos.
3. **Cysylltiadau cyhoeddus** – drwy gynnal digwyddiad fel cynhadledd i'r wasg neu barti lansio, gall asiantaethau cysylltiadau cyhoeddus gael llawer o sylw i gynnyrch yn y cyfryngau, drwy erthyglau wedi'u hysgrifennu mewn cylchgronau neu bapurau newydd, neu storïau ar y newyddion ar y teledu neu'r radio. Nid yw hyn 'am ddim' oherwydd bydd rhaid i chi dalu'r asiant cysylltiadau cyhoeddus er mwyn sicrhau'r sylw. Ond gall fod lawer iawn yn rhatach na hysbysebu.

Edrychwn yn fanylach yn awr ar sut mae'r tri dull hyn yn gweithio.

Termau allweddol

Defnyddwyr Y bobl sy'n prynu, yn darllen, yn gwylio neu'n gwrando ar gynnyrch y cyfryngau.

Brand Math neilltuol o gynnyrch, er enghraifft, jîns Levi.

Gofod cyfryngol Unrhyw ofod mewn papurau newydd, cylchgronau, ar y radio neu'r teledu, lle gellir gosod hysbysebion.

SATURDAY, JULY 12, 2008

www.dailymail.co.uk

DAILY NEWSPAPER OF THE YEAR 70p

NEW 18-DISC COLLECTION

FREE DVD INSIDE

PRIDE AND PREJUDICE

STARRING COLIN FIRTH

DISC ONE TODAY

THEN EVERY DAY PICK UP ANOTHER FREE CLASSIC COSTUME DRAMA ON DVD

DETAILS PAGES 38-39

Hyrwyddiad gwerthu mewn papur newydd

Sienna Miller, Matthew Williamson a Brooke Shields yn y parti i lansio persawr newydd Williamson

ASTUDIAETH ACHOS

HYRWYDDIAD GWERTHU

Mae'r astudiaeth achos hon yn ystyried rhai o agweddau cyfryngol cydgyfeiriol hyrwyddiadau gwerthu.

Print gyda hyrwyddiadau CD/DVD

Strategaeth gyffredin ym maes cyhoeddi papurau newydd a chylchgronau yw gweithio gyda chynhyrchwyr CDs neu DVDs ar hyrwyddiad gwerthu ar y cyd. Mae'n bosibl iawn fod rhan o'ch casgliad o gerddoriaeth wedi dod oddi ar gloriau blaen cylchgronau cerddoriaeth – rydych yn aml yn cael argraffiad arbennig o CDs arnynt. Dywed David Hepworth, golygydd *MixMag*, fod yr arfer hwn mor gyffredin erbyn hyn fel nad yw cylchgronau sydd â CD ar y clawr yn gwerthu mwy o gopïau ond, os tynnwch chi'r CD oddi ar y clawr, mae'r gwerthiant yn gostwng!

Enghraifft o'r *Daily Mirror*

Yn 2004, daeth yr Asiantaeth Cysylltiadau Brand, Exposure, â dau o'i chleientiaid, y *Daily Mirror* a *Buena Vista Home Entertainment*, ynghyd yn yr hyrwyddiad DVD mwyaf erioed mewn papur newydd cenedlaethol. Bu'r ymgyrch yn rhedeg am fis ac roedd yn cynnig y 'casgliad ffilmiau gorau erioed' i'r darllenydd. Yn gefn iddi hefyd, cynhaliwyd ymgyrch genedlaethol ar y teledu a'r radio.

Mewn mis o sylw parhaus roedd cyfanswm y gofod a neilltuodd y *Daily Mirror* i'r hyrwyddiad yn:

- 6 thudalen lawn, 3 thri-chwarter tudalen, 10 hanner tudalen, 16 traean o dudalen
- 6 fflach clawr blaen

Hawliwyd 715,000 o DVDs, sy'n golygu bod refeniw sylweddol wedi cael ei greu i Buena Vista. Cynyddodd cylchrediad dyddiol y *Daily Mirror* 30,000. Drwyddi draw, roedd Exposure, yr asiantaeth farchnata a ddyfeisiodd yr ymgyrch, yn amcangyfrif bod yr hyn a oedd yn cyfateb i £1,300,000 o werth golygyddol wedi cael ei ddarparu i'w dau gleient drwy'r hyrwyddiad ar y cyd.

★ASTUDIAETH ACHOS★ GWEITHGAREDD

Rydych wedi cael eich cyflogi i hyrwyddo diaroglydd newydd i ddynion. Mae'r cynnyrch yn cystadlu'n uniongyrchol yn erbyn brand Lynx.

Dewiswch o leiaf ddau ofod cyfryngol oddi ar y rhestr isod ac eglurwch sut y byddech yn eu dewis fel mannau i hyrwyddo'r brand ynddynt.

- *Papurau newydd*
- *Y Rhyngrwyd*
- *Y wasg gerddoriaeth*
- *Y radio*
- *Cylchgronau chwaraeon diddordeb arbennig i ddynion*

Hysbysebu

Diben hysbysebu yw eich perswadio i ymddwyn mewn ffordd arbennig: prynwch y bar siocled hwn; ewch i wylio ffilm newydd; rhowch arian i elusen, ac ati.

Yn nyddiau cynnar hysbysebu roedd y cynnyrch yn cael ei gynrychioli mewn ffordd syml. Mae hysbyseb camera *Bulls-eye* Kodak yn enghraifft dda o'r hyn y mae'r diwydiant yn ei alw'n **saethiad cynnyrch (neu becyn)**.

Termau allweddol

Saethiad cynnyrch (neu becyn) Llun o'r cynnyrch ei hun, er enghraifft, pecyn o greision ŷd.

Holidays are Kodak Days

The long evenings of Christmas-tide are made doubly delightful by taking flash-light pictures of one's friends.

Picture taking by daylight or flash-light is easy with a Kodak.

Kodaks $5.00 to $35.00.

Catalogues free of dealers or by mail.

EASTMAN KODAK CO.

Rochester, N. Y.

Ond nid oedd dangos pethau i bobl ynddo'i hun yn eu perswadio i newid eu hymddygiad. Yn fuan, dechreuodd hysbysebwyr fynd yn fwy soffistigedig. Mae hysbyseb sigaréts Westminster yn dangos y cam cyntaf tuag at dechnegau modern: mae'r sigarét yn cael ei hysmygu gan ddynes hudolus. Yr awgrym yw y bydd y sigarét yn cysylltu pawb sy'n ei hysmygu â ffordd o fyw.

Maslow a'n hanghenion

Mae ymchwil a wnaed yn yr 1970au gan Abraham Maslow yn un ffordd o archwilio sut mae hysbysebu'n gweithio. Awgrymodd Maslow fod ymddygiad dynol yn canolbwyntio ar ddiwallu anghenion dynol sylfaenol. Felly, efallai mai'r hysbysebion mwyaf llwyddiannus fydd y rhai sy'n apelio at gyfuniad o'r anghenion canlynol.

Anghenion Maslow

- **Yr angen i oroesi**: fe'i defnyddir gan hysbysebion am fwyd, diod, tai, ac ati.
- **Yr angen i deimlo'n saff**: mae hysbysebion am yswiriant, benthyciadau a banciau yn addo sicrwydd a bod yn rhydd rhag bygythiadau.
- **Yr angen am gysylltiad neu gyfeillgarwch**: mae hysbysebion sy'n canolbwyntio ar ddewisiadau ffordd o fyw fel diet a ffasiwn yn defnyddio awydd pobl i fod yn boblogaidd. Efallai hefyd y byddant yn eu bygwth na fydd eraill yn eu hoffi neu na fyddant fel pe baent yn perthyn.
- **Yr angen i feithrin neu ofalu am rywbeth**: mae hysbysebion sy'n dangos anifeiliaid del a phlant bach yn apelio at y gynneddf hon yn y gwyliwr.
- **Yr angen i gyflawni**: mae hysbysebion sy'n gysylltiedig ag ennill, sy'n cael eu hyrwyddo gan bersonoliaethau chwaraeon yn aml, yn adlewyrchu'r angen i lwyddo wrth wneud pethau anodd.
- **Yr angen am sylw**: mae hysbysebion am nwyddau harddwch yn aml yn chwarae ar yr angen i gael pobl i sylwi arnom a'n hedmygu.
- **Yr angen am amlygrwydd**: gall hysbysebion am ddodrefn drud a gemwaith fanteisio ar angen pobl i gael eu parchu ac i fod â statws cymdeithasol uchel.
- **Yr angen i reoli**: mae hysbysebion am nwyddau fel ceir cyflym yn cynnig y posibilrwydd o allu rheoli pethau drwy gyfrwng y cynnyrch.
- **Yr angen i ganfod ystyr i fywyd**: gall hysbysebion am deithio neu gerddoriaeth apelio at angen pobl i gael ymdeimlad o gyflawniad.

GWEITHGAREDD 2

1. ***Am bob un o'r anghenion sydd wedi'i restru uchod, meddyliwch am hysbyseb sy'n manteisio ar yr angen hwnnw, ac eglurwch sut mae'n gwneud hynny. Gallwch gymryd eich enghreifftiau o unrhyw fath o hysbysebu: teledu, radio, cylchgrawn print, y Rhyngrwyd neu boster. Gallai'ch athro eich helpu i ddod o hyd i enghreifftiau addas.***
2. ***Pa anghenion eraill, nad ydynt yn cael eu crybwyll gan Maslow, sy'n cael eu defnyddio i hyrwyddo cynnyrch?***

Cynulleidfa

Pan ofynnwyd i Steven Spielberg pwy oedd cynulleidfa graidd ei ffilmiau yn ei farn ef, dywedodd, 'Ar hyn o bryd, pawb fwy neu lai...'. Nid yw asiantaethau hysbysebu mor lwcus. Rhaid iddynt ystyried yn galed sut y caiff yr hysbyseb ei derbyn gan y gynulleidfa darged y maent yn ceisio'i pherswadio.

Categorïau yn ôl dosbarth cymdeithasol

Mae'r diwydiant hysbysebu wedi gwneud llawer o ymchwil i ffordd o fyw nodweddiadol gwahanol grwpiau mewn cymdeithas. Yn y gorffennol roedd llawer o hysbysebu yn ceisio targedu pobl ar sail dosbarth cymdeithasol yn unig. Roedd chwe chategori yn cael eu defnyddio i fwndelu pobl i fathau arbennig o gynulleidfa:

Categorïau yn ôl dosbarth cymdeithasol

A	Rheolwyr ar lefel uchel mewn diwydiant neu broffesiynau fel y gyfraith neu feddygaeth
B	Rheolwyr canol mewn cwmnïau neu wasanaethau cyhoeddus fel iechyd neu addysg
C1	Is-reolwyr neu oruchwylwyr mewn diwydiant neu wasanaethau cyhoeddus
C2	Gweithwyr llaw medrus – fel seiri coed neu drydanwyr
D	Gweithwyr llaw di-grefft
E	Pobl ddi-waith neu eraill ar incwm isel iawn ar sail gwaith achlysurol

Canfu hysbysebwyr yn fuan nad oedd y categorïau bras hyn yn ôl dosbarth cymdeithasol yn ddigon soffistigedig i wahaniaethu rhwng y gwahanol **farchnadoedd arbenigol** yr oedd angen iddynt eu targedu er mwyn gwerthu eu cynnyrch.

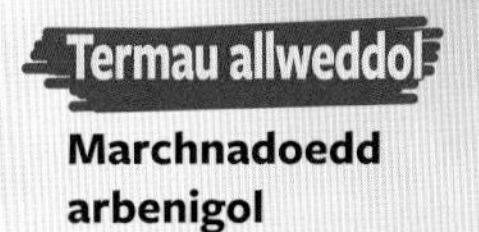

Marchnadoedd arbenigol
Grwpiau bach sy'n cael eu targedu am eu bod yn rhannu'r un diddordebau, incwm, ac ati.

Categorïau Gwerthiant ITV

Y set nesaf o gategorïau sydd i'w gweld isod yw'r categorïau sydd wedi cael eu defnyddio gan Werthiant ITV i nodi cynulleidfaoedd targed posibl – y term am hyn yw demograffeg. (Mae'r codau yn y golofn chwith yn cael eu defnyddio gan y tîm gwerthu pan fydd yn rhoi data ar ddalennau dadansoddi cyfrifiadurol.)

Categorïau Gwerthiant ITV

Cod	Esboniad
HW	Gwragedd tŷ (gall y rhain fod yn ddynion yn ogystal â menywod. Caiff *gwraig tŷ* ei diffinio fel y sawl sy'n wneud y rhan fwyaf o'r siopa ar ran yr aelwyd)
HC	Gwragedd tŷ sydd â phlant
HA	Gwragedd tŷ yng ngrwpiau economaidd gymdeithasol ABC1, h.y. y rhai sy'n fwy cefnog (fel yr eglurwyd yn y rhestr o gategorïau yn ôl dosbarth cymdeithasol uchod)
AD	Oedolion
A3	Oedolion rhwng 16 a 34 oed
AA	Oedolion yng ngrwpiau economaidd gymdeithasol ABC1
ME	Dynion
M3	Dynion rhwng 16 a 34 oed
MA	Dynion yng ngrwpiau economaidd gymdeithasol ABC1
WO	Menywod
W3	Menywod rhwng 16 a 34 oed
WA	Menywod yng ngrwpiau economaidd gymdeithasol ABC1
CH	Plant

Fel y gwelwch, mae categorïau Gwerthiant ITV yn cael eu diffinio'n fanylach na'r categorïau llawer mwy eang yn ôl dosbarth cymdeithasol. Mae hyn yn help i dîm Gwerthiant ITV dargedu defnyddwyr posibl mewn ffordd fwy soffistigedig.

1. ***Dewiswch ddwy raglen ar sianel deledu fasnachol, fel ITV, y credwch y byddai gwahanol fathau o gynulleidfaoedd yn eu gwylio.***
2. ***Gwyliwch yr egwyl hysbysebu yng nghanol y ddwy raglen.***
3. ***Yng nghyswllt pob hysbyseb yn yr egwyl, nodwch y categori (neu'r categorïau) y byddai'r tîm gwerthu wedi'i nodi fel y gynulleidfa darged, gan ddefnyddio'r codau oddi ar dabl Gwerthiant ITV ar dudalen 151.***

Categorïau ffordd o fyw

Wrth i ddefnyddwyr ddod yn fwy soffistigedig, mae hysbysebwyr wedi parhau i ddatblygu ffyrdd o geisio diffinio cynulleidfaoedd yn fwy manwl. Mae'r tabl isod yn dangos categorïau sy'n cael eu defnyddio weithiau i ddiffinio agwedd y gynulleidfa 16-34 oed tuag at fywyd. Mae'r diwydiant yn meddwl bod y rhain yn fuddiol pan fydd hysbysebion yn gwerthu ffordd o fyw sy'n gysylltiedig â chynnyrch.

Categorïau ffordd o fyw	
Cowbois	Pobl sydd am wneud arian yn gyflym ac yn hawdd.
Siniciaid	Pobl sydd wastad â rhywbeth i gwyno yn ei gylch.
Crwydriaid	Pobl nad ydynt yn siŵr o gwbl beth maent ei eisiau.
Dropowts	Pobl nad ydynt am ymrwymo i ddim byd.
Myfïwyr	Pobl sy'n canolbwyntio'n anad dim ar gael cymaint â phosibl o bleser o fywyd iddynt eu hunain.
Grwpi	Pobl sydd am gael eu derbyn gan y rhai o'u cwmpas.
Arloeswyr	Pobl sydd am adael eu marc ar y byd.
Piwritaniaid	Pobl sydd am deimlo eu bod wedi gwneud eu dyletswydd.
Gwrthryfelwyr	Pobl sydd am i'r byd gydymffurfio â'u syniad nhw o sut y dylai pethau fod.
Pobl draddodiadol	Pobl sydd am i bopeth aros yr un fath.
Trendis	Pobl sy'n dyheu am i'w cyfoedion eu hedmygu.
Iwtopiaid	Pobl sydd am wneud y byd yn well lle.

Ymgyrchwyr amgylcheddol 'iwtopaidd'

Mae hysbysebwyr yn ddigon craff i wybod nad oes llawer ohonom yn ffitio o dan un label yn unig. Gall pobl newid a gallant hefyd berthyn i fwy nag un categori. Er enghraifft, gallai rhywun sy'n ymgyrchydd amgylcheddol gael ei ddisgrifio fel 'Gwrthryfelwr' a hefyd fel 'Iwtopiad'. Ond mae'r categorïau o gymorth i hysbysebwyr pan fyddant yn gwahaniaethu rhwng y gwahanol gynulleidfaoedd targed a allai brynu'r cynnyrch.

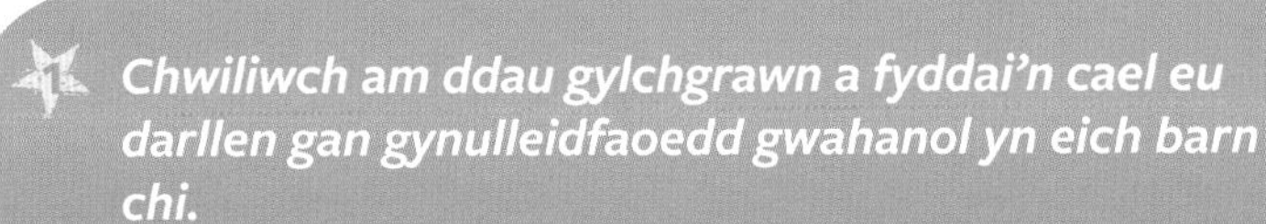

1. **Chwiliwch am ddau gylchgrawn a fyddai'n cael eu darllen gan gynulleidfaoedd gwahanol yn eich barn chi.**
2. **Oddi ar y rhestr ffordd o fyw ar dudalen 152, gwnewch restr o'r categorïau a allai yn eich barn chi fod yn berthnasol i bum hysbyseb o'r naill gylchgrawn a'r llall.**
3. **Pa batrymau sydd i'w gweld yn eich dwy restr a allai awgrymu bod y cylchgronau eu hunain yn cael eu targedu at gategorïau ffordd o fyw neilltuol?**

Sut mae hysbysebion mewn cylchgronau a phapurau newydd yn creu dyhead

Fel y gwelsoch yn gynharach, mae Maslow yn awgrymu bod hysbysebu'n gweithio drwy ddiwallu anghenion y defnyddiwr. Fodd bynnag, nid yw'r anghenion hyn bob amser yn amlwg i'r defnyddiwr nes bydd yr hysbyseb wedi creu awydd.

Un ffordd o wneud hyn yw drwy gynnig i chi ddelwedd ohonoch eich hun, gan wneud i chi edrych yn harddach, yn fwy pwerus neu'n fwy poblogaidd am eich bod wedi defnyddio'r cynnyrch. Bwriad y ddelwedd hon yw gwneud i chi weld eich hun wedi cael eich gweddnewid gan y cynnyrch.

Dynodiadau a chysylltiadau

Wrth geisio deall sut mae'r hysbyseb yn gweithio, mae'n werth edrych ar ddwy lefel.

1. Gallwn siarad am yr hyn *sydd yno mewn gwirionedd* yn y ffotograff. Mae a wnelo hyn â *ffeithiau*. Mae'n ddisgrifiad syml y gall pawb gytuno arno. Yr enw ar y lefel hon yw'r **dynodiad** yn y ffotograff.
2. Gallwn symud ymlaen i ystyried beth y mae'r pethau yr ydym yn eu gweld yn eu hawgrymu i ni. Gallai hyn fod yn wahanol wrth symud o un person i'r un nesaf. Yma, rydym yn dibynnu ar *farn* pobl. Yr enw ar y lefel hon yw **cysylltiadau**'r ffotograff.

Termau allweddol

Dynodiad Dealltwriaeth o arteffactau'r cyfryngau – sut y maent yn edrych ac yn swnio.

Cysylltiadau Yr ystyr cudd y tu ôl i ddelwedd, gair neu sŵn sy'n rhoi dyfnder i'r ddelwedd.

Dadadeiladu Edrych yn ofalus ar sut mae hysbyseb yn cyfleu ei hystyr drwy ddadansoddi cysylltiadau gwahanol rannau'r ddelwedd.

Iaith y cyfryngau a hysbysebu

Wrth **ddadadeiladu** unrhyw hysbyseb print, dylech feddwl am bob un o'r pwyntiau yn y siart ar dudalen 155. Byddant yn help i chi archwilio'r ffordd y mae iaith y cyfryngau'n gweithio wrth hysbysebu delweddau.

Nodwedd weledol	Cwestiynau allweddol
Mynegiant ar yr wyneb	Sut y byddech chi'n disgrifio'r mynegiant ar wyneb y fodel? Ydy'r llygaid yn edrych yn uniongyrchol ar y sawl sy'n edrych ar yr hysbyseb, ynteu ar rywbeth arall? Pa deimladau dybiwch chi yr oedd y ffotograffydd yn gobeithio'u creu yn y sawl sy'n edrych ar yr hysbyseb drwy'r mynegiant hwn ar yr wyneb?
Math o gymeriad	Bydd y fodel wedi cael ei dewis i gynrychioli math neilltuol o berson. Sut y byddech chi'n disgrifio'r math o gymeriad? Sut mae'r dewis hwn yn ategu'r neges yn yr hysbyseb?
Ystum neu osgo	Bydd cyfarwyddiadau manwl wedi cael eu rhoi i'r fodel i ddweud sut yn union y dylai sefyll neu eistedd, ble i roi ei dwylo, union osgo'r pen, ac ati. Beth fydd yr ystumiau a'r osgo yn gwneud i'r sawl sy'n edrych ar yr hysbyseb ei feddwl am y fodel?
Celfi	Bydd y gwrthrychau eraill i gyd, neu'r celfi fel y cânt eu galw, wedi cael eu dewis am eu bod yn ategu'r neges gyffredinol y mae'r ffotograffydd yn gobeithio'i chyfleu. Beth yw'r celfi pwysicaf? Pa gysylltiadau gredwch chi y bwriadwyd i bob eitem eu sbarduno yn y sawl sy'n edrych ar yr hysbyseb?
Dillad	Bydd pob eitem o ddillad wedi cael ei dewis yn ofalus. Pam dybiwch chi mae'r fodel wedi cael ei gwisgo fel hyn?
Lleoliad	Pa un a wnaed y ffilmio ar set wedi'i hadeiladu'n arbennig mewn stiwdio neu allan yn yr awyr agored, bydd y lleoliad yn cael ei ddefnyddio i ychwanegu ymhellach at effaith neges yr hysbyseb drwyddi draw. Pa gysylltiadau sy'n codi ym meddwl y sawl sy'n edrych ar yr hysbyseb oherwydd y lleoliad yn eich hysbyseb?

AWGRYM

Ceisiwch ddychmygu model cwbl wahanol yn yr hysbyseb. Rhywun o oedran neu o grŵp ethnig gwahanol efallai. Fyddai'r hysbyseb yn dal i weithio? Pam?

Mae'r hysbyseb isod yn dangos i chi, drwy ddefnyddio anodiadau, sut mae'r cwestiynau yn y tabl uchod yn gweithio yn ymarferol. Edrychwch ar yr hysbyseb, darllenwch yr anodiadau, yna rhowch gynnig ar y gweithgaredd dilynol.

Mae gwallt hir, tonnog, SJP yn cael ei ddangos yn effeithiol gan ei fod yn cael ei chwythu gan beiriant gwynt. Mae hyn hefyd yn ychwanegu bywyd a symudiad i'r ddelwedd. Mae gwallt hir, tonnog yn cael ei gysylltu â math neilltuol o harddwch confensiynol/stereoteipiol.

Nid rhywun rhywun yw'r fodel – Sarah Jessica Parker (SJP) yw hi. Mae defnyddio actores enwog yn 'gymeradwyaeth' – ac mae ei henw hi'n ymddangos ar y label hefyd. Mewn cymdeithas fel ein cymdeithas ni, sy'n gwirioni ar enwogion, mae cysylltu'ch cynnyrch â rhywun adnabyddus yn dechneg hysbysebu gyffredin.

Mae tinc rywiol i'r mynegiant ar wyneb SJP – yn edrych yn uniongyrchol ar y sawl sy'n edrych ar yr hysbyseb, ei cheg fymryn ar agor, gydag awgrym o wên.

Mae osgo SJP wedi cael ei osod yn ofalus iawn. A hithau'n edrych dros ei hysgwydd, wedi hanner troi oddi wrth y sawl sy'n edrych ar yr hysbyseb, mae'n edrych fel pe bai'n cael ei herlid.

Mae'r cynnyrch yn cael ei arddangos yn amlwg – ac mewn maint enfawr! Rhaid iddo fod yn hawdd ei adnabod yn y siop.

Mae'r ffrog wen, blaen, a roddwyd i SJP ar gyfer y llun yn awgrymu ceinder, moethusrwydd a phurdeb. Mae'r bodis tynn yn pwysleisio'r wasg denau (corff 'hardd' stereoteipiol). Mae'r sgert lydan yn ychwanegu glamor.

Mae'r menig du hir yn atgyfnerthu'r ceinder a'r soffistigeiddrwydd. Dim ond ar achlysuron arbennig iawn y gallwch wisgo'r rhain.

Mae'r rhuban yn ychwanegu rhyw gyffyrddiad benywaidd, henffasiwn. Mae hefyd yn rhoi cydbwysedd i'r cyfansoddiad, gan ategu'r cynnyrch y mae SJP yn ei ddal, o ran lliw a safle.

Dywed SJP wrthym fod 'rhaid iddi ei gael'. Dewiswyd y geiriau'n ofalus i adleisio enw'r cynnyrch – 'covet' ('chwennych') – sy'n golygu awydd mawr am rywbeth.

Mae label y cynnyrch wedi cael ei atgynhyrchu yma fel plac aur, gan gyfleu cysylltiadau â chyfoeth y cynnyrch.

Mae'r lliw glas oer a ddefnyddiwyd ar gyfer y cefndir yn cyferbynnu'n dda â chynhesrwydd lliw croen a lliw gwallt SJP. Mae'n ategu lliw'r ffrog a'r rhuban – a chaead y botel hefyd yn arbennig.

Y ffont a ddefnyddiwyd yma yw ysgrifen gopor-plêt henffasiwn, cyn oes y cyfrifiadur.

Ar ôl edrych ar hysbyseb Sarah Jessica-Parker/ Covet (ar dudalen 156), eich tro chi yw dadadeiladu hysbyseb.

1. *Edrychwch ar yr hysbyseb persawr isod ac atgoffwch eich hun o'r cwestiynau allweddol yn y tabl ar dudalen 155.*
2. *Gan ddefnyddio trefn debyg i'r un a ddefnyddiwyd gyda hysbyseb Covet, gwnewch nodiadau am y dynodiadau pwysicaf yn yr hysbyseb persawr. Ar gyfer pob un, eglurwch y cysylltiadau i chi fel rhywun sy'n darllen yr hysbyseb.*

3. *Ar ôl i chi archwilio'r gwahanol gysylltiadau, eglurwch at bwy yr oedd yr hysbyseb yn cael ei thargedu efallai a beth sydd wedi'ch helpu i lunio'r dehongliad hwn.*
4. *Pe baech chi'n asiantaeth hysbysebu, ym mha gylchgronau fyddech chi'n ceisio rhoi'r hysbyseb? Rhaid i chi gyfiawnhau eich penderfyniadau.*

Termau allweddol

Cynrychioli Y ffordd y caiff pobl, lleoedd, digwyddiadau neu syniadau eu cynrychioli neu eu portreadu i gynulleidfaoedd mewn testunau cyfryngol. Weithiau, gwneir hyn mewn ffordd rhy syml drwy stereoteipiau fel bod y gynulleidfa'n gallu gweld beth a olygir ar unwaith, ac weithiau mae'r ystyron yn llai amlwg.

Stereoteipio Grwpio pobl ynghyd yn ôl nodweddion syml y maent yn eu rhannu, heb ganiatáu ar gyfer elfennau unigryw unigolion.

Cynrychioliadau mewn hysbysebion

Mae'r delweddau y mae hysbysebwyr yn eu defnyddio i werthu pethau i ni yn cyflwyno darlun arbennig o'r byd i ni drwy'r amser. Nid dim ond gwerthu cynnyrch i ni a wna hysbysebwyr: drwy'r amser maent yn gwerthu fersiwn neilltuol o'r hyn sydd i fod yn ddymunol i ni.

Stereoteipiau

Gan mae amser byr sydd ganddynt i hoelio'n sylw a gwthio'u neges, mae hysbysebwyr yn aml yn dibynnu ar **stereoteipio**.

Unwaith y mae stereoteipiau wedi cael eu sefydlu, gall hysbysebwyr chwarae â nhw.

Fel pob maes arall o hysbysebu a marchnata, mae'r defnydd o stereoteipiau yn esblygu'n barhaus i adlewyrchu newidiadau mewn cymdeithas. Nododd ymchwil diweddar y pum stereoteip benyw penodol isod sy'n cael eu defnyddio mewn hysbysebion.

Enghreifftiau o stereoteipiau benyw mewn hysbysebion

Y Ddoli Mae'n credu, am fod cynnyrch harddwch wedi'i seilio ar wyddoniaeth, y bydd yn gweithio. Mae wrth ei bodd gydag unrhyw newyddbeth yn y diwydiant harddwch ac mae'n gwirioni ar y siampŵ neu'r hufen wyneb diweddaraf. Gallai 'Because I'm worth it' L'Oreal fod yn arwyddair iddi.

Y Fenyw Alffa Y fenyw broffesiynol, bwerus, a'i gyrfa yw'r peth pwysicaf yn ei bywyd. Mae ganddi hi reolaeth yn bendant, ond ei gwaith yw ei bywyd. Nid yw'n cael ei hadnabod fel mam, gwraig na chariad. Mae'n gallu bod ychydig bach yn frawychus.

Y Ffasionista Mae'n ymddangos ym mhob cylchgrawn sgleiniog, fel *Vogue* ac *Elle*, a chaiff ei phortreadu fel rhywun nad oes ganddi ddiddordeb mewn dim ond y ffordd y mae'n edrych. Rhaid iddi gael gwybod am y dillad newydd, yr esgidiau newydd, y bagiau newydd a'r minlliw diweddaraf (ond yn wahanol i'r Ddoli nid yw'n ddigon hen i boeni am ofal y croen). Nid oes ganddi bersonoliaeth a, thrwy oblygiad, nid oes ganddi ddeallusrwydd chwaith.

Y Fam Berffaith Rydym yn ei gweld bob tro y caiff cynnyrch ar gyfer y tŷ neu nwydd bob dydd ei hysbysebu. Ei phlant yw'r peth pwysicaf iddi. Mae wedi cadw pob angen arall yn ei bywyd o hyd braich. Mam yw hi, nid unigolyn. Nid yw'n rhywiol nac yn uchelgeisiol.

Y Nain Dyma'r Fam Berffaith rhyw 20 mlynedd yn ddiweddarach. Nid oes ganddi fawr o ddiddordebau y tu hwnt i'w hwyrion.

GWEITHGAREDD 6

Edrychwch ar y pum ffotograff isod ac atgoffwch eich hun o'r pum stereoteip hysbysebu benyw uchod.

1. ***Parwch y pum ffotograff â'r pum stereoteip benyw – un o bob un.***
2. ***Ysgrifennwch esboniad byr am bob ffotograff i ddisgrifio sut mae'r cysylltiadau yn y ddelwedd yn awgrymu'r stereoteip.***

A
B
L'ORÉA
TELESCOPIC MASCARA
In a flash of a stroke...
up to 60% longer lashes and definition lash by l
TELESCOPIC
L'ORÉAL PARIS
C
Dior
WWW.DIOR.COM / TEL. 020 7172 0172
Ch
Farley's Rusks. Four varieties they can't wait to try.
Orange. Banana. Original and Low Sugar. They're all delicious.
And mashed up, you'd be hard pushed to find a better weaning food for your baby.
There are no artificial colours, flavours or preservatives. And there's certainly no added salt.
In fact, Farley's Rusks are packed with vitamins and minerals.* So they're sure to get them off to a flying start.
SO FARLEY'S SO GOOD
*Each Rusk contains 15% of the Recommended Daily Amount of most vitamins and minerals for children under two.
D
SUNLIFE
PLAN

GWEITHGAREDD 7

Edrychwch ar yr hysbyseb Gasoline isod.

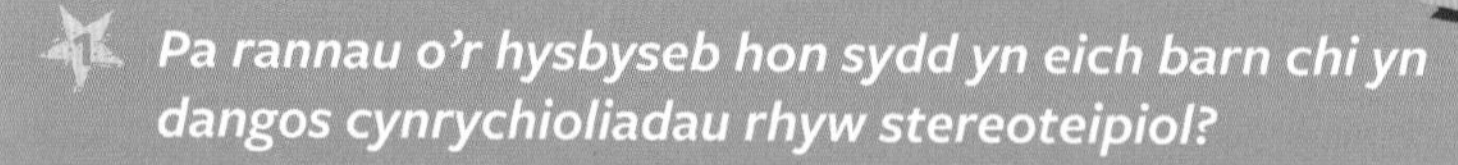

1. *Pa rannau o'r hysbyseb hon sydd yn eich barn chi yn dangos cynrychioliadau rhyw stereoteipiol?*

2. *Sut y chwaraewyd â'r stereoteipiau hyn i greu effaith gomig?*
3. *Pwy dybiwch chi oedd y gynulleidfa i'r hysbyseb hon a sut ydych chi'n gwybod hynny?*
4. *Os mai chi oedd yr asiantaeth hysbysebu a oedd yn rhoi'r hysbyseb hon mewn cylchgrawn, pa gylchgrawn fyddech chi'n ei ddewis a pham?*

Hysbysebu: cyfryngau cydgyfeiriol

Mae'r gweithgaredd nesaf yn canolbwyntio ar agweddau cyfryngol cydgyfeiriol hysbysebu. Yma, byddwch yn ystyried sut mae hysbysebu'n gweithio ar draws gwahanol blatfformau cyfryngol.

GWEITHGAREDD 8

Rydych yn mynd i gynnal ymchwiliad cynnwys.

1. *Dewiswch un o'r meysydd canlynol i'w astudio:*
   - *cynrychioliadau rhyw – un ai gwryw neu fenyw*
   - *cynrychioliadau ethnig*
   - *cynrychioliadau o'r teulu.*
2. *Chwiliwch am ddeg hysbyseb wahanol sy'n dangos cynrychioliadau o'r grŵp yr ydych yn ei astudio. Dylai'r rhain fod yn amrywiaeth o hysbysebion print a delweddau symudol. Am bob un, gwnewch nodiadau am y math o gynrychioliad sy'n ymddangos.*
3. *Ysgrifennwch adroddiad 300 gair i ddweud i ba raddau yr oedd patrwm cyffredin i'w weld yn y cynrychioliadau. Neu a oeddent yn cynnig darlun amrywiol o ryw, hil neu'r teulu?*
4. *Cymharwch eich casgliadau chi â chasgliadau partner a oedd yn astudio maes gwahanol. Trafodwch a yw cynrychioliadau stereoteipiol yn gallu bod yn niweidiol mewn rhyw ffordd.*

Awgrym yr arholwr

Pan fyddwch yn edrych ar hysbysebu, mae'n hollbwysig eich bod yn ystyried natur gydgyfeiriol hysbysebu heddiw.

Rhyngdestuniaeth

Rhyngdestuniaeth yw'r term sy'n cael ei ddefnyddio i ddisgrifio'r hyn sy'n digwydd pan fydd cynhyrchydd yn cyfeirio'n fwriadol at destun arall er mwyn ychwanegu haen o ystyr at y gwreiddiol. Er enghraifft, i hysbysebu cyfres heddlu newydd, defnyddiodd y BBC glawr blaen y *Radio Times* i'w chysylltu â ffilm dditectif llawn glamor o Hollywood a'i sêr. Gallwch gymharu mor debyg yw'r delweddau i'w gilydd ar dudalen 162.

www.radiotimes.com
RadioTimes
11–17 MARCH 2006 95p
HOW TO BE SMARTER
(right now!)
ANTHONY HOPKINS
"I've grown up"
RT EXCLUSIVE
ALAN BENNETT
on The History Boys
TOP OF THE COPS?
We rate the newest cops on the TV block – see p12
Jessica Oyelowo star in Mayo, Sunday BBC1

Kevin SPACEY
Russell CROWE
Guy PEARCE
Kim BASINGER
Danny DeVITO
Everything Is Suspect...
Everyone Is For Sale...
And Nothing Is What It Seems.
L.A. Confidential
18

Mae rhyngdestuniaeth yn aml yn ychwanegu elfen chwareus neu ddoniol i hysbyseb.

1. ***Edrychwch ar hysbyseb te Typhoo ar y CD.***
2. ***Ym mha ffyrdd y mae'r hysbyseb hon yn cyfeirio at raglenni teledu neu genres eraill neu ymgyrchoedd hysbysebu blaenorol?***

CD-ROM

Am Ragor!

Hysbyseb Typhoo Tea

Agorwch y CD yng nghefn y llyfr hwn a chliciwch ar yr eicon isod i weld hysbyseb te Typhoo.

Hysbysebu ar y Rhyngrwyd

Mae'r Rhyngrwyd wedi cael effaith ddramatig ar hysbysebu, fel ar lawer o feysydd eraill y cyfryngau. Ar wahân i'r BBC, sy'n cael ei gyllido'n gyfan gwbl ag arian cyhoeddus, mae pob sianel deledu arall yn dibynnu ar refeniw hysbysebu i oroesi. Dim ond os yw hysbysebwyr yn dal i brynu amser ar yr awyr y gall sianelau teledu masnachol barhau i wneud rhaglenni.

Mae hysbysebwyr yn gwario symiau cynyddol o arian ar hysbysebu ar y Rhyngrwyd. Mae hyn yn rhoi sianelau teledu masnachol dan fygythiad. Er enghraifft, yn 2008, cafodd Google fwy o incwm o hysbysebion na Channel 4. Mae amcangyfrifon yn awgrymu hefyd fod Google, yn 2008, wedi cymryd 80 y cant o'r holl refeniw hysbysebu newydd.

Un rheswm pam mae'r Rhyngrwyd yn fygythiad i hysbysebu traddodiadol ar y teledu yw bod yna lawer o ffyrdd eraill erbyn hyn i bobl ddifyrru eu hunain. Mae ymchwil wedi dangos, yn arbennig, fod y rhai sydd dan 25 oed yn treulio llawer llai o amser yn gwylio'r teledu a llawer mwy o amser yn chwarae gemau neu'n syrffio'r Rhyngrwyd. Os yw'r teledu ymlaen, dim ond yn y cefndir y bydd hynny'n aml.

Hysbysebu firaol

Ond nid bod llai o deledu'n cael ei wylio yw'r unig ffactor perthnasol. Mae'r Rhyngrwyd yn gallu cyfleu negeseuon hysbysebu i bobl yn llawer rhatach. Yn arbennig, mae'r defnydd o **hysbysebu firaol** wedi cynyddu'n gyflym. Rydym i gyd yn gyfarwydd â negeseuon 'e-bost firaol' – fideos cellwair ar-lein sy'n dod i fewnflwch unigolion ac sy'n cael eu lledaenu wrth iddyn nhw wedyn eu hanfon at bawb yn eu llyfr cyfeiriadau.

Termau allweddol

Hysbysebu firaol
Lledaenu hysbysebion drwy ddefnyddio atodiad at negeseuon e-bost. Gall roi cylchrediad eang iawn heb unrhyw gost

Mae hysbysebion firaol wedi efelychu'r arfer hwn. Er enghraifft, y trydydd ar 'siart' ddiweddar o'r negeseuon firaol a oedd wedi cael eu llwytho i lawr fwyaf oedd hysbyseb am gwrw Miller Lite. Felly, yn lle talu miloedd o bunnoedd am slot yng nghanol rhaglen deledu, e-bostiodd gweithiwr mewn asiantaeth hysbysebu yr hysbyseb at bawb yn ei lyfr cyfeiriadau e-bost. A lledaenodd y neges fel tân gwyllt.

Prynu gofod ar y Rhyngrwyd

Ond fedrwch chi ddim gwneud popeth drwy hysbysebion firaol. Bydd cwmnïau hefyd yn treulio peth o'u cyllidebau marchnata i brynu gofod ar y Rhyngrwyd. Fel y byddwch wedi gweld eich hun wrth ddefnyddio peiriant chwilio, byddwch yn cael miloedd lawer o ganlyniadau gydag unrhyw chwiliad Google. Mae ymchwil yn dangos bod y traffig yn gostwng 90 y cant os ydych ar dudalen 2 canlyniadau'r chwiliad – felly mae pobl yn talu llawer o arian er mwyn cael eu cynnwys yn y tri chanlyniad cyntaf.

Trawiadau uniongyrchol

Mae hysbysebwyr bob amser eisiau gwybod bod yr arian y maent yn ei wario i farchnata'u cynnyrch yn cyrraedd y gynulleidfa darged mor uniongyrchol â phosibl. Mae meddalwedd newydd soffistigedig yn ei gwneud yn bosibl i hysbysebwyr Rhyngrwyd dargedu cynulleidfaoedd arbenigol yn fwy uniongyrchol na fformat darlledu fel y teledu.

Er enghraifft, mae Phorm yn system sy'n tracio'r mathau o wefannau y mae unigolion yn ymweld â nhw ar eu cyfrifiaduron eu hunain. Wedyn, maent yn ailgyfeirio hysbysebion sy'n berthnasol i'r mathau o wefannau yr ymwelir â nhw. Felly, os ydych yn mynd i wefannau dillad, ffotograffiaeth neu deithio, gallwch ddisgwyl i lawer o hysbysebion cysylltiol ymddangos yn eich mewnflwch.

O rwydweithiau darlledu i rwydweithiau Reed

Y newid mawr i hysbysebwyr yw'r newid yn y ffordd y mae cynulleidfaoedd yn defnyddio'r cyfryngau, o **rwydwaith darlledu** i **rwydwaith Reed**.

- **Rhwydwaith darlledu (teledu)** – yma mae un neu ddau o gynhyrchwyr mawr (fel y BBC neu ITV) yn darlledu rhaglenni teledu y gall cynulleidfa anhysbys eu derbyn yn unigol. Ni allant ymateb ac nid ydynt yn gwybod faint o bobl eraill y mae'r cynhyrchwyr yn cysylltu â nhw yn yr un ffordd.
- **Rhwydwaith Reed (y Rhyngrwyd)** – yma gall unigolyn gyfathrebu gydag unrhyw unigolyn arall. Hefyd, gallant ffurfio grwpiau. Felly mae YouTube a Facebook, er enghraifft, yn grwpiau buddiannau parod y mae modd i hysbysebwyr eu targedu.

I'r rhwydweithiau Darlledu, fel y radio a'r teledu, mae cynnydd cyflym y Rhyngrwyd – rhwydwaith Reed – yn fygythiad. Os na allant wneud digon o arian o hysbysebion, byddant yn mynd allan o fusnes. I asiantaethau marchnata, mae rhwydweithiau Reed yn cynnig dull amgen rhad yn lle talu am ofod drud ar y cyfryngau.

Termau allweddol

Gwefan rhwydweithio cymdeithasol Mae Facebook a Myspace yn enghreifftiau.

GWEITHGAREDD 10

Yn y gweithgaredd hwn, byddwch yn archwilio rhwydweithiau ar y Rhyngrwyd.

1. *Gwnewch restr o'r holl gysylltiadau sydd gennych ar wefannau rhwydweithio cymdeithasol, llyfrau cyfeiriadau e-bost ac unrhyw fath arall o rwydweithio cyfrifiadurol yr ydych yn ei ddefnyddio.*
2. *Dewiswch chwe pherson arall yn eich dosbarth i weithio gyda nhw ac adiwch yr holl gysylltiadau sydd gan eich grŵp at ei gilydd.*
3. *Nawr, ewch yn ôl drwy'ch rhestr chi.*
   - *Nodwch yr holl gysylltiadau hynny nad ydych yn credu y byddant yn ymddangos ar restr unrhyw un arall yn eich grŵp.*
   - *Ar gyfer pob un o'r cysylltiadau hynny, dylech gymryd y bydd ganddynt yr un nifer o gysylltiadau yn eu rhwydwaith nhw ag sydd gennych chi.*
   - *Adiwch gyfanswm y cysylltiadau posibl sydd ddau glic oddi wrthych ar y Rhyngrwyd – eich rhestr gysylltiadau eilaidd. Mewn geiriau eraill, os oes gennych 50 o gysylltiadau yn eich rhwydwaith a'ch bod yn nodi mai cysylltiadau i chi yn unig yw 20 ohonynt, mae hynny'n ychwanegu 1000 arall o bobl at eich rhestr gysylltiadau eilaidd.*
4. *Nawr adiwch holl gysylltiadau eilaidd pob un o chwe aelod y grŵp at ei gilydd.*

Rydych yn gwybod nawr faint o bobl y gallech eu cyrraedd o bosibl – heb unrhyw gost, gan wneud hynny'n gyflym iawn. Felly os oes gennych rywbeth i'w werthu ... ewch ati i glicio!

Cysylltiadau cyhoeddus

Fel arfer bydd gan asiantaethau hysbysebu a marchnata mawr adran sy'n delio â chysylltiadau cyhoeddus ar ran eu cleientiaid. Diben cysylltiadau cyhoeddus yw sicrhau sylw amlwg yn y cyfryngau i frand y cleient drwy gyfrwng digwyddiadau neu drwy leoli cynnyrch. Byddai hysbysebwyr yn dweud mai'r nod yw 'creu cymeradwyaeth i'r brand a dod â'r brand i amlygrwydd' heb brynu gofod hysbysebu drud.

Digwyddiadau

Bydd y tîm Digwyddiadau mewn asiantaeth yn trefnu popeth o gynhadledd i'r wasg i dîm pêl-droed, sydd newydd brynu chwaraewr o fri, i ŵyl gerddoriaeth fawr sy'n gysylltiedig â brand – fel gŵyl flynyddol Virgin Move! ym Manceinion.

Gall cael y briff i drefnu *première* ffilm fod yn arbennig o ddefnyddiol i asiantaethau hysbysebu a marchnata modern. Mae'n rhoi'r cyfle iddynt i ddod â dau gleient ynghyd. Yn ogystal â gweithio gyda chynhyrchwyr ffilm sydd am lansio'u ffilm ddiweddaraf gyda sbloet o gyhoeddusrwydd, gall cleient sy'n hyrwyddo cwrw neu ddiod ysgafn gysylltu ei gynnyrch ef â'r digwyddiad drwy ddarparu'r lluniaeth. Gyda digon o sylw yn y cyfryngau, bydd y ffim a'r ddiod yn cael sylw i'w brand.

Lleoli cynnyrch

Yn y gorffennol, roedd cwmnïau cynhyrchu ffilmiau yn aml yn cysylltu ag amryw o fusnesau i gynnig y cyfle iddynt i'w jîns, eu diodydd, eu ceir, ac ati, ymddangos mewn ffilm. Roedd hyn yn dda i'r cwmni ffilm gan ei fod yn cwtogi ar gostau celfi ac roedd yn dda i'r cwmni dillad neu ddiodydd gan fod ei gynnyrch yn ymddangos ar y sgrin. Fel hyn y dechreuodd yr arfer o **leoli cynnyrch**.

Termau allweddol

Lleoli cynnyrch
Rhoi brand neu gynnyrch i gynhyrchwyr cyfryngol – maent hwythau wedyn yn ei ddefnyddio fel celficyn er mwyn i'r cynnyrch gael ei weld mewn golau ffafriol.

Diolch i leoli cynnyrch effeithiol, mae James Bond wedi cael ei gysylltu ers blynyddoedd lawer â chwmni ceir moethus Aston Martin

AWGRYM

Ceisiwch ganfod enghreifftiau o leoli cynnyrch mewn ambell ffilm. Efallai y gallech edrych i weld a ydych wedi canfod pob enghraifft o'r fath drwy edrych ar y rhestr o gyflenwyr ar y glodrestr.

Bydd gan asiantaethau hysbysebu a marchnata adran Lleoli Cynnyrch a fydd yn mynd ati'n ddygn i chwilio am gyfleoedd lleoli i'w cleientiaid. Mae'r bobl yn yr adran yn ymroi i sicrhau bod y cynnyrch yn cael ei weld gan y bobl iawn ar yr adeg iawn ac yn y lle iawn.

Hysbýs-olygyddol

Fel lleoli cynnyrch, mae defnyddio deunydd hysbýs-olygyddol mewn cyhoeddiadau print yn fath o farchnata cudd. Cyfuniad o hysbysebu a chopi golygyddol yw'r term. Mae brand yn rhoi hysbyseb mewn cylchgrawn ac mae'r cylchgrawn hefyd yn ysgrifennu erthygl amdano – mewn ffordd ganmoliaethus fel arfer.

Felly, er enghraifft, os yw Apple yn hysbysebu'r iPhone yng nghylchgrawn Q, efallai y byddai'r fargen hefyd yn cynnwys cyfweliad gyda chynhyrchydd recordiau amlwg sy'n egluro sut mae'r iPhone yn gwneud ei fywyd gwaith gymaint yn haws a hefyd yn rhoi mynediad ar amrantiad iddo at bob math o adloniant.

TOXIC Interview!

Wayne Rooney

TOXIC readers recently had the chance to ask Wayne Rooney a bunch of questions. Here's what he had to say about footy, FIFA 09 and more!

How old were you when you started playing football? James, aged 9

"As far back as I can remember! I used to play in the house, the street, and then I was seven when I played in my first competitive game."

If you weren't a footballer, what do you think you would you? Grady, aged 11

"I used to work for my dad years ago, but other than that, it's football that's my real passion!"

Which was your first professional club? Louis, aged 8

"It was Everton. I signed with them when I was 9 and was there until I was 18. I supported Everton growing up and so it was brilliant that I got to play for them. And then I moved to Manchester United!"

What's your favourite way to score in FIFA games? Max, aged 9

"I usually go out wide with Ronaldo, take three players on, and then cross it in to score!"

Do you think you look like your FIFA video game character? Taran, aged 8

"Yeah, it looks really good! I did some motion capture work for the character's moves a while ago. The graphics in the game are very realistic now. It's still a bit weird seeing a

Efallai nad cyd-ddigwyddiad oedd y ffaith fod y cyfweliad gyda Wayne Rooney yn y cylchgrawn gemau *Toxic* yn dangos llun ohono'n gwisgo top EA Sports ac yn dal copi o'r cylchgrawn gyda gêm FIFA 09 ar y clawr. Bydd y cyfeiriadau at EA Sports a FIFA 09 bron yn sicr wedi cael eu 'lleoli', gan drefnu wedyn i newyddiadurwr ysgrifennu'r darn.

GWEITHGAREDD 11

Gan weithio gyda phartner, dychmygwch eich bod yn adran lleoli cynnyrch asiantaeth. Mae cynhyrchwyr diod egni newydd wedi cysylltu â chi gan ofyn am i'w cynnyrch gael ei gysylltu â ffordd o fyw ifanc, trendi a ffit.

1. *Rhestrwch ddeg person neu le y byddech yn eu targedu i geisio cael sylw cadarnhaol i'r cynnyrch. Er enghraifft, rhaglen sgwrsio ar y teledu neu y tu cefn i'r llwyfan mewn seremoni gwobrau cerdd.*
2. *Ydych chi'n meddwl ei bod yn dderbyniol i asiantaethau farchnata brandiau mewn ffordd gudd? Neu a ddylai pob math o hysbysebu gael ei wneud yn amlwg i'r darllenydd/gwyliwr? (Er enghraifft, a oes ots os yw Leona Lewis yn ymddangos ar raglen sgwrsio yn gwisgo crys T a logo brand amlwg arno?)*

AWGRYM

Ystyriwch faint o eitemau o ddillad a brand arnynt yr ydych chi a'ch ffrindiau yn eu gwisgo.

Hysbysebu a marchnata rhyngweithiol

Wrth i ddefnyddwyr ddod yn fwyfwy soffistigedig yn eu defnydd o'r cyfryngau, mae'r diwydiant hysbysebu yn datblygu ac yn mireinio ei ddulliau. Mae'r Rhyngrwyd wedi troi'r bobl a arferai gael eu hadnabod fel 'y gynulleidfa' yn gyfranogwyr mewn cynnyrch a phrofiadau cyfryngol ac yn grewyr.

Y gair pwysig yn y cyfryngau y dyddiau hyn yw bod yn 'rhyngweithiol'. I deledu darlledu, er enghraifft, mae hyn yn golygu rhaglenni sy'n annog gwylwyr i anfon negeseuon testun neu e-bost atynt i fynegi'u barn. I'r diwydiant hysbysebu a marchnata, **cyfathrebu ar sail profiad** yw'r ffordd ymlaen.

Termau allweddol

Cyfathrebu ar sail profiad Lle mae'r defnyddwyr yn rhyngweithio â'r cynnyrch yn hytrach na dim ond edrych ar luniau ohono. (Gweler astudiaeth achos Nike ar dudalennau 168 a 169.)

ASTUDIAETH ACHOS

SOLE PROVIDER NIKE

Mae'r astudiaeth achos hon yn trafod rhai o agweddau cyfryngol cydgyfeiriol hysbysebu a marchnata. Yn arbennig, mae'n ystyried cyfathrebu ar sail profiad fel arf hysbysebu a marchnata.

Technegau cyfathrebu ar sail profiad

Un cwmni sydd wedi sefydlu ei hun ym maes technegau cyfathrebu ar sail profiad yw Nike. Mae wedi defnyddio technegau amrywiol i ddod â'i frand yn fyw i ddefnyddwyr ifanc. Rhoddodd digwyddiad 'Run London' Nike gyrsiau rhedeg amrywiol eu hyd i annog pobl â lefelau ffitrwydd gwahanol i fwynhau rhedeg. Wrth gwrs, drwy gymryd rhan yn 'Run London', roedd y cyfranogwyr hefyd yn profi brand Nike.

Mae gan Nike hanes hir o ymwneud â phêl fasged

Digwyddiad Sole Provider *Nike*

I gyd-fynd a'i lyfr ar hanes cysylltiad Nike â phêl fasged, a alwyd yn *Sole Provider*, comisiynodd Nike ei asiantaeth i gynllunio digwyddiad arbrofol. Y briff oedd cymryd y wybodaeth yn y llyfr a'i throi'n arddangosfa bythefnos yn oriel Atlantis yn Brick Lane yn Llundain. Cafodd y gynulleidfa darged ar gyfer yr arddangosfa ei rhannu ymhellach yn ddau ddemograff gwahanol:

- pobl sy'n gwirioni ar drenyrs
- chwaraewyr/cefnogwyr pêl fasged.

Gyda'r dull arbrofol newydd, roedd yr asiantaeth yn gobeithio, drwy gynnwys pobl yn stori ymwneud Nike â phêl fasged ar hyd y blynyddoedd a rhyngweithio â'r cynnyrch, y byddent yn profi'r brand yn hytrach na bod y testun yn dweud wrthynt beth i'w feddwl ohono.

Yn yr arddangosfa roedd llawer o hen drenyrs a deunydd hysbysebu i'w gweld, yn amrywio o esgid *Blazer* glasurol 1972 hyd at y cynlluniau diweddaraf. Un broblem allweddol y bu rhaid i'r asiantaeth ei datrys oedd meddwl am ffordd wreiddiol o arddangos pentwr o hen drenyrs a fyddai'n hoelio sylw'r ymwelwyr. Yr ateb y penderfynwyd arno oedd eu rhoi mewn oergelloedd gyda gwydr ar eu tu blaen!

CD-ROM

Am Ragor!

Nike *Sole* Provider

Agorwch y CD yng nghefn y llyfr hwn a chliciwch ar yr eicon isod i weld darn o ffilm o ddigwyddiad* Sole Provider *Nike.

Rhoddwyd triniaeth arbennig i rai o glasuron Nike. Daeth rhai o'r syniadau dylunio ar gyfer yr *Air Posit* o'r 1990 oddi wrth bryfed. Penderfynodd yr asiantaeth y byddai'n hwyl arddangos y *'bugged out shoe'*, fel y câi ei galw yn niwylliant y stryd yn Efrog Newydd, mewn tŷ pryfed llawn locustiaid.

Yn ôl y briff, roedd gofyn i'r arddangosfa gynnwys pobl yn y gamp a, thrwy gysylltiad, ennyn perthynas rhyngddynt a'r brand. Felly, sefydlwyd 'maes brwydro' pêl fasged gyda dau gylch lle gallai pobl chwarae'r gêm fel rhan o'r arddangosfa.

Wrth gwrs, yn gefn i'r cyfathrebu ar sail profiad roedd yr holl dechnegau hŷn:

- Trefnodd yr adran Digwyddiadau noson agoriadol â gwahodd pobl bwysig yn y diwydiant trenyrs a'r byd pêl fasged. Y bwriad oedd y byddent yn dweud wrth eu ffrindiau mor dda oedd y sioe, ac y byddent felly'n dod yn 'llysgenhedon' brand, fel y mae'r diwydiant yn eu galw.
- Sicrhaodd yr adran Cysylltiadau Cyhoeddus gyfweliad ar slot *What's On* BBC Llundain i brif ddylunydd yr arddangosfa.
- Rhoddwyd hysbysebion print yn y wasg steil er mwyn cyrraedd y rhai sy'n gwirioni ar drenyrs a hefyd mewn cylchgronau pêl fasged er mwyn cyflawni'r rhan honno o'r briff.
- Crëwyd micro wefan i roi sylw i'r arddangosfa ar y Rhyngrwyd ac anfonwyd negeseuon e-bost at unigolion yn y demograff targed i gynhyrchu cyffro ar-lein ynglŷn â'r arddangosfa.

AWGRYM

Cyn i chi ddechrau cynllunio ar gyfer y gweithgaredd hwn, dylech ymchwilio i'r briff drwy edrych ar wefan Masnach Deg: www.fairtrade.org.uk.

★ASTUDIAETH ACHOS★ GWEITHGAREDD

Gan weithio gyda phartner, rydych yn mynd i ddylunio ymgyrch ddigidol, arbrofol ar gyfer cynnyrch Masnach Deg. Gwerth brand allweddol Masnach Deg yw cyfrifoldeb cymdeithasol tuag at wledydd sy'n datblygu. Ei nod yw hyrwyddo siopa moesegol.

O ran y grwpiau ffordd o fyw y buom yn edrych arnynt yn gynharach yn y bennod, bydd yr ymgyrch yn targedu:

- ***piwritaniaid: pobl sydd am deimlo eu bod wedi gwneud eu dyletswydd***
- ***iwtopiaid: pobl sydd am wneud y byd yn well lle***
- ***arloeswyr: pobl sydd am adael eu marc ar y byd.***

Amcanion yr ymgyrch. Mae Masnach Deg wedi gofyn i chi ganolbwyntio ar:

- ***godi ymwybyddiaeth o'i logo a'i wneud yn fwy gweladwy, fel y bydd prynwyr yn adnabod cynnyrch sydd wedi cael ei fasnachu'n deg***
- ***hyrwyddo bananas a dyfwyd ar ynys St Lucia yn y Caribî.***

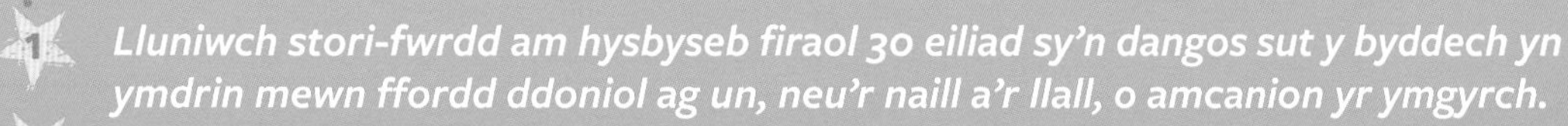

1. ***Lluniwch stori-fwrdd am hysbyseb firaol 30 eiliad sy'n dangos sut y byddech yn ymdrin mewn ffordd ddoniol ag un, neu'r naill a'r llall, o amcanion yr ymgyrch.***
2. ***Crëwch stondin cynnig profiadau i gael ei ddefnyddio mewn digwyddiadau chwaraeon i alluogi cefnogwyr i ryngweithio â syniadau Masnach Deg ac i gyflawni amcanion yr ymgyrch.***

Beth ydych chi wedi'i ddysgu?

Yn y bennod hon, rydych wedi dysgu am:

Testunau

- Sut mae hysbysebion mewn amryw o ffurfiau gwahanol – print neu ddigidol – yn cyfleu ystyr

Iaith y cyfryngau

Genre

- Sut mae hysbysebion yn defnyddio rhyngdestuniaeth

Naratif

- Sut mae storïau yn ymwneud â ffyrdd o fyw yn cyfrannu at hysbysebion

Cynrychioliadau

- Sut caiff menywod eu cynrychioli mewn ffyrdd stereoteipiol yn aml mewn hysbysebion

Cynulleidfaoedd

- Sut mae cynulleidfaoedd yn darllen delweddau hysbysebu
- Sut mae hysbysebwyr yn categoreiddio cynulleidfaoedd

Materion trefniadaeth

- Y tair brif ffordd o farchnata cynnyrch neu wasanaethau: ymgyrchoedd hyrwyddo, hysbysebu a digwyddiadau cysylltiadau cyhoeddus
- Y newidiadau sydd wedi digwydd ym maes marchnata yn sgil dyfodiad y Rhyngrwyd

Cyfryngau cydgyfeiriol

- Sut mae ymgyrchoedd marchnata'n defnyddio amryw o ffurfiau cyfryngol yn aml i hyrwyddo'u brandiau

8 Radio

Eich dysgu chi

Yn y bennod hon byddwch yn dysgu am:

- sut mae cerddoriaeth, lleferydd ac effeithiau sain yn cael eu defnyddio gan orsaf radio i greu arddull tŷ hawdd ei adnabod
- sut mae gorsafoedd radio yn ymchwilio i'w cynulleidfaoedd ac yn eu targedu
- sut mae'r BBC a gorsafoedd radio masnachol yn cael eu hariannu, a sut mae hyn yn effeithio ar eu hamserlenni a'u cynnwys.

Siaradwch am yr atebion i'r cwestiynau hyn mewn grŵp o dri neu bedwar. Gwnewch nodiadau am benderfyniadau eich grŵp.

1. *Pa mor bwysig yw pob un o'r rhain yn ein bywyd: teledu, papurau newydd, cylchgronau, radio? Rhowch nhw yn eu trefn ar ôl i chi eu trafod.*
2. *Pryd byddwch chi'n gwrando ar y radio?*
   - *Yn y gwely'r nos*
   - *Wrth wneud gwaith cartref ar y cyfrifiadur*
   - *Larwm radio wrth ddeffro*
   - *Wrth chwarae gemau fideo/cyfrifiadur*
   - *Yn yr ysgol*
   - *Wrth baratoi i fynd i'r ysgol*
   - *Wrth gael brecwast*
3. *Ble byddwch chi'n gwrando ar y radio?*
   - *Yr ystafell ymolchi*
   - *Y gegin*
   - *Y car*
   - *Mannau eraill, fel ...?*
   - *Yr ystafell fyw*
   - *Yr ystafell wely*
   - *Yr ysgol*

Awgrym yr arholwr

Mae ystyried agweddau cyfryngol cydgyfeiriol radio yn bwysig iawn. Nid yw podlediadau, hysbysebu a newyddion yn ddim ond rhai meysydd y byddai'n werth edrych arnynt.

AWGRYM

Defnyddiwch gofair i'ch helpu i gofio'r pum angen yn y Theori Defnyddiau a Boddhad, e.e. **G**wenodd **U**n **D**irwnod **Rh**agfyr **D**iwethaf

Pam mae pobl yn gwrando ar y radio?

Dengys canlyniadau'r arolwg fod pobl yn gwrando ar y radio o dan lawer o amgylchiadau gwahanol. Pam mae pobl yn dewis rhoi'r radio ymlaen? Gellir defnyddio'r Theori Defnyddiau a Boddhad (gweler tudalen 76) i ddangos pam mae pobl yn defnyddio testunau cyfryngol i gwrdd ag amryw o anghenion:

- Yr angen i gael GWYBODAETH a chael eu HADDYSGU am y byd
- Yr angen i UNIAETHU â chymeriadau a sefyllfaoedd er mwyn dysgu mwy amdanynt eu hunain
- Yr angen i gael eu DIFYRRU
- Yr angen i ddefnyddio'r cyfryngau fel testun siarad ar gyfer RHYNGWEITHIO CYMDEITHASOL
- Yr angen i DDIANC rhag rhigol bywyd bob dydd i fydoedd a sefyllfaoedd eraill.

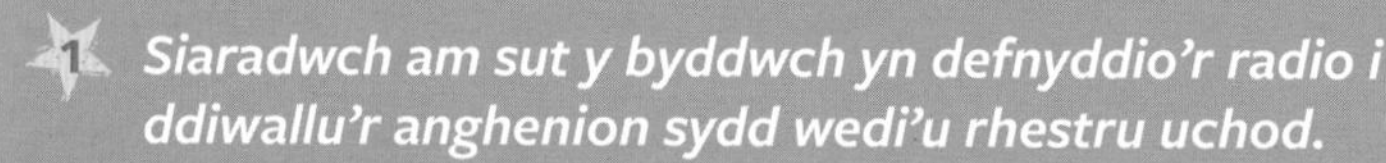

Gweithiwch yn eich grŵp eto.

1. *Siaradwch am sut y byddwch yn defnyddio'r radio i ddiwallu'r anghenion sydd wedi'u rhestru uchod.*
2. *Pa anghenion y bydd pob gorsaf radio y soniwyd amdani yn eich trafodaeth yn eu hateb? Rhowch sgôr o rhwng 1 a 10 i bob angen.*

Hanes radio yn y DU yn gryno

1922 Trwyddedu'r Gorfforaeth Ddarlledu Brydeinig i ddarlledu rhaglenni radio.

1928 Cynulleidfa radio o dros 1 miliwn.

1933 Y radio masnachol cyntaf - Radio Luxembourg, yn darlledu rhaglenni cerddoriaeth boblogaidd ar amledd nad oedd wedi cael caniatâd.

1939 Naw miliwn o setiau radio yn y DU: y rhan fwyaf o bobl yn gwrando ar y Prif Weinidog, Neville Chamberlain, yn cyhoeddi rhyfel â'r Almaen.

1947 Y setiau radio 'transistor' cludadwy cyntaf.

1958 Cynulleidfaoedd radio yn lleihau wrth i gynulleidfaoedd teledu gynyddu'n ddramatig: cynulleidfa min nos Radio BBC wedi gostwng i 3.5 miliwn.

1964 Gorsafoedd radio 'answyddogol' yn chwarae cerddoriaeth bop fodern yn dechrau darlledu i'r DU oddi ar longau allan ar y môr, y tu hwnt i gyrraedd y gyfraith ddarlledu. Yn denu cynulleidfaoedd mawr o bobl ifanc.

1967 Gorsafoedd radio answyddogol yn cael eu cau gan y gyfraith. Y BBC yn agor ei gorsaf bop, Radio 1.

1967 BBC Leicester, gorsaf Radio Leol gyntaf y BBC, yn agór.

1973 Y gorsafoedd radio masnachol cyfreithiol cyntaf yn agor: Capital Radio ac LBC yn Llundain.

1980–2000 Nifer cynyddol o orsafoedd radio yn cael trwyddedau.

HEDDIW Mae sawl gorsaf rwydwaith genedlaethol a thros 40 o orsafoedd radio lleol gan y BBC; mae deg gorsaf radio fasnachol genedlaethol, dros 200 o orsafoedd masnachol lleol a nifer mawr o orsafoedd radio cymunedol.

Roedd pobl yn gwrando ar setiau radio fel hyn yn yr 1930au

Gorsaf radio fodern uwch-dechnoleg

Beth sy'n gwneud gorsafoedd radio'n wahanol?

Cyllido: Y BBC yn erbyn y gweddill

Felly beth yw'r gwahaniaeth rhwng gorsaf radio o eiddo'r BBC a gorsaf radio fasnachol? Mae'r ateb yn syml iawn – pwy sy'n talu'r biliau.

Mae'r BBC yn cael y rhan fwyaf o'r arian i gynnal ei sianelau radio a theledu o daliad blynyddol a elwir yn *ffi drwydded* (£139.50 yn 2008) oddi wrth bawb sy'n berchen ar set deledu. Mae'r BBC yn cael ei alw'n *ddarlledwr gwasanaeth cyhoeddus* gan ei fod yn cael ei gyllido gan y cyhoedd. Er bod y BBC yn gwneud rhywfaint o arian drwy werthu ei raglenni, llyfrau a nwyddau eraill, y cyhoedd sy'n talu'r rhan fwyaf o'r bil. Felly, dim ffi drwydded – dim BBC.

Rhaid i radio masnachol glirio ei gostau rhedeg drwy ddenu hysbysebwyr sy'n talu am farchnata eu cynnyrch neu eu gwasanaethau ar yr awyr. Dim hysbysebion – dim radio masnachol – na theledu masnachol!

Siarad neu gerddoriaeth

Mae modd rhannu gorsafoedd radio hefyd yn rhai sy'n chwarae cerddoriaeth yn bennaf a rhai y mae eu cynnyrch yn dibynnu llawer mwy ar siarad. Mae gorsafoedd Radio 1, 2 a 3 y BBC a'r rhan fwyaf o orsafoedd radio masnachol yn seilio eu rhaglenni o amgylch cerddoriaeth. Mae rhywfaint o siarad – mae'r cyflwynwyr yn siarad rhwng recordiau, mae darllenwyr newyddion yn rhoi'r newyddion diweddaraf a rhagolygon y tywydd – ond llenwir y rhan fwyaf o'r amser ar yr awyr â cherddoriaeth. Mewn cyferbyniad, dim ond siarad fwy neu lai sydd ar orsafoedd BBC fel Radio 5 Live a Radio 4, felly os trowch chi atynt ar unrhyw adeg o'r dydd neu'r nos rydych yn llawer mwy tebygol o glywed pobl yn siarad na cherddoriaeth.

CD-ROM

Am Ragor!

Ffynonellau newyddion

Agorwch y CD yng nghefn y llyfr hwn a chliciwch ar yr eicon isod i weld cyfweliad gyda golygydd newyddion gorsaf radio yn trafod ffynonellau newyddion.

Termau allweddol

Ymwybyddiaeth brand Gwneud yn siŵr fod y cyhoedd yn adnabod y cynnyrch ar amrantiad.

Brandio Y nodweddion arbennig sy'n ein galluogi i adnabod cynnyrch.

Arddull tŷ Y dull cyflwyno neu'r cynllun sy'n cael ei ffafrio gan orsaf radio neu gyhoeddwyr, sy'n gweddu i'r gynulleidfa.

Siarad â chi

O'i gymharu â theledu, mae cynnyrch radio yn syml braf i'w gynhyrchu. Er bod llawer o feddwl y tu cefn i'r seiniau sy'n dod allan o'ch set radio efallai, a bod tîm o bobl wedi cyfrannu tuag at eu rhoi 'ar yr awyr', dim ond tair elfen y gall cynhyrchwyr rhaglenni eu cymysgu â'i gilydd:

- y llais dynol
- cerddoriaeth
- effeithiau sain.

Ond mae modd gwneud y tair elfen i swnio'n wahanol iawn. Creu **ymwybyddiaeth brand** yw'r peth mawr er mwyn llwyddo gydag unrhyw gynnyrch. Mae **brandio** yn ganolog hefyd i sain gorsaf radio. Faint o orsafoedd radio y gallwch eu hadnabod ar amrantiad? Mae'n hanfodol bwysig fod gorsaf yn creu ei sain neu ei **harddull tŷ** ei hun oherwydd dyma'r sain y mae hi'n gwybod y bydd ei chynulleidfa yn ei hoffi.

Y nodwedd bwysicaf mewn arddull tŷ yw'r ffordd y mae'r cyflwynwyr yn siarad â'u cynulleidfa. Gwyddoch o'ch profiad eich hun fod y ffordd yr ydych yn siarad â phobl yn dibynnu ar bwy rydych yn siarad ag ef a beth yw'r sefyllfa. Os cewch eich dal yn torri un o reolau'r ysgol, mae'r iaith a'r arddull y byddwch yn eu defnyddio wrth ddweud wrth ffrind am yr hyn sydd wedi digwydd yn wahanol iawn i'r ffordd y byddwch yn siarad ag athro. Mae cyflwynwyr radio yn addasu'r ffordd y maent yn siarad fel ei bod yn gweddu i'r gynulleidfa y maen nhw'n tybio fydd yn gwrando. Eu gwaith nhw yw creu perthynas â phob gwrandäwr, i'w ddenu i ddal i wrando ar yr orsaf ac – yn hanfodol bwysig – i'w gael i wneud hynny'n rheolaidd.

Mae pobl sy'n rhedeg gorsafoedd radio yn sôn yn aml am gyflwynwyr sydd â 'llais da ar gyfer y radio'. Mae hyn braidd yn amwys, ond yn ei lyfr *Broadcast Journalism: Techniques of Radio and TV News,* mae'r ysgrifennwr a'r darlledwr Andrew Boyd yn disgrifio 'llais microffon da' fel un sydd yn 'weddol gyfoethog, croyw a soniarus a heb fod ag unrhyw nam amlwg arno'. Mewn cyferbyniad ni fyddai llais 'gwan, main, trwynol, sisiol, bloesg neu lais sy'n swnio'n hynod o ifanc' yn gweithio cystal.

Mae ffactorau eraill y mae'n rhaid i gyflwynwyr feddwl amdanynt wrth gyflwyno eu rhaglenni. Bydd y **tôn** y maent yn ei fabwysiadu yn hollbwysig. Gallech ddefnyddio unrhyw un o'r geiriau yn y tabl isod i ddisgrifio tôn llais cyflwynydd:

difrifol	siriol	pendant	digynnwrf
deifiol	mwyn	digrif	rhwysgfawr
ymosodol	defodol	gwatwarus	dirmygus
agos atoch	nawddoglyd	dull sgwrsio	gorgynhyrfus

GWEITHGAREDD 3

1. ***Ewch ati i chwilio i ystyr unrhyw rai o'r geiriau yn nisgrifiadau Boyd nad ydych yn eu deall. Gyda phartner, trafodwch leisiau'r gwahanol athrawon yr ydych yn gweithio gyda nhw. Gan ddefnyddio diffiniad Boyd, penderfynwch pa un sydd â'r llais radio gorau yn eich barn chi a llais pwy fyddai'n lleiaf llwyddiannus ar y radio.***
2. ***Dewiswch pa dermau yn y tabl uchod sy'n berthnasol i'r ddau lais yr ydych wedi'u dewis.***

Sut y byddech chi'n disgrifio'r tôn llais sy'n cael ei ddefnyddio gan y cyflwynwyr radio yr ydych chi'n gwrando arnynt amlaf? Bydd y tôn y maent yn ei ddefnyddio yn effeithio ar yr argraff a wnânt ar eu gwrandawyr. Bydd rhai cyflwynwyr am swnio'n gyfeillgar, fel pe baent yn siarad â'u ffrindiau. Bydd eraill yn fwy ffurfiol, yn cynnig 'llais awdurdodol' ar ba beth bynnag y maent yn ei drafod.

Ystyriaeth arall yw pa mor gyflym y maent yn siarad – a yw'r **cyflymdra** yn araf iawn a phwyllog neu'n gyflym a sydyn?

Yn olaf, bydd gan y cyflwynydd **acen**. Ar un adeg roedd y BBC yn disgwyl i'w gyflwynwyr i gyd siarad mewn *ynganiad safonol*, a gâi ei weld fel ffordd braidd yn grand o siarad, ac ôl acen De Lloegr arni. Erbyn hyn mae'n defnyddio cyflwynwyr sy'n siarad mewn amrywiaeth o acenion rhanbarthol, gan adlewyrchu cefndiroedd cyfoethog ac amrywiol y gwrandawyr ar draws y wlad.

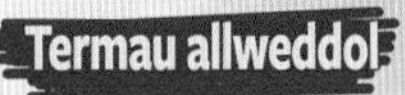

Tôn/naws Ansawdd a chymeriad llais neu ddarn o ysgrifennu.

Acen Sain y llais sy'n dweud wrthym o ba ran o'r wlad y daw'r cyflwynydd.

Cyflymdra Pa mor gyflym neu araf y mae'r cyflwynydd yn siarad.

GWEITHGAREDD 4

Rydych yn mynd i ymchwilio i arddull a chynnwys y gorsafoedd radio hyn:

- *BBC Radio 1*
- *BBC Radio 4*
- *Eich gorsaf radio fasnachol leol, er enghraifft, Radio Ceredigion*
- *Gorsaf radio sy'n darlledu mewn iaith dramor.*

1. Gwrandewch ar sain pob un o'r gorsafoedd. Defnyddiwch grid fel yr un isod i nodi eich canfyddiadau, yna trafodwch nhw gyda phobl eraill:

   - Lleisiau'r cyflwynwyr: *defnyddiwch y syniadau a amlinellwyd ar y dudalen flaenorol i'ch helpu i wneud nodiadau manwl am arddull llais y cyflwynydd.*
   - Cynnwys y rhaglen: *disgrifiwch y math o gerddoriaeth sy'n cael ei chwarae neu'r pwnc sy'n cael ei ddarlledu gan raglenni sydd wedi'u seilio ar siarad.*

Gorsaf radio	Llais y cyflwynydd	Cynnwys y rhaglen
BBC Radio 1		

2. *Trafodwch eich nodiadau gyda phartner. Ceisiwch benderfynu pa fath o wrandäwr, yn eich barn chi, y mae pob gorsaf yn ei dargedu gyda'i harddull tŷ.*

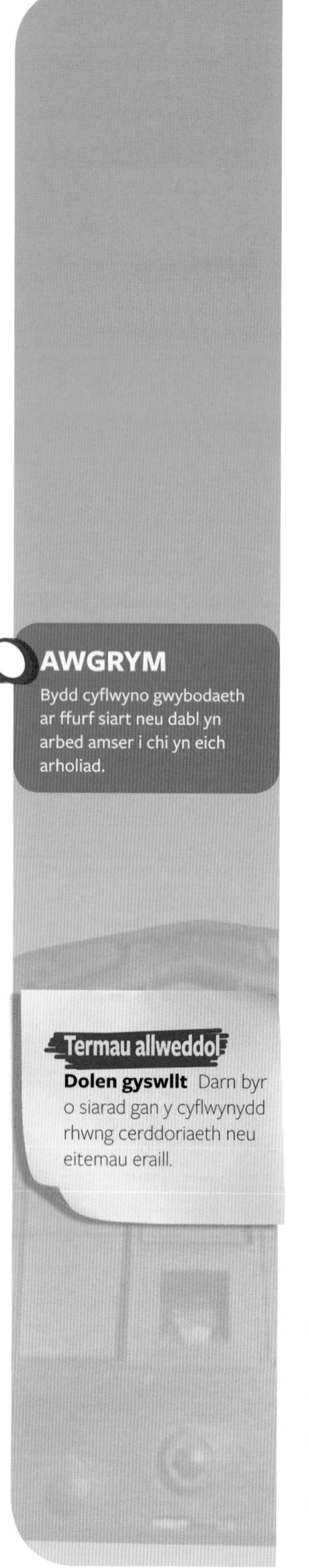

AWGRYM

Bydd cyflwyno gwybodaeth ar ffurf siart neu dabl yn arbed amser i chi yn eich arholiad.

Termau allweddol

Dolen gyswllt Darn byr o siarad gan y cyflwynydd rhwng cerddoriaeth neu eitemau eraill.

Creu'r cyswllt

Efallai nad yw sgwrsio am 30 i 40 eiliad ac yna chwarae record yn ymddangos yn waith caled nac anodd, ond gwneud iddo swnio'n hawdd sy'n dangos bod y cyflwynydd yn dda. Cofiwch, mae'r rhan fwyaf o radio'n cael ei ddarlledu'n fyw. Mae cyflwynwyr yn ceisio gwneud iddi swnio fel pa bai'r hyn y maent yn ei ddweud newydd ddod i'w meddwl, fel sy'n digwydd mewn sgwrs gyda pherson arall.

Mae rhai gorsafoedd yn dilyn ymchwil Americanaidd sy'n awgrymu bod cyflwynwyr yn paratoi eu **dolennau cyswllt** drwy ddilyn y camau hyn:

1. Dewiswch syniad neu bwnc a fydd o ddiddordeb i'ch gwrandäwr neu'n ei ddiddanu.
2. Crëwch fap meddwl ar bapur o unrhyw beth y gallwch feddwl amdano am y pwnc.
3. Dewiswch un syniad cryf oddi ar y map meddwl ac ysgrifennwch frawddeg ddiddorol a fydd yn hoelio sylw'r gwrandawyr ar y ddolen gyswllt.
4. Nodwch ddau syniad pellach y byddwch yn eu defnyddio i ddatblygu'r pwnc.
5. Ysgrifennwch frawddeg wirioneddol gryf i orffen y darn (weithiau caiff ei alw'n *ddiwedd grymus*).
6. Gwnewch iddo swnio fel bod dim sgript pan fyddwch ar yr awyr.

GWEITHGAREDD 5

1. *Recordiwch ddwy ddolen gyswllt oddi ar orsaf radio leol: un gyda dim ond un cyflwynydd yn siarad a'r llall gyda dau gyflwynydd yn siarad â'i gilydd.*
2. *Chwaraewch y rhain yn ôl a gwnewch drawsgrifiad o'r hyn yn union a ddywedwyd.*
3. *Trafodwch gyda phartner a ydych yn credu bod y naill ddolen gyswllt neu'r llall wedi defnyddio'r dull Americanaidd.*
4. *Nawr rhowch gynnig ar hyn eich hun! Ysgrifennwch sgript ar gyfer dolen gyswllt 40 eiliad ar unrhyw bwnc o'ch dewis chi gan ddefnyddio'r chwe cham. Cyfnewidiwch sgript â phartner a golygwch waith eich gilydd gan ei wneud mor rymus â phosibl. Ewch ati i ymarfer y ddolen gyswllt cyn ei recordio eich hun a thrafod y canlyniadau gyda grŵp.*

Cynulleidfaoedd radio

Nid yw radio'n wahanol o gwbl i ffurfiau cyfryngol eraill pan ddaw'n fater o feddwl am gynulleidfaoedd. Mae angen iddo wybod yn glir â phwy y mae'n siarad.

Mae pob gorsaf am gael cynifer â phosibl o bobl i wrando ar ei chynnyrch. Rhaid i orsafoedd radio'r BBC – yn lleol a chenedlaethol – brofi bod digon o bobl yn gwrando arnynt i gyfiawnhau eu cyllid cyhoeddus. Dim ond os gallant berswadio busnesau i brynu amser hysbysebu y gall gorsafoedd radio masnachol fodoli. Os nad oes neb yn gwrando, bydd yr hysbysebwyr yn mynd â'u harian at orsaf sydd â chynulleidfaoedd mawr.

Felly mae angen gwrandawyr ar orsafoedd radio, ond nid yw'n bosibl iddynt i gyd gael yr un mathau o wrandawyr. Mae'n siŵr fod yr hyn y mae mam neu dad yn ei hoffi rywfaint yn wahanol i'r hyn rydych chi yn ei hoffi – boed hynny'n ddillad, cerddoriaeth, bwyd neu raglenni radio. I orsaf radio, mae diffinio ei **chynulleidfa darged** yn bwysig iawn.

Edrychwch ar Gemini FM , er enghraifft, sy'n darlledu i ran o Ddyfnaint sy'n cynnwys Caerwysg, Torquay a llawer o drefi a phentrefi bach. Dyma'r hyn y maent yn meddwl amdano fel eu cynulleidfa arbenigol:

Termau allweddol

Cynulleidfa darged
Y mathau o bobl y mae gorsaf radio yn mynd ati'n fwriadol i geisio eu denu fel gwrandawyr.

Wrth siarad am 'wrandäwr nodweddiadol' mae'n haws cyfeirio at enghraifft benodol. O safbwynt Gemini FM mae hynny'n fenyw bump ar hugain oed sy'n byw ym mhrif ffrwd diwylliant poblogaidd Prydain, wrth ei bodd yn bwyta ac yfed a mynd ar wyliau dramor. Mae'n byw'n barhaol yn yr ardal leol ac mae bob amser yn mwynhau noson allan dda. Mae wrth ei bodd yn gwario arian – yn bennaf ar ddillad a ffasiwn, cerddoriaeth, cylchgronau, DVDs a nwyddau eraill y mae wedi'u gweld yn cael eu hysbysebu mwy na thebyg. Mae'r fenyw hon yn fwy tebygol o fod yn unigolyn y mae'r teulu'n bwysig iddi, efallai fod ganddi blant ifanc, ac mae'n delio â'r pwysau â ddaw yn sgil hynny. Mae'n gwirioni ar deledu, yn enwedig operâu sebon, clecs am enwogion, *This Morning* a *Big Brother*.

Mae'n bwysig nodi nad brand i fenywod yw Gemini FM. Ni ddylai dim yn yr orsaf ddieithrio ein cynulleidfa wryw. Felly pam rydym ni'n targedu menywod yn benodol? Mae ymchwil helaeth wedi profi y bydd dynion yn barod i wrando ar orsaf sydd wedi'i hanelu at fenywod ond na fyddai'r gwrthwyneb yn gweithio. Yn y rhan fwyaf o achosion, menywod sy'n tueddu i 'reoli'r' aelwyd a'u dewis nhw o orsaf fydd yn chwarae ar y radio yn aml. Felly, drwy dargedu menywod, rydym yn denu'r gwŷr a'r plant yn awtomatig.

Termau allweddol

Proffil y gynulleidfa
Y mathau o bobl sy'n gwrando ar orsaf.

Felly bydd Gemini yn defnyddio hyn fel canllaw bras i'r hyn y byddant yn ei alw'n **broffil y gynulleidfa**. Ond, wrth gwrs, nid yw mor syml â hynny. Maent yn gwybod y bydd proff il y gynulleidfa yn newid o bosibl ar wahanol adegau o'r dydd. Ac felly maent yn rhannu eu cynnyrch yn ôl *cloc* i gyd-fynd â'r pethau y mae eu cynulleidfaoedd yn eu gwneud.

Mae'r slot Brecwast yn ddechrau pwysig i'w diwrnod, a bydd rhaglennu gorsaf yn adlewyrchu'r ffaith fod y teulu i gyd yn paratoi i fynd i'r gwaith neu'r ysgol. Felly mae gwybodaeth ymarferol o ddydd i ddydd – adroddiadau traffig, y tywydd, nodi'r amser yn rheolaidd – yn rhan amlwg o gynnwys y rhaglenni. Erbyn canol y bore, bydd y gwrandawyr yn y gwaith neu yn ôl gartref. Yn achos Gemini, bydd meddwl am wrandäwr nodweddiadol sy'n 25 ac yn fenyw yn arweiniad i'r math o gyflwynydd a ddewisir ac i gynnwys y rhaglen. Mae'r rhaglen yn gynnar fin nos yn tueddu i ddenu gwrandäwr iau, felly bydd y cynnwys cerddorol ac arddull y cyflwynydd yn adlewyrchu hyn.

Cyflwynwyr Gemnini FM

Gelwir yr amlinelliad bras hwn o'r mathau o raglenni sy'n cael eu chwarae trwy gydol y dydd yn *amserlen raglenni*. Cyfrifoldeb y *rheolwr rhaglenni* yw penderfynu ar amserlen raglenni'r orsaf.

Termau allweddol

Cyfran o'r gynulleidfa Y nifer o wrandawyr y mae gorsaf radio'n ei ddenu o'i gymharu â'r gorsafoedd sy'n cystadlu â hi.

Oes unrhyw un yn gwrando?

Er bod gan orsafoedd radio syniad clir o'r mathau o bobl y maent yn meddwl sy'n gwrando, mae angen iddynt gadarnhau eu **cyfran o'r gynulleidfa** yn gyson. Gwnânt hyn drwy ddefnyddio'r wybodaeth a ddarperir gan gwmni o'r enw RAJAR (Radio Joint Audience Research).

Mae'r sampl o ddata RAJAR yn y tabl isod yn dangos y data cynulleidfa am un orsaf radio. Mae'r un wybodaeth ar gael am bob gorsaf radio yn y wlad. Defnyddiwch y nodiadau ar dudalen 179 i'ch helpu i ddeall y tabl.

Gorsaf	Cyfnod yr arolwg	Poblogaeth	Cynulleidfa (000oedd)	Cynulleidfa (%)	Oriau ar gyfartaledd y pen	Oriau ar gyfartaledd y gwrandäwr	Cyfanswm oriau (0000edd)	Cyfran wrando yn y TSA (%)
BBC Radio 1	Ch	50,735,000	10,871	21	1.90	9.10	98,786	9.80

Data arolwg gan RAJAR

Cyfnod yr arolwg: wedi'i seilio ar ffigurau o Chwarter (Ch), Hanner (H), neu Flwyddyn Lawn (L).

Poblogaeth: y nifer o oedolion dros 15 oed sy'n byw yn ardal ddarlledu'r orsaf dan sylw. Mae BBC Radio 1 yn orsaf radio genedlaethol, felly mae'n darlledu i 50,735,000 o bobl.

Cynulleidfa (000oedd): y nifer o bobl dros 15 oed sy'n gwrando ar orsaf radio am o leiaf 15 munud dros gyfnod o wythnos. I BBC Radio 1, roedd hyn yn 10,871.

Cynulleidfa (%): y gynulleidfa wythnosol fel canran o'r boblogaeth yn yr ardal ddarlledu. I BBC Radio 1 roedd hyn yn 21 y cant.

Oriau ar gyfartaledd y pen: y nifer o oriau ar gyfartaledd y bydd person yn yr ardal ddarlledu yn ei dreulio'n gwrando ar orsaf neilltuol. I BBC Radio 1, roedd hyn yn 1.90 awr.

Oriau ar gyfartaledd y gwrandäwr: faint o amser ar gyfartaledd y mae'r rhai sy'n gwrando ar orsaf radio yn ei dreulio gyda'r orsaf. I BBC Radio 1, roedd hyn yn 9.10awr.

Cyfanswm oriau (000oedd): cyfanswm yr oriau y bydd pobl yn gwrando ar orsaf dros gyfnod o wythnos. I BBC Radio 1, roedd hyn yn 98,786 o oriau.

Cyfran wrando yn y TSA (%): y ganran o'r holl wrando ar orsafoedd radio sydd i'w phriodoli i orsaf o fewn ei hardal ddarlledu. I BBC Radio 1, roedd hyn yn 9.80%.

Ewch i wefan RAJAR. Chwiliwch am eich gorsafoedd radio lleol, yn rhai annibynnol a rhai'r BBC. Pa un yn eich barn chi yw'r orsaf fwyaf llwyddiannus?

Sut mae RAJAR yn dod o hyd i'r ffigurau hyn?

Fel unrhyw ystadegau o'r math hwn, mae data RAJAR wedi'u seilio ar yr ymateb oddi wrth sampl o wrandawyr. Sefydlwyd RAJAR Limited yn 1992 i gynnal un system mesur cynulleidfaoedd ar gyfer y diwydiant radio. Caiff y canlyniadau eu cyhoeddi'n chwarterol drwy fonitro detholiad sampl o Ardal Arolygu Gyfan (TSA – Total Survey Area) pob gorsaf radio.

- Caiff dyddiaduron gwrando eu dosbarthu gan RAJAR i aelwydydd dethol ym mhob ardal yn y wlad. Rhaid iddynt gael eu llenwi o fewn saith diwrnod.
- Mae'r dyddiaduron yn cael eu rhoi i un oedolyn dethol dros 17 oed a hyd at ddau arall ar bob aelwyd.
- Caiff tudalennau'r dyddiadur eu rhannu'n gyfnodau o bymtheg munud bob dydd. Mae'r teulu'n nodi ar ba orsaf radio y buont yn gwrando a pha mor hir.
- Caiff pob gorsaf radio yn ardal ddarlledu'r teulu ei chynnwys yn y dyddiadur.
- Mae RAJAR yn casglu'r dyddiaduron ar ddiwedd y cyfnod saith diwrnod. Caiff y data ei goladu a'i ddosbarthu i'r gorsafoedd radio sy'n cymryd rhan ac i'r cyhoedd drwy wefan RAJAR.

Beth ydych chi wedi'i ddysgu?

Yn y bennod hon, rydych wedi dysgu am:

Iaith y cyfryngau

Genre

- Mai cerddoriaeth, lleferydd ac effeithiau sain yw nodweddion cyffredin unrhyw orsaf radio
- Y bydd y ffyrdd y defnyddir pob un o'r tair elfen hyn yn rhoi arddull tŷ unigol

Cynrychioliadau

- Y bydd y ffynonellau sy'n darparu'r wybodaeth y seilir adroddiadau newyddion arnynt yn effeithio ar ba ddigwyddiadau a syniadau y ceir adroddiadau amdanynt yn y newyddion ar y radio (CD-ROM Am Ragor! tudalen 174)

Cynulleidfaoedd

- Sut mae gwahanol orsafoedd radio yn targedu cynulleidfaoedd gwahanol
- Mae gwybod pwy'n union sy'n gwrando ar orsaf yn wybodaeth hanfodol i reolwyr rhaglenni gorsafoedd radio
- Sut mae gwybodaeth fanwl iawn yn cael ei darparu i orsafoedd radio am eu cyfran o'r gynulleidfa

Materion trefniadaeth

- Dim ond os gallant ddenu digon o hysbysebwyr y bydd gorsafoedd radio masnachol annibynnol yn bodoli – oherwydd hysbysebwyr sy'n talu'r biliau
- Mae'r BBC yn cael ei ariannu drwy'r Ffi Drwydded a gall gynnal gorsafoedd na fyddent yn bodoli fel arall efallai

Cyfryngau cydgyfeiriol

- Sut mae radio yn ymgorffori amryw o ffurfiau cyfryngol fel cerddoriaeth bop, newyddion, hysbysebu ac ati. Gweler hefyd dudalen 23 ar bodlediadau

9 Asesu Allanol

Beth yw'r Asesiad Allanol?

Yr adroddiad ysgrifenedig ar ddiwedd eich cwrs yw'r Asesiad Allanol. Ei nod yw profi eich sgiliau meddwl a'ch creadigrwydd ym mhwnc Astudio'r Cyfryngau. Mae'n werth 40 y cant o'ch TGAU.

Bydd yr Asesiad Allanol yn para 2¼ awr. Byddwch yn cael rhyw 20-25 munud i ddarllen neu wylio'r deunydd ysgogi ac i wneud nodiadau wedi'u seilio ar y cwestiynau ar y papur. Wedyn byddwch yn ateb cyfres o gwestiynau am y deunydd ysgogi a'r pwnc y mae'n berthnasol iddo.

Bydd hefyd yn profi eich sgiliau cyfryngol creadigol drwy gyfres o dasgau cynllunio ar gyfer cynnyrch cyfryngol. Bydd yn profi'ch dealltwriaeth o sut mae'r materion hyn yn adlewyrchu natur **gydgyfeiriol** y cyfryngau cyfoes.

Mae'n debygol iawn y gwnewch chi fwynhau'r Asesiad Allanol!

Termau allweddol

Cydgyfeiriol Pan fydd mwy nag un maes cyfryngol yn dod ynghyd, mewn perthynas fusnes yn aml – er enghraifft, comics a theledu.

Deunydd ysgogi

Bydd y papur yn cael ei seilio ar ddeunydd ysgogi a ddewiswyd gan CBAC ac a fydd yn canolbwyntio ar y pwnc yr ydych wedi bod yn ei astudio (sylwch fod y pwnc yn newid bob dwy flynedd). Gallai'r deunydd ysgogi fod yn:

- ddarn o ffilm
- rhaglen neu hysbyseb deledu
- deunydd print – tudalennau blaen papurau newydd, efallai, neu gylchgronau neu gomics
- tudalennau gwe neu gloriau CD neu DVD
- llawer mwy!

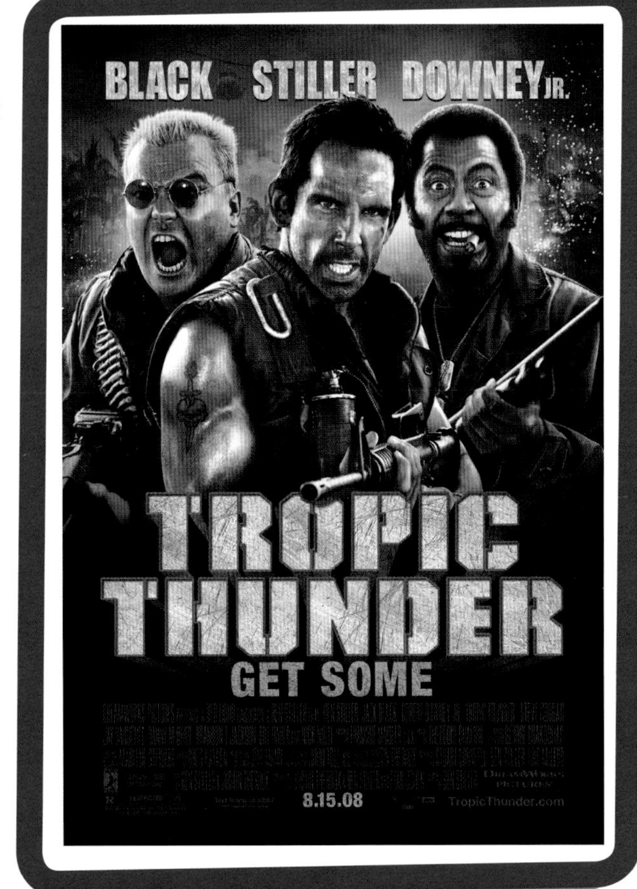

Cysyniadau a Syniadau'r Cyfryngau

Nod y papur Asesu Allanol yw profi eich gwybodaeth a'ch dealltwriaeth o Gysyniadau a Syniadau'r Cyfryngau, sef:

- **testunau'r cyfryngau: *genre*, naratif a chynrychioli** – mae *genre* yn golygu astudio sut mae gwahanol fathau o destunau cyfryngol yn cael eu grwpio a'u clystyru, eu confensiynau generig, ac ailadrodd ac amrywio *repertoire* o elfennau
- **cyrff a sefydliadau'r cyfryngau** – byddwch yn astudio sut mae cyrff a sefydliadau'r cyfryngau yn creu, yn cynnal ac yn ehangu eu marchnadoedd a sut y cânt eu rheoleiddio a'u rheoli. Bydd angen hefyd i chi ofyn cwestiynau am ddimensiynau personol, cymdeithasol a moesegol creu cyfryngau mewn byd sy'n cydgyfeirio'n gynyddol. Y meysydd allweddol i'w hastudio fydd:
  - marchnata a hyrwyddo
  - rheoleiddio a rheoli
  - gwrthdaro rhwng rhyddid unigol a chyrff a sefydliadau'r cyfryngau.
- **cynulleidfaoedd/defnyddwyr y cyfryngau** – byddwch yn astudio'r materion sy'n cael eu codi gan y cyfryngau i ystod o gynulleidfaoedd a defnyddwyr o ran ennyn cysylltiad â chynulleidfaoedd/defnyddwyr ac ymateb a dehongliad cynulleidfaoedd/defnyddwyr. Yn ei hanfod, bydd hyn yn golygu astudio:
  - cyfansoddiad cynulleidfaoedd/grwpiau defnyddwyr
  - y defnydd a'r pleserau bob dydd a gaiff cynulleidfaoedd o destunau cyfryngol
  - sut mae cynulleidfaoedd/defnyddwyr yn cael eu targedu a'u creu a sut bydd testunau yn apelio atynt
  - effaith amgylcheddau rhyngweithiol ac amgylcheddau trochi ar natur ymateb cynulleidfaoedd/defnyddwyr.

Termau allweddol

Codau a chonfensiynau
Y pethau sy'n gwneud darn cyfryngol yr hyn ydyw, h.y. y pethau sy'n ei ddiffinio. Er enghraifft, rydym yn cysylltu ceffylau, sbardunau, salwnau a phelenni chwyn â ffilmiau cowbois, a goleuadau'n fflachio, actorion mewn siwtiau sgleiniog a diffyg disgyrchiant â ffuglen wyddonol. Yn yr un modd, rydym yn cysylltu teitlau coch, penawdau bras a chlecs am enwogion â'r papurau tabloid.

Adran A: ymchwilio

Caiff y papur ei rannu'n ddwy ran. Bydd Adran A yn profi'ch sgiliau meddwl drwy ymchwilio i sut mae Cysyniadau a Syniadau'r Cyfryngau yn cael eu codi yn y deunydd ysgogi. Bydd y cwestiynau'n cael eu seilio ar y **codau a'r confensiynau** a ddefnyddir yn y deunydd ysgogi a sut maent yn creu ystyr i gynulleidfaoedd.

Efallai y gofynnir i chi:

- nodi'r mathau o saethiadau camera neu sain a ddefnyddiwyd mewn darn o ffilm neu raglen deledu, ac egluro pam y cawsant eu defnyddio
- egluro swyddogaeth cymeriad mewn darn o ffilm, neu sut mae dynion neu fenywod yn cael eu cynrychioli ynddo
- egluro, mewn perthynas â chyfryngau print, sut mae lluniau llonydd neu iaith ac arddulliau ffont yn cael eu defnyddio
- egluro, mewn perthynas ag amgylchedd aml-gyfryngol tudalennau gwe a gemau cyfrifiadurol, sut mae'r codau a'r confensiynau hyn yn cael eu defnyddio mewn cyfryngau sy'n cydgyfeirio.

Bydd cwestiynau pellach yn archwilio materion trefniadaeth fel sut mae ffilmiau neu raglenni teledu yn cael eu marchnata a'u hyrwyddo, neu pam mae cysylltiad yn aml rhwng comics, papurau newydd neu gylchgronau a thudalennau gwe.

Adran B: cynllunio a chreu

Bydd Adran B y papur yn eich galluogi i arddangos eich sgiliau creadigol yn y cyfryngau drwy gyfres o dasgau cynllunio a chreadigol. Bydd y tasgau hyn yn cael eu seilio ar greu ar gyfer y cyfryngau cydgyfeiriol. Bydd y mathau o dasgau y gofynnir i chi eu gwneud yn cael eu seilio ar senario. Er enghraifft, efallai y gofynnir i chi gynllunio gwefan i hyrwyddo ffilm ffuglen wyddonol newydd. Gallai hyn gynnwys y tasgau canlynol:

- creu enw i ffilm ffuglen wyddonol newydd
- rhestru tair nodwedd a fydd yn ymddangos ar eich tudalen we, fel teitl, delwedd o'r seren a darn o ddelwedd symudol (er enghraifft, rhaghysbyseb am y ffim newydd)
- creu'r dudalen we gyda'r nodweddion yr ydych wedi'u dewis
- egluro pam yr ydych wedi dylunio'ch tudalen we yn y ffordd hon. Gallai hyn gynnwys eglurhad yn dweud pam yr ydych wedi defnyddio ffontiau neilltuol ar gyfer y teitl, y math o lun yr ydych wedi'i ddewis o seren y ffilm a dilyniant allweddol o'r ffilm yn eich rhaghysbyseb. Bydd gofyn i chi hefyd ddweud sut bydd y nodweddion hyn yn denu cynulleidfa, neu sut y cânt eu defnyddio
- egluro pam y gallech gynnwys gêm gyfrifiadurol ar y dudalen we.

Bydd yr holl dasgau yn yr Asesiad Allanol yn eich galluogi i arddangos y wybodaeth, y ddealltwriaeth a'r sgiliau yr ydych wedi'u dysgu ar eich cwrs. Gobeithiwn y bydd y papur ysgrifenedig yn eich galluogi i wneud eich gorau mewn ffordd greadigol a chyffrous ac i feddwl yn ddwfn am y testunau yr ydych wedi'u hastudio.

Asesiad Allanol enghreifftiol

Pwnc enghreifftiol: *Cerddoriaeth*

Yn ystod dwy flynedd eich cwrs TGAU Astudio'r Cyfryngau byddwch wedi astudio'r pwnc Asesu Allanol. Gallai hyn, er enghraifft, fod yn *Gerddoriaeth*. Yn y pwnc enghreifftiol hwn, bydd eich athro yn eich annog i:

- ymchwilio a meddwl am destunau cerddoriaeth boblogaidd yn y cyfryngau
- creu testunau cerddoriaeth boblogaidd ar gyfer y cyfryngau
- archwilio'r testunau hynny yng nghyd-destun natur gydgyfeiriol y cyfryngau.

Gallai'r testunau hyn gynnwys:

- rhaglenni cerddoriaeth poblogaidd ar y teledu
- fideos cerddoriaeth ar y teledu a'r Rhyngrwyd
- gwefannau bandiau cerddoriaeth boblogaidd, perfformwyr a sêr
- cylchgronau cerddoriaeth boblogaidd.

Mae amrediad enfawr o ddeunydd i chi ei archwilio a'i ymchwilio, a gallwch ei ddefnyddio wrth i chi greu eich fideos cerddoriaeth, tudalennau gwe a chylchgronau cerddoriaeth drwy gynllunio tasgau yn yr ystafell ddosbarth.

Papur ysgrifenedig enghreifftiol

Yn yr arholiad 2¼ awr bydd gofyn i chi ymateb i destun cerddoriaeth boblogaidd. At ddibenion y papur ysgrifenedig enghreifftiol hwn, dychmygwch mai fideo cerddoriaeth yw'r deunydd ysgogi – fideo Take That ar gyfer eu cân *Rule the World* a ryddhawyd yn 2007.

Ceisiwch wylio'r fideo, drwy ddefnyddio gwefan fel YouTube efallai. Wrth i chi ei wylio, meddyliwch am natur gydgyfeiriol y cyfryngau.

Nawr, darllenwch y papur Asesu Allanol enghreifftiol isod:

Adran A: Meddwl am y cyfryngau – ymchwilio i gerddoriaeth yn y cyfryngau

Ar ôl gwylio'r detholiad (fideo cerddoriaeth *Rule the World* gan Take That), atebwch y cwestiynau isod:

1. (a) Nodwch ddau saethiad camera o'r detholiad. [4]

   (b) Eglurwch yn fyr pam y cafodd y ddau saethiad eu defnyddio. [6]

2. (a) Nodwch ddwy o nodweddion amlwg fideos cerddoriaeth o'r detholiad. [4]

   (b) Eglurwch sut mae un o'r nodweddion hyn wedi cael ei defnyddio. [6]

3 Archwiliwch sut mae dynion neu fenywod yn cael eu cynrychioli yn y detholiad. [10]

4 Amlinellwch ddwy ffordd y caiff cerddoriaeth boblogaidd ei marchnata yn y cyfryngau. Eglurwch pam y caiff ei marchnata yn y ffyrdd hyn. [10]

Cyfanswm [40]

Adran B: Creu ar gyfer y cyfryngau – Cerddoriaeth a'r cyfryngau cydgyfeiriol

Mae cwmni recordiau sy'n hyrwyddo a marchnata bandiau a pherfformwyr newydd wedi gofyn i chi greu gwefan ar gyfer ei fand diweddaraf.

Cwblhewch y tasgau isod:

Tasg 1 Crëwch enw i'ch gwefan. Dywedwch yn fyr pam yr ydych yn defnyddio'r enw hwn. [4]

Tasg 2 Rhestrwch dair o nodweddion eich gwefan. Eglurwch y nodweddion hyn yn fyr. [6]

Tasg 3 Cynlluniwch dudalen gartref eich gwefan newydd. Gallwch anodi'r cynllun. [10]

Tasg 4 Eglurwch gynllun eich tudalen gartref. [10]

Tasg 5 Mae llawer o wefannau bandiau cerddoriaeth, perfformwyr a sêr yn cynnwys amrywiaeth eang o ddelweddau llonydd a delweddau symudol. Awgrymwch o leiaf ddau reswm pam ac eglurwch y rhesymau hynny. [10]

Cyfanswm [40]

Atebion enghreifftiol gan fyfyrwyr

Adran A Cwestiwn 1(a) a (b)

Cwestiynau

1 (a) Nodwch ddau saethiad camera o'r detholiad. [4]
(b) Eglurwch yn fyr pam y cafodd y ddau saethiad eu defnyddio. [6]

Ateb y myfyriwr

Mae'r saethiadau camera yn y detholiad o fideo cerddoriaeth *Rule the World* Take That wedi cael eu defnyddio'n dda. Yn y dilyniant agoriadol ceir saethiad agos o berson yn mynd i mewn i stiwdio recordio. Wedyn, mae saethiad pell yn dangos y band i gyd yn canu i'w meicroffonau.

Esboniad:

Mae'r saethiad agos yn cael ei ddefnyddio i ddangos i'r gynulleidfa fod stori'r fideo wedi cael ei lleoli mewn stiwdio recordio fel bod hyn yn hoelio diddordeb y gynulleidfa darged, sef cefnogwyr Take That.

Mae'r saethiad pell yn cael ei ddefnyddio i ddangos y band i gyd gyda'i gilydd ac i gyflwyno stori yn y fideo cerddoriaeth, sef eu bod yn torri'r disg cyntaf o'r gân honno.

Sylwadau'r Prif Arholwr

Rhan (a)

Mae'r myfyriwr wedi nodi dau saethiad camera yn y detholiad ac wedi defnyddio iaith briodol y cyfryngau, 'saethiad agos' a 'saethiad pell', i gael 2 farc yr un am y ddau saethiad.

Mae'r esboniad braidd yn elfennol, ac nid yw'n rhoi disgrifiad manwl, trylwyr, ond mae iaith y cyfryngau yn amlwg yn 'cynulleidfa darged' a 'cefnogwyr', ac mae rhyw ymdeimlad o nodi stori yn y fideo cerddoriaeth.

Felly, y marc i'r ymgeisydd hwn ar gwestiwn 1(a) fydd 2 farc am y naill saethiad camera a'r llall = 4 marc.

Rhan (b)

Mae'r myfyriwr wedi cynnig esboniad rhesymol pam y defnyddiwyd y saethiadau camera ac mae iaith y cyfryngau yn amlwg yn 'cynulleidfa darged' a 'cefnogwyr'.

Felly, yn rhan (b), rhoddir marc o 2.

Sut mae gwella'r ateb

I wella'r ateb dylai'r ymgeisydd fod wedi cynnwys llawer mwy o fanylder yn yr esboniad ac wedi defnyddio iaith y cyfryngau i egluro'i brosesau meddwl mewn ffyrdd mwy soffistigedig a hyderus.

Pa radd y mae'r myfyriwr hwn yn ei chael?

Bydd hyn yn rhoi cyfanswm o 6 marc, sy'n cyfateb i radd C.

Adran A Cwestiwn 1(a) a (b)

Cwestiynau

1. (a) Nodwch ddau saethiad camera o'r detholiad. [4]
   (b) Eglurwch yn fyr pam y cafodd y ddau saethiad eu defnyddio. [6]

Ateb y myfyriwr

Mae ystod eang o saethiadau camera wedi cael eu defnyddio yn y detholiad. Mae hyn yn help i'r gynulleidfa sefydlu naratif yn y fideo cerddoriaeth hwn. Mae'r saethiad agos, sydd mewn gwirionedd yn saethiad cledru, gyda chamera llaw crwydrol y tu ôl i dechnegydd (sydd yn amlwg yn gweithio yn y stiwdio recordio), yn ei ddilyn drwy'r stiwdio gan greu *mise-en-scène* sy'n dangos stiwdio recordio nodweddiadol a hefyd ystod eang o godau symbolaidd i sefydlu'r olygfa a'r naratif. Wedyn, defnyddir saethiad pell i gyflwyno aelodau Take That a dangos i'r gynulleidfa fod hwn yn gipolwg breintiedig ar recordiad cyntaf ei sengl lwyddiannus '*Rule the World*'. Mae'r naratif wedi cael ei sefydlu felly ac mae yma ryngdestuniaeth gyda'r gwaith camera llaw crwydrol yn arddull *cinéma verité*. Mae hyn yn ychwanegu realaeth a hygrededd i'r digwyddiad arbennig. Mae hyn yn wych i werthu'r fideo cerddoriaeth a'r CD, yr albwm neu'r deunydd llwytho i lawr.

Sylwadau'r Prif Arholwr

Mae hwn yn ateb eithriadol o dda. Mae'n soffistigedig yn y ffordd y mae'n dadansoddi'r detholiad a sut y mae'r ddau saethiad camera wedi cael eu defnyddio i sefydlu naratif ac i roi cipolwg unigryw a breintiedig i'r gynulleidfa drwy gyfeiriadau rhyngdestunol at y *genre* rhaglenni dogfen.

Byddai hwn yn nodweddiadol o ateb A* a byddai'n cael 6 marc am yr esboniad ynghyd â 4 marc am nodi'r ddau saethiad camera, sy'n rhoi cyfanswm o 10 marc am y cwestiwn hwn.

Pa radd y mae'r myfyriwr hwn yn ei chael?

Bydd hyn yn rhoi cyfanswm o 10 marc, sy'n cyfateb i radd A*.

10 Asesiad dan Reolaeth

Cyflwyniad

Mae'r pecyn Asesiad dan Reolaeth yn werth 60 y cant o'ch TGAU terfynol, sy'n rhan enfawr o'ch gradd derfynol, felly dylech wneud eich gorau glas ar bob darn o waith!

Ar dudalennau 194-228 ceir awgrymiadau am bynciau unigol y gallech eu defnyddio yn eich pecyn Asesiad dan Reolaeth. Fodd bynnag, arweiniad yn unig sydd yn y rhain – mae cynifer o lwybrau y gallech eu harchwilio bob amser, a bydd llawer yn codi wrth i chi ddarllen y penodau yn gynharach yn y llyfr hwn.

Yn eich pecyn Asesiad dan Reolaeth, mae angen i chi:

- sicrhau ei fod yn cynnwys y cydbwysedd iawn o dasgau
- dangos eich dealltwriaeth o natur gydgyfeiriol y cyfryngau mor aml â phosibl
- sicrhau bod y deunydd ysgrifenedig ategol yn briodol
- sicrhau bod y pecyn drwyddo draw yn bodloni'r meini prawf asesu. Bydd eich athro yn dweud mwy wrthych am y meini prawf hyn – dyma'r safonau y bydd eich gwaith yn cael ei farcio yn eu herbyn.

Beth sydd yn y pecyn Asesiad dan Reolaeth?

Cynnwys	% o'ch TGAU	Canllawiau
Dau ymchwiliad: • un wedi'i seilio ar ***genre*** • un wedi'i seilio un ai ar **naratif** neu **gynrychioli**	20%	• Rhaid i'r rhain gael eu cwblhau gennych chi'n unigol. • Rhaid i un ymchwiliad gael ei seilio ar brif destun seiliedig ar brint. • Dim ond un ymchwiliad a gaiff ei seilio ar bwnc yr arholiad. • Eich nod fydd cyflwyno cyfanswm o oddeutu 400-850 o eiriau neu gynnwys cyfatebol.
Un cynhyrchiad	40%	• Mae hyn yn cynnwys tystiolaeth o **ymchwil, cynllunio, cynhyrchu** a **gwerthuso**. • Rhaid i gynyrchiadau print a digidol gael eu cwblhau gennych chi'n unigol, ond gallai cynyrchiadau sain/gweledol gael eu cwblhau gan grwpiau bach.

Yr ymchwiliadau testunol

Gall yr ymchwiliadau testunol roi cyfle i chi i archwilio'ch hoff bynciau a thestunau cyfryngol. Maent hefyd yn eich galluogi i ddangos eich dealltwriaeth o natur gydgyfeiriol y cyfryngau, a'r cysylltiadau rhwng cyrff cyfryngol a'i gilydd.

Mae llawer o ffyrdd o gyflwyno'ch ymchwiliadau testunol. Cyn belled â bod gennych yr hyn sy'n cyfateb i gyfrif geiriau o 400-850, gallwch ddewis creu (ymysg eraill):

- cyflwyniad amlgyfrwng (fel PowerPoint, Flash, Windows Movie Maker, Windows Photo Story 3) gyda delweddau, geiriau, clipiau, trosleisio a/neu gerddoriaeth
- traethawd gyda darluniau
- cyfres o daflenni ac anodiadau arnynt.

Bwrw iddi

I ddechrau, mae angen i chi ddewis teitl, pa un a ydych yn gweithio ar ymchwiliad *genre*, naratif neu gynrychioli. Wedyn, byddwch yn dewis prif destun cyfryngol i seilio'r ymchwiliad arno, gyda 3-5 testun perthnasol i ategu hynny. Bydd y testunau ategol hyn yn dangos agweddau o'r cydgyfeirio a'r berthynas rhwng testunau. Bydd eich athro yn eich helpu gyda hyn. Bydd yr awgrymiadau ym mhob un o'r pynciau Asesiad dan Reolaeth (tudalennau 194-228) yn rhoi enghreifftiau i chi i'ch helpu. Bydd y rhestr isod hefyd yn help i chi.

Teitlau enghreifftiol

Dewiswch un teitl ar gyfer ***genre*** ac ail deitl ar gyfer **naratif** neu **gynrychioli** o blith y canlynol:

Genre

- Archwilio sut mae confensiynau *genre* yn cael eu defnyddio yn y *Testun o'ch Dewis Chi*.
- Archwilio sut mae confensiynau *genre* yn cael eu herio yn y *Testun o'ch Dewis Chi.*
- Archwilio i ba raddau y mae'r *Testun o'ch Dewis Chi* yn cydymffurfio â chonfensiynau'r *genre*.

Naratif

- Archwilio sut mae'r naratif wedi cael ei lunio yn y *Testun o'ch Dewis Chi*.
- Archwilio strwythur y naratif yn y *Testun o'ch Dewis Chi*.
- Archwilio pa mor gonfensiynol yw lluniad neu strwythur y naratif yn y *Testun o'ch Dewis Chi*.
- Archwilio i ba raddau y mae'r lluniad neu'r strwythur naratif yn y *Testun o'ch Dewis Chi* yn herio naratifau confensiynol.

Cynrychioli

- Archwilio sut mae'r *Testun o'ch Dewis Chi* yn cynrychioli **un ai** ryw, ethnigrwydd, oed, cenedl, lle, digwyddiadau **neu** faterion.
- Archwilio i ba raddau y mae'r ffordd y caiff **un** o'r canlynol ei bortreadu yn cael ei herio yn y *Testun o'ch Dewis Chi*: rhyw, ethnigrwydd, oed, cenedl, lle, digwyddiadau, materion.
- Archwilio i ba raddau y mae'r ffordd y caiff **un** o'r canlynol ei bortreadu yn atgyfnerthu safbwyntiau confensiynol yn y *Testun o'ch Dewis Chi*: rhyw, ethnigrwydd, oed, cenedl, lle, digwyddiadau, materion.

Y cynhyrchiad

Bydd eich athro a'r arholwr yn chwilio am bedair elfen yn y dasg gynhyrchu: ymchwil, cynllunio, cynhyrchu a gwerthuso. Bydd yr awgrymiadau ar gyfer gwaith cynhyrchu ym mhob un o'r pynciau Asesiad dan Reolaeth (tudalennau 194-228) yn rhoi enghreifftiau i chi o beth yn union i'w wneud. Bydd y manylion isod hefyd yn help i chi.

Ymchwil

Mae'r elfen hon yn gofyn i chi ddarparu 2-4 enghraifft o'r canlynol:

- archwilio ac anodi testunau
- holiaduron a/neu arolygon wedi'u cwblhau
- canfyddiadau grwpiau ffocws a dehongli gwybodaeth a geir o lyfrau ac oddi ar y Rhyngrwyd.

Gallwch gyflwyno'r enghreifftiau hyn fel tudalennau wedi'u hanodi, tablau, siartiau neu ar ffurf ddigidol.

Cynllunio

Mae'r elfen hon yn gofyn i chi ddarparu 2-4 enghraifft o'r canlynol:

- sgriptiau
- proffiliau cymeriad
- siartiau llif ar gyfer teledu/gemau cyfrifiadurol/animeiddiadau/gwefannau
- trefn rhaglenni (er enghraifft, ar gyfer newyddion/rhaglenni dogfen)
- rhestrau saethiadau
- ymchwil lleoliadau
- byrddau naws
- dylunio set/gwisgoedd/celfi/modelau/cymeriadau
- byrddau stori
- delweddu tri dimensiwn
- brasfodelau print.

Dylech geisio gwneud eich gweithgareddau cynllunio yn berthnasol i'ch ymchwil.

Cynhyrchu

Mae'r elfen hon yn gofyn i chi ddarparu 1-2 dudalen o waith print neu ddigidol, **neu** tua 3 munud o waith clyweled neu waith sain.

Gwerthuso

Mae'r elfen hon yn gofyn i chi ddangos sut mae'r holl waith yr ydych wedi'i wneud hyd yma yn dangos eich dealltwriaeth o:

- *genre*, naratif a chynrychioli
- y cynulleidfaoedd/defnyddwyr targed yr ydych wedi'u dewis
- materion trefniadaeth fel marchnata a hyrwyddo, materion rheoleiddio a rheoli fel hawlfraint a dimensiynau personol, cymdeithasol a moesegol creu cyfryngau heddiw.

Gwaith grŵp

Efallai y byddwch yn penderfynu ymgymryd â thasg gynhyrchu fel grŵp. Y peth pwysicaf yw cofio NAD YW gwaith grŵp yn opsiwn hawdd! Cam cyntaf defnyddiol yw gwneud yn siŵr nad yw'r grŵp yn rhy fawr. Mae tri yn ddelfrydol, a phedwar fyddai'r uchafswm, oherwydd mae angen i chi allu dangos eich cyfraniadau PERSONOL CHI i'r cynhyrchiad. Y ddwy brif swyddogaeth y mae modd eu rhannu yw gwaith camera a golygu (mae hyn yn cynnwys sain).

Pa rôl gynhyrchu bynnag yr ydych chi'n gyfrifol amdani, rhaid i chi gofio hefyd fod gofyn i'ch ymchwil, eich cynllunio a'ch gwerthuso gael eu cwblhau'n unigol. Awgrym da yma yw cadw dyddiadur/log o'ch dewisiadau (dylech gynnwys elfennau yr ydych yn eu gwrthod yn ogystal â'r rhai yr ydych yn eu cynnwys), fel y bydd gennych fanylion penodol i'w cynnwys wrth i chi ysgrifennu'ch gwerthusiad.

Beth bynnag a wnewch, cadwch ddigon o nodiadau, cadwch ddelweddau, cadwch ddrafftiau a gwnewch gopi o alldoriadau. Efallai y bydd eu hangen arnoch mewn argyfwng.

StiwdioGraddau

Dylai'r awgrymiadau ar y tudalennau hyn eich helpu i wella'ch cynhyrchiad ar gyfer eich Asesiad dan Reolaeth a, thrwy hynny, eich gradd TGAU drwyddi draw!

Awgrymiadau ar gyfer ymchwil cynhyrchu
Dyma rai dulliau ymchwil y byddwch am eu defnyddio efallai:

1. Ewch i wefannau testunau cyfryngol allweddol y credwch eu bod yn cynnwys elfennau sy'n berthnasol i'ch syniadau cynhyrchu chi.
2. Er enghraifft, mae gan gylchgronau eu gwefannau eu hunain gyda gwybodaeth werthfawr am y ffordd y maent yn ymchwilio i'w cynulleidfaoedd targed ac yn llunio cysylltiad â nhw, maent yn rhoi rhyw syniad o'u proffil demograffig, ac efallai y gwnânt hyd yn oed anfon pecyn cyfryngau atoch gyda mwy fyth o wybodaeth fanwl, dim ond i chi ofyn.
3. Mae'n bwysig eich bod yn defnyddio'r wybodaeth y byddwch yn ei chanfod. Os mai dim ond rhestru neu lwytho deunydd i lawr a wnewch, ni chewch lawer o farciau.
4. Ymchwiliwch i ystod o destunau. Bydd hyn yn rhoi syniad i chi o'r pethau sy'n debyg rhwng testunau prif ffrwd, arbenigol ac annibynnol. Efallai hefyd y gwnaiff roi ysbrydoliaeth i chi o ran sut mae creu fersiynau gwreiddiol o'r testunau hyn.
5. Cynhaliwch arolygon a holiaduron gydag aelodau o'ch cynulleidfa darged. Drwy wneud hynny cewch adborth rhagorol ynglŷn â pha mor effeithiol fydd eich syniadau.
6. Darllenwch eich nodiadau gwersi, gwerslyfrau a gwefannau perthnasol i wneud yn siŵr eich bod wedi meistroli'r theori gyfryngol sy'n berthnasol i'r broses gynhyrchu.
7. Rhaid i chi ddefnyddio'ch athrawon i gadarnhau eich bod ar y trywydd cywir! Byddant yn ffynhonnell amhrisiadwy o gyngor ac anogaeth i chi wrth i chi geisio creu pecyn Asesiad dan Reolaeth arbennig.

Awgrymiadau ar wneud cynyrchiadau print

1. Crëwch y nifer iawn o dudalennau o waith cynhyrchu print – yr hyn sy'n cyfateb i 2 dudalen.
2. Cofiwch ddarllen proflenni unrhyw ddrafft – ac yn arbennig eich cynhyrchiad terfynol – i ganfod camgymeriadau sillafu a mynegiant syml.
3. Meddyliwch am ymylon y tudalennau – yn aml iawn, maent yn rhy gul. Cofiwch osod yr ymylon yn lletach er mwyn gwneud yn fawr o'r lle ar y dudalen.
4. Mae rhai tudalennau print yn defnyddio gofod gwyn fel cefndir i osodiad y dudalen, ond ni wneir hynny yn aml. Mae modd defnyddio blociau o liw, wedi'u lleoli'n glyfar yn agos at ei gilydd gyda ffontiau gwahanol liw yn rhedeg drostynt. Cofiwch edrych ddwywaith ar eich gofod gwyn i wneud yn siŵr ei fod yno am eich bod wedi'i ddewis felly.
5. Gwnewch yn siŵr fod y lliw ffont a ddewiswch yn ddigon tywyll (neu olau) fel bod modd ei ddarllen yn glir dros ba gefndir bynnag yr ydych wedi'i ddewis. Ffordd hawdd o wirio hynny yw argraffu rhan o'r dudalen i weld a ydych yn gallu darllen lliw'r ffont yn glir.
6. Dylech osgoi ffontiau Word Art os gallwch! Maent yn gallu edrych braidd yn blentynnaidd – mae'n llawer gwell defnyddio ffont wedi'i dewis yn ddoeth oddi ar y rhestr hir yn llyfrgell Word.

Awgrymiadau ar wneud cynyrchiadau clyweled

1. Crëwch y nifer iawn o funudau o waith clyweled – yn cyfateb i 3 munud.
2. Wrth baratoi ar gyfer saethiad, dylech bob amser roi'r tâp i redeg ychydig cyn galw 'Symud' a gadael iddo ddal i redeg ychydig ar ôl galw 'torri' i ganiatáu ar gyfer yr oedi wrth i'r tâp ddechrau a hefyd i wneud y golygu'n haws.
3. Meddyliwch am y goleuadau – peidiwch byth â gosod saethiad gyda ffynhonnell gref o olau y tu ôl i'ch gwrthrych – bydd hynny'n gwneud y saethiad yn dywyll iawn. Ceisiwch gael y ffynhonnell gryfaf o olau y tu ôl i'r camera.
4. Os gallwch ddefnyddio meicroffon allanol, gwnewch hynny! Os nad oes un gennych, mynnwch gael tawelwch llwyr ar y set, a cheisiwch osgoi ffilmio mewn ystafelloedd mawr sy'n gwneud i sain atseinio. Efallai y bydd eich pecyn golygu hefyd yn caniatáu i chi drosleisio neu dapio dros rannau o'r cynhyrchiad ar ôl y saethu. Caiff hyn ei argymell os ydych yn gwneud fideo cerddoriaeth.
5. Gall fod yn anodd i naratif wneud synnwyr mewn cyfnod byr iawn o amser. Gwnewch yn siŵr eich bod yn treialu cyfnod cynllunio eich cynhyrchiad gyda grŵp ffocws neu gyda'ch athro i wneud yn siŵr y bydd y gynulleidfa y bwriadwyd y cynhyrchiad ar ei chyfer yn ei ddeall.
6. Yn aml, mae myfyrwyr am wneud cynyrchiadau 'mawreddog' am faterion dwys a difrifol. Ystyriwch yn ofalus a fydd eich cynhyrchiad yn argyhoeddi, o gofio'r cyfyngiadau amser. Er enghraifft, efallai y byddai ffilm fer sy'n ceisio delio â natur cariad trasig yn dod drosodd yn stereoteipiol neu hyd yn oed yn wirion.

Awgrymiadau ar wneud cynyrchiadau sain

1. Os ydych yn gwneud cynhyrchiad sain fel eitem radio neu bodlediad, bydd y ffocws amlwg ar ansawdd y sain – gwnewch yn siŵr eich bod yn gyfarwydd â'r dechnoleg sy'n ofynnol i osod seiniau'n haenau y naill ar ben y llall.
2. Mae sain ar y radio yn gweithio drwy roi gwahanol ffynonellau sain yn y cefndir a dod â nhw i'r blaen ar wahanol adegau (pan fyddwch am iddynt gael eu clywed) ar draciau gwahanol. Os ydych am i sain gael ei chlywed yn glir, rhaid i chi ddod â hi i'r 'blaen', ond os mai unig ddiben sain yw creu awyrgylch, dylech ei gosod ymhellach 'yn ôl'.
3. Os bydd rhywun yn siarad, dylai fod modd ei glywed yn glir uwchlaw unrhyw sain arall.
4. Arbrofwch â ffynonellau sain – gallai anelu at godau realaeth yn hawdd olygu creu'r seiniau sy'n cyd-fynd â sefyllfa real. Er enghraifft, os yw cymeriad i fod yn cerdded, mae'n bosibl iawn y bydd sŵn camau yn bwysig.
5. Cofiwch ymarfer – efallai y bydd eich actorion yn swil gyda meicroffon ac, er bod ganddynt leisiau da iawn, gallent fynd yn chwithig ac yn dawel cyn gynted ag y galwch chi 'symud'. Dylech ymarfer y pellter o'r meicroffon i'r geg i gael yr ansawdd sain gorau.
6. Anogwch siaradwyr i oedi cyn, ac ar ôl, siarad er mwyn helpu gyda'r golygu (gweler yr awgrymiadau clyweled uchod).
7. Recordiwch ddarnau bach o'ch cynhyrchiad ar y tro, yna golygwch nhw i gyd gyda'i gilydd.
8. Mae cerddoriaeth yn aml yn chwarae rhan bwysig mewn cynyrchiadau clyweled. Dewiswch gerddoriaeth gefndir a fydd yn ychwanegu at yr hyn yr ydych am ei ddweud o ran *genre*, naws, cymeriad, naratif, ac ati, heb iddi fod yn rhy amlwg yn eich sgript.

Asesiad dan Reolaeth: Ffilm

Dyma rai syniadau am ffyrdd o ymdrin ag ymchwiliadau testunol a'r dasg gynhyrchu ym maes ffilm. Ar gyfer eich asesiadau dan reolaeth, byddwch chi'n gweithio ar bwnc gwahanol ar gyfer y ddau ymchwiliad testunol a'ch cynhyrchiad, ond rydym ni wedi grwpio'n hawgrymiadau yn feysydd cyfryngol. Fel arweiniad yn unig y bwriadwyd y syniadau hyn.

Ymchwiliad testunol: *genre*

Archwiliwch i ba raddau y mae gwefan *Indiana Jones and the Kingdom of the Crystal Skull* yn cydymffurfio â chonfensiynau'r *genre*.

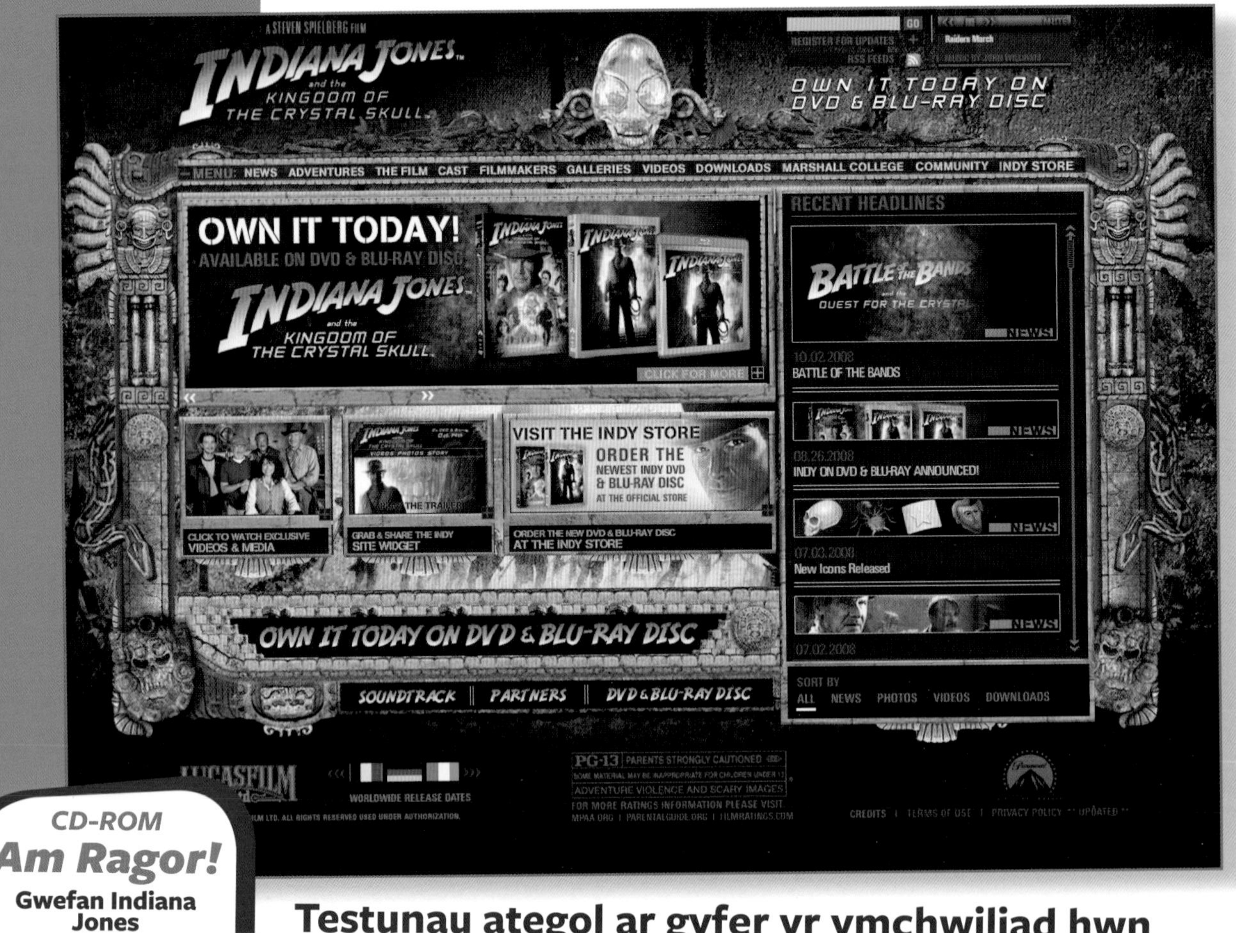

CD-ROM

Am Ragor!

Gwefan Indiana Jones

Agorwch y CD yng nghefn y llyfr hwn a chliciwch ar yr eicon isod i agor cyswllt at wefan Indiana Jones.

HTML

Testunau ategol ar gyfer yr ymchwiliad hwn

Gallai'r rhain gynnwys:

- poster y ffilm
- clawr y gêm XBox360 ar gyfer *Indiana Jones* sy'n defnyddio cymeriadau Lego
- rhaghysbyseb y ffilm neu glipiau o'r ffilm neu o ffilmiau *Indiana Jones* cynharach
- enghreifftiau eraill o ffilmiau antur llawn mynd a thestunau yn ymwneud â ffilm.

Ffyrdd o gynnal yr ymchwiliad hwn

Gallai'r rhain gynnwys:

- Atgoffa'ch hun o'r technegau a'r derminoleg sy'n ofynnol i ddadansoddi codau a chonfensiynau *genres* yn gynharach yn y llyfr hwn. Wedyn, gwnewch restr o'r hyn yw prif gonfensiynau ffilmiau antur llawn mynd, yn eich barn chi. Defnyddiwch allbrint o wefan *Indiana Jones* ac anodwch ef i ddangos ei gonfensiynau allweddol fel testun sy'n gysylltiedig â ffilm antur lawn mynd.
- Archwilio'r wefan yn drylwyr – byddwch yn sylwi bod arni 'anturiaethau' i'w chwarae yn ogystal â gwybodaeth am y ffilm.
- Gwneud nodiadau am raghysbyseb y ffilm neu ddilyniant agoriadol y ffilm ac egluro pam mae'r gyfres hon o ffilmiau wedi bod mor boblogaidd gyda chynulleidfaoedd. Pa gysylltiadau allwch chi eu gweld rhwng y wefan a'r rhaghysbysbeb/dilyniant?
- Edrych ar enghreifftiau eraill o ffilmiau antur llawn mynd – yn cynnwys ffilmiau cynharach *Indiana Jones* neu Harrison Ford. A allwch weld elfennau sy'n debyg a gwahaniaethau yn y ffordd y mae pob un o'r testunau'n cynrychioli'r *genre* antur llawn mynd?
- Nawr penderfynwch sut yr ydych yn mynd i gyflwyno canfyddiadau'ch ymchwiliad testunol. Edrychwch ar yr awgrymiadau ar dudalen 189.

Ymchwiliad testunol: naratif

Archwiliwch pa mor gonfensiynol yw'r lluniad neu'r strwythur naratif yn agoriad *Iron Man.*

Testunau ategol ar gyfer yr ymchwiliad hwn

Gallai'r rhain gynnwys:

- testunau cyfryngol eraill perthnasol i *Iron Man* fel y poster a'r clawr DVD
- ystod o agoriadau o ffilmiau eraill am archarwyr, er enghraifft, *The Incredible Hulk* (2008), *Dark Knight* (2008), *Fantastic Four: Rise of the Silver Surfer* (2007), ac ati. Efallai y byddwch am edrych eto ar y gweithgaredd ar agoriadau archarwyr yn astudiaeth achos comics Marvel ar dudalen 113 ym Mhennod 5
- stribedi comig archarwyr
- rhaglen ddogfen ar greu naratifau comic Batman ar y CD yng nghefn y llyfr hwn.

CD-ROM
Am Ragor!

Naratifau comic Batman

Agorwch y CD yng nghefn y llyfr hwn a chliciwch ar yr eicon isod i weld clip o raglen ddogfen ar greu naratifau comic Batman.

Ffyrdd o gynnal yr ymchwiliad hwn

Gallai'r rhain gynnwys:

- Atgoffa'ch hun o strwythur naratif a swyddogaeth archarwyr (tudalen 9). Gwyliwch agoriad *Iron Man* a gwnewch nodiadau am sut mae'r naratif yn cael ei lunio, a sut mae cymeriad Tony Stark yn cael ei gynrychioli yn y fideo. Ceisiwch benderfynu pa mor nodweddiadol yw agoriad y ffilm, fel ffilm am archarwr. Pa ddisgwyliadau fyddai gan gynulleidfa efallai am siwrnai Tony yn y ffilm?
- Edrych ar wefan a rhaghysbyseb *Iron Man*. Pa gliwiau y maen nhw'n eu rhoi am y naratif na cheir mohonynt yn agoriad y ffilm? Beth mae hyn yn ei ddweud wrthych am bwrpas gwefannau a rhaghysbysebion ffilmiau?
- Edrych ar ffilmiau eraill am archarwyr ac ystyriwch sut mae *Iron Man* yn sefydlu ei naratif o'i chymharu â'r lleill – beth yw'r prif bethau sy'n debyg a'r prif wahaniaethau?
- Cymharu stribedi comic am archarwyr a'r rhaglen ddogfen ar naratifau comic Batman (ar y CD) i'ch helpu i benderfynu pa mor gonfensiynol yw agoriad *Iron Man*.
- Nawr penderfynwch sut yr ydych yn mynd i gyflwyno canfyddiadau eich ymchwiliad testunol. Edrychwch ar yr awgrymiadau ynglŷn â hyn ar dudalen 189.

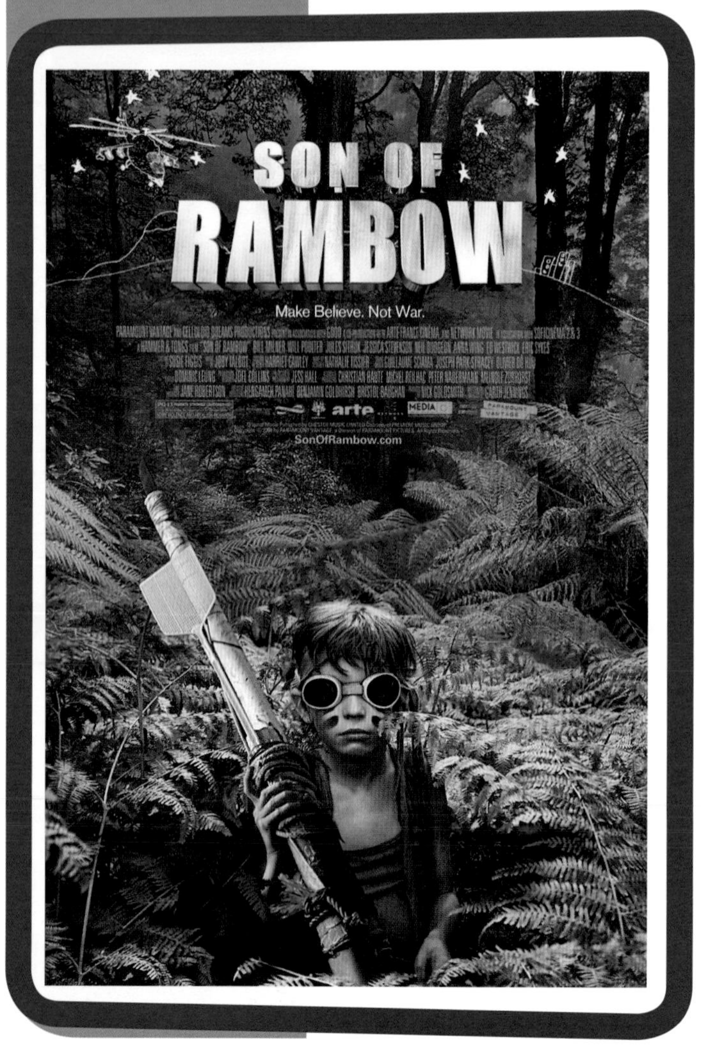

Ymchwiliad testunol: cynrychioli

Archwiliwch i ba raddau y mae'r ffordd y caiff oed ei gynrychioli yn atgyfnerthu safbwyntiau confensiynol yn *Son of Rambow* (2007).

Son of Rambow yw enw'r ffilm gartref a wnaed gan ddau fachgen ifanc gyda chamera fideo mawr ac uchelgais fwy fyth. Mae wedi'i lleoli yn yr 1980au cynnar ar yr adeg y rhyddhawyd *First Blood* Sylvester Stallone gyntaf.

Testunau ategol ar gyfer yr ymchwiliad hwn

Gallai'r rhain gynnwys:

- Cylchgronau/comics wedi'u targedu at fechgyn a merched ifanc fel *Girl Talk*, *Toxic*, *Match of the Day*.
- Rhaglenni teledu sy'n dangos bechgyn/merched ifanc, er enghraifft, *Tracy Beaker*, *Eastenders*, *Neighbours*.
- Golygfeydd o *Son of Rambow*.
- Ystod o destunau ffilm sy'n canolbwyntio ar oed, fel *Home Alone*, *Matilda*, *Billy Elliot*, *Juno* a *This is England*. Mae'r ffilmiau hyn i gyd yn cynrychioli oed mewn ffyrdd gwahanol, rhai ohonynt yn fwy confensiynol nag eraill.

Ffyrdd o gynnal yr ymchwiliad hwn

Gallai'r rhain gynnwys:

- Sefydlu sut mae bechgyn a merched ifanc yn cael eu cynrychioli yn y cyfryngau – gwneud nodiadau a siartiau am destunau print a chlyweled.
- Canolbwyntio'n fwy manwl ar y ffordd y caiff bechgyn eu cynrychioli mewn ffilmiau, gan wneud nodiadau ac awgrymu sut mae'r cynrychioliadau yn debyg ac yn wahanol.
- Edrych yn ofalus ar olygfeydd o *Son of Rambow*, gan ddefnyddio'r nodiadau yr ydych wedi'u gwneud am y cynrychioliadau o fechgyn ifanc yn y cyfryngau. Pa mor gonfensiynol yn eich barn chi yw'r cynrychioliad o'r bechgyn yn y ddwy brif ran? Ceisiwch ddefnyddio enghreifftiau o destunau eraill yn eich ateb, yn ogystal â manylion penodol o'r ffilm ei hun.
- Nawr penderfynwch sut yr ydych yn mynd i gyflwyno canfyddiadau eich ymchwiliad testunol. Edrychwch ar yr awgrymiadau ynglŷn â hyn ar dudalen 189.

Y cynhyrchiad

Crëwch stribed comic sy'n cyflwyno archarwr newydd. Efallai y byddwch am egluro sut mae'r archarwr yn cael ei bwerau ef neu ei phwerau hi, ac efallai y gallech gyflwyno dihiryn y bydd yr archarwr yn ymladd yn ei erbyn.

Ymchwil

Dechreuwch drwy edrych eto ar y bennod ar gomics, cartwnau ac animeiddio. Yna casglwch gynifer o gomics ag y gallwch, yn cynnwys comics o'r math archarwr, i'ch helpu i wneud ymchwil manwl. Dyma rai o'r gweithgareddau y byddwch am eu hystyried, efallai:

- Atgoffwch eich hun o dechnegau comics a sut mae fframiau comics yn cael eu tynnu er mewn dweud stori. Efallai y byddwch am edrych eto ar y CD, sy'n cynnwys cyfweliad gydag un o ddarlunwyr comics/nofelau graffig newydd Batman.
- Atgoffwch eich hun o'r ffordd y caiff archarwyr eu cynrychioli mewn ffilmiau – efallai y gallech ymchwilio i boster ffilm am archarwr.
- Dewiswch un o'ch comics archarwr a sganiwch un dudalen er mwyn ei rhoi ar ddalen A3. Ymchwiliwch iddi er mwyn dangos ei thechnegau comic a sut y caiff nodweddion fel symudiadau, sain ac emosiwn eu defnyddio i greu naratif.

- Edrychwch ar sut mae cymeriadau comics yn dangos cydgyfeirio. Yn aml, bydd cysylltiadau rhwng cymeriadau comics a theledu, ffilmiau, gwefannau a gemau.
- Cyfwelwch ugain i ddeg ar hugain o bobl o wahanol oedran a holwch nhw am y comics a'r storïau archarwyr y maen nhw'n eu mwynhau nawr, neu yr oeddent yn eu mwynhau yn y gorffennol. Rhowch eich canfyddiadau ar siart neu graff i'ch helpu i gynllunio'ch stori gomic eich hun.
- Meddyliwch sut mae comics plant yn cael eu rheoleiddio – pa gyfyngiadau y mae'n rhaid i chi eu cadw mewn cof wrth gynllunio'r comic a dweud eich stori.

Cynllunio

Erbyn hyn dylai fod gennych rai syniadau am y cymeriad a'r comic yr ydych am eu creu. Defnyddiwch eich nodiadau ymchwil a'ch canfyddiadau i'ch helpu i gynllunio'ch cynhyrchiad. Gallai hyn gynnwys:

- Creu a labelu proffil cymeriad o'ch archarwr – efallai y bydd angen dau lun arnoch os bydd gan eich cymeriad enw arall fel Peter Parker a Superman. Labelwch y proffil gan ddangos unrhyw bwerau sydd gan y cymeriad, a nodweddion ei ymddangosiad a'i wisg.
- Peidio â phoeni am eich dawn tynnu llun yma – cofiwch nad oes rhaid hyd yn oed i chi ddefnyddio cymeriadau dynol. Os ydych yn gallu tynnu llun llysiau, robotiaid, bodau estron neu anifeiliaid syml fel gwenyn, lindys neu bengwiniaid, crëwch gymeriad o amgylch un o'r rhain!
- Creu cyfres o luniau o'ch cymeriad yn sefyll mewn gwahanol fathau o ystum a chyda mynegiant gwahanol ar ei wyneb.
- Meddwl pam y daeth eich cymeriad yn archarwr. Ysgrifennwch beth a ddigwyddodd.
- A oes dihiryn a fydd yn gwrthwynebu'ch arwr? Ysgrifennwch ei stori ef neu hi hefyd, a thynnwch broffil o'i ymddangosiad.
- Penderfynu ar funudau allweddol y naratif a sut y byddwch yn eu dangos mewn ffrâm lonydd.
- Braslunio'r fframiau/panelau ar gyfer y comic – ceisiwch greu amrywiaeth a diddordeb – gan ei gwneud yn glir sut mae llygad y darllenydd yn cael ei arwain o un ffrâm i'r un nesaf.
- Penderfynu ar floc teitl trawiadol ar gyfer eich stori gomic a fydd yn gwneud i'r comic hawlio sylw darllenwyr posibl.

Cynhyrchu

Edrychwch eto ar yr awgrymiadau ar wneud cynyrchiadau print ar dudalen 192 yn y cyflwyniad i'r adran hon. Cofiwch na chewch weithio mewn grŵp ar ddarnau cynhyrchu print. Anelwch at y safonau uchaf wrth greu'ch comic, a gwnewch yn siŵr eich bod yn cyfeirio'n fanwl at eich gwaith cynllunio. Ceisiwch ei wneud mor lliwgar a thrawiadol â phosibl.

Gwerthuso

Gall eich gwerthusiad fod ar ffurf cyflwyniad neu adroddiad gyda darluniau. Dylai fod yn 400-850 o eiriau neu'r hyn sy'n cyfateb i hynny, a dylech geisio dangos rhai o leiaf o'r canlynol:

- Sut y gwnaeth eich ymchwil i gomics a chymeriadau archarwyr eich helpu i gynllunio strwythur eich testun chi.
- Sut y gwnaeth eich ymchwil i gynulleidfaoedd eich helpu i greu'r ystyron a'r cynrychioliadau yn y testun.
- Pwy yw'ch cynulleidfa a sut yr ydych yn gobeithio y bydd yn ymateb i'ch testun (cofiwch ei brofi ar eich cynulleidfa i'ch helpu gyda hyn).
- Sut a pham y creoch eich fframiau fel eu bod mor effeithiol â phosibl – tynnwch sylw at eich hoff ddarnau chi o'r comic.
- Esboniad o sut y byddech am farchnata'r cymeriad comic (gan ddefnyddio technoleg gydgyfeiriol, efallai, fel creu gêm ar gyfer consol Wii lle gall y defnyddiwr uniaethu â'ch cymeriad mewn gwahanol senarios).
- Unrhyw faterion rheoleiddio yr oedd rhaid i chi eu hystyried (er enghraifft, os yw'ch comic yn targedu plant ifanc iawn, efallai y byddwch wedi gorfod cyfyngu ar drais a gwrthdaro – dim ond caniatáu dicter a gwylltineb ar wynebau'r archarwr a'r dihiryn, efallai).

Asesiad dan Reolaeth: Teledu

Dyma rai syniadau am ffyrdd o ymdrin ag ymchwiliadau testunol a'r dasg gynhyrchu ym maes teledu. Ar gyfer eich asesiadau dan reolaeth, byddwch chi'n gweithio ar bwnc gwahanol ar gyfer y ddau ymchwiliad testunol a'ch cynhyrchiad ond rydym ni wedi grwpio'n hawgrymiadau yn feysydd cyfryngol. Fel arweiniad yn unig y bwriadwyd y syniadau hyn.

Ymchwiliad testunol: *genre*

Archwiliwch i ba raddau y mae confensiynau'r *genre* yn cael eu herio yn nilyniant agoriadol *Scrubs*.

Testunau ategol ar gyfer yr ymchwiliad hwn

Gallai'r rhain gynnwys:

- gwefan ryngweithiol *Scrubs*
- agoriadau dramâu meddygol eraill fel *Casualty*, *Holby City* ac *ER*
- agoriadau rhaglenni comedi fel *Friends*, *Gavin and Stacey* a *This Life*.

Ffyrdd o gynnal yr ymchwiliad hwn

Gallai'r rhain gynnwys:

- Ymchwilio'n drylwyr i agoriad *Scrubs*, gan ystyried y gerddoriaeth, y glodrestr teitlau a'r graffigwaith, ynghyd â'r cliwiau ynglŷn â chymeriadau a naratif yn yr olygfa gyntaf.
- Archwilio agoriadau dramâu meddygol i ganfod tystiolaeth o gonfensiynau allweddol y *genre*.
- Archwilio agoriadau rhaglenni comedi i ganfod tystiolaeth o gonfensiynau allweddol y *genre*.
- Creu siart i ddangos confensiynau *genre* drama feddygol o'u cymharu â chonfensiynau comedi, a'i defnyddio wedyn i ddangos sut mae *Scrubs* yn ddrama feddygol anarferol, a'i bod yn draws-*genre* gyda chomedi mewn gwirionedd.
- Nawr penderfynwch sut yr ydych yn mynd i gyflwyno canfyddiadau eich ymchwiliad testunol. Edrychwch ar yr awgrymiadau ynglŷn â hyn ar dudalen 189.

Ymchwiliad testunol: naratif

Archwiliwch y berthynas rhwng naratif comic *The Simpsons* a naratifau rhaglen deledu *The Simpsons*.

Testunau ategol ar gyfer yr ymchwiliad hwn

Gallai'r rhain gynnwys:

- rhifynnau eraill o gomic *The Simpsons*
- penodau o raglen deledu *The Simpsons*
- enghreifftiau o gomics
- enghreifftiau o raglenni comedi animeiddiedig eraill ar y teledu fel *Family Guy* neu *South Park*.

Ffyrdd o gynnal yr ymchwiliad hwn

Gallai'r rhain gynnwys:

- Dewis stori o gomic a'i sganio i'ch cyfrifiadur. O ran maint, gwnewch yn siŵr y bydd yn ffitio ar dudalen gyda digon o le i ychwanegu anodiadau o'i chwmpas, a gwnewch nodiadau am y prif gonfensiynau comic sydd i'w gweld ynddo. Ysgrifennwch baragraff i ddangos sut y cafodd y naratif ei lunio.
- Dewis pennod o gyfres deledu animeiddiedig a gwneud nodiadau ar sut mae'n cyflwyno cymeriadau, yn adrodd storïau ac yn annog cynulleidfaoedd i chwerthin.
- Dewis stori mewn rhifyn o gomic *The Simpsons* ac un o'ch hoff benodau o *The Simpsons* ac ymchwilio'n drylwyr iddynt, gan wneud nodiadau am y cymeriadau a'r strwythur naratif. Gwnewch siart i ddangos y pethau sy'n debyg a'r gwahaniaethau rhwng y naratifau.
- Nawr penderfynwch sut yr ydych yn mynd i gyflwyno canfyddiadau eich ymchwiliad testunol. Edrychwch ar yr awgrymiadau ynglŷn â hyn ar dudalen 189.

Ymchwiliad testunol: cynrychioli

Archwiliwch sut mae'r arwyr yn cael eu cynrychioli yn y nofel graffig sydd wedi'i seilio ar gyfres deledu *Heroes*.

Testunau ategol ar gyfer yr ymchwiliad hwn

Gallai'r rhain gynnwys:

- gwefan swyddogol *Heroes* gyda chysylltiadau i dudalennau o'r nofel graffig
- nofelau graffig eraill fel *Gotham Central* neu *X-Men*
- Jock yn siarad am ddylunio ar gyfer *Batman* ar y CD yn y llyfr hwn
- penodau o gyfres deledu *Heroes*.

Ffyrdd o gynnal yr ymchwiliad hwn

Gallai'r rhain gynnwys:

- Gwylio rhai penodau o *Heroes* er mwyn 'cael rhyw deimlad' o'r rhaglen ac i weld sut mae ei naratif yn cael ei drefnu. Fe welwch fod llawer o gymeriadau yn y rhaglen, yn rhai gwryw a benyw, sydd â phwerau arbennig, ac mae naratifau'n cael eu llunio o amgylch pob cymeriad.
- Edrych ar dudalennau o nofel graffig *Heroes* – un ai ar ffurf brint neu ar-lein drwy'r wefan. Gwnewch nodiadau am y ffordd y caiff nifer o gymeriadau eu cynrychioli, yna ehangwch eich dadansoddiad drwy edrych ar dudalennau o nofelau graffig eraill – a cheisiwch benderfynu wedyn sut mae arwyr yn cael eu cynrychioli yn gyffredinol.
- Creu siart i ddangos sut mae'r cynrychioliad o arwyr yn *Heroes* yn debyg neu'n wahanol i'r cynrychioliad o arwyr mewn nofelau graffig eraill. Efallai y gwelwch fod *Heroes* yn reit anarferol yn y ffordd y mae'n portreadu arwyr, gan ei fod yn mynd yn groes i stereoteipio rhyw.
- Nawr penderfynwch sut yr ydych yn mynd i gyflwyno canfyddiadau eich ymchwiliad testunol. Edrychwch ar yr awgrymiadau ynglŷn â hyn ar dudalen 189.

Y cynhyrchiad

Crëwch daeniad dwy dudalen ar gyfer cylchgrawn amserlenni teledu sy'n rhoi gwybodaeth am gyfres ddrama deledu newydd wedi'i thargedu at bobl ifanc yn eu harddegau ar Channel 4. Gallai'r rhaglen gynnwys grŵp canolog o bedwar i chwe chymeriad a gallai gael ei lleoli mewn coleg chweched dosbarth neu ysgol uwchradd.

Ymchwil

Efallai y byddwch am ystyried y canlynol:

- Ewch ati i ganfod pa ddramâu sy'n bodoli'n barod sydd wedi'u hanelu at bobl ifanc yn eu harddegau ac sy'n cynnwys grŵp o gymeriadau fel y sêr. Ymysg yr enghreifftiau posibl mae *Hollyoaks*, *One Tree Hill* a *Skins*. Ewch ati i olrhain eu datblygiad, pryd y cânt eu darlledu a maint y gynulleidfa er mwyn dadansoddi eu llwyddiant. Edrychwch hefyd ar sut y cafodd bloc teitl pob rhaglen ei ddylunio.
- Gwnewch siart i ddangos gwahanol gonfensiynau'r rhaglenni yr ydych wedi ymchwilio iddynt.
- Cynhaliwch arolwg cynulleidfa i ganfod pwy sy'n mwynhau dramâu ar gyfer yr arddegau a beth y gallai cynulleidfa ei ddisgwyl mewn drama sydd wedi'i lleoli mewn coleg neu ysgol uwchradd.
- Casglwch rai cylchgronau sy'n cynnwys amserlenni teledu ac erthyglau am raglenni a dadansoddwch sut mae rhaglenni newydd yn cael eu 'hysbysebu'.

Cynllunio

Erbyn hyn dylai fod gennych rai syniadau am brif nodweddion atyniadol eich cyfres ddrama deledu eich hun. Dylech ddefnyddio'ch nodiadau ymchwil a'ch canfyddiadau i'ch helpu i gynllunio'ch cynhyrchiad. Gallai hyn gynnwys:

- Creu eich proffil eich hun o'r cymeriadau canolog drwy gymryd ffotograffau ohonynt 'yn eu cymeriad' ac ysgrifennu disgrifiadau byr ohonynt i roi cliwiau am ba fath o gymeriad ydynt a'u swyddogaeth yn y gyfres.
- Cynllunio pennod gyntaf y gyfres drwy feddwl am dair i bum stori a fydd yn cyflwyno'r cymeriadau ac yn cael eu plethu drwy'i gilydd gan orffen ar funud llawn tyndra neu stori min dibyn.
- Dylunio bloc teitl i'ch rhaglen – bydd hwn yn gweithredu fel logo i'r rhaglen, a mynd ymlaen i benderfynu ar ddyluniad eich taeniad dwy dudalen. Sut y byddwch chi'n cyflwyno'r delweddau o'r rhaglen a'i sêr, a gwybodaeth amdanynt?
- Creu rhai tudalennau drafft ar gyfer y taeniad a'u dangos i aelodau o'ch cynulleidfa darged i'ch helpu i benderfynu pa rai o'ch syniadau yw'r rhai mwyaf effeithiol.

Cynhyrchu

Edrychwch eto ar yr awgrymiadau ar wneud cynyrchiadau print ar dudalen 192 yn y cyflwyniad i'r adran hon. Cofiwch na chewch weithio mewn grŵp ar ddarnau cynhyrchu print. Anelwch at y safonau uchaf wrth greu'ch tudalennau cylchgrawn, a gwnewch yn siŵr eich bod yn cyfeirio'n fanwl at eich gwaith cynllunio. Ceisiwch wneud eich cynhyrchiad mor atyniadol a thrawiadol â phosibl.

Gwerthuso

Gall eich gwerthusiad fod ar ffurf cyflwyniad neu adroddiad gyda darluniau. Dylai fod yn 400-850 o eiriau neu'r hyn sy'n cyfateb i hynny a dylech geisio dangos rhai o leiaf o'r canlynol:

- Sut y gwnaeth eich ymchwil i gyfresi drama teledu ac erthyglau am raglenni mewn cylchgronau eich helpu i gynllunio strwythur a gosodiad eich testun chi.
- Sut y gwnaeth eich ymchwil i gynulleidfaoedd eich helpu i greu'r ystyron a'r cynrychioliadau yn y testun.
- Pwy yw'ch cynulleidfa a sut yr ydych yn gobeithio y bydd yn ymateb i'ch testun (cofiwch ei brofi ar eich cynulleidfa i'ch helpu gyda hyn).
- Sut y defnyddioch dechnoleg mor effeithiol â phosibl – tynnwch sylw at unrhyw gymysgu technolegau, megis defnyddio ffôn symudol neu gamera digidol i gynhyrchu delweddau, yna eu trin mewn pecyn fel Photoshop a'u gwreiddio yn eich testun drwy ddefnyddio pecyn cyhoeddi bwrdd gwaith fel Publisher i greu'r dudalen.
- Mae'ch cynhyrchiad yn debyg i hysbyseb o fewn testun arall. Eglurwch sut mae'r cylchgrawn y lleolir eich cynhyrchiad ynddo yn cael ei farchnata, ac eglurwch hefyd sut yr ydych yn gobeithio tynnu sylw at eich cyfres ddrama newydd yn y cylchgrawn.

Asesiad dan Reolaeth: Newyddion

Dyma rai syniadau am ffyrdd o ymdrin ag ymchwiliadau testunol a'r dasg gynhyrchu ym maes newyddion. Ar gyfer eich asesiadau dan reolaeth, byddwch chi'n gweithio ar bwnc gwahanol ar gyfer y ddau ymchwiliad testunol a'ch cynhyrchiad ond rydym ni wedi grwpio'n hawgrymiadau yn feysydd cyfryngol. Fel arweiniad yn unig y bwriadwyd y syniadau hyn.

Ymchwiliad testunol: *genre*

Archwiliwch i ba raddau y mae gwefan *Politics & the City* yn cydymffurfio â chonfensiynau *genre* newyddion.

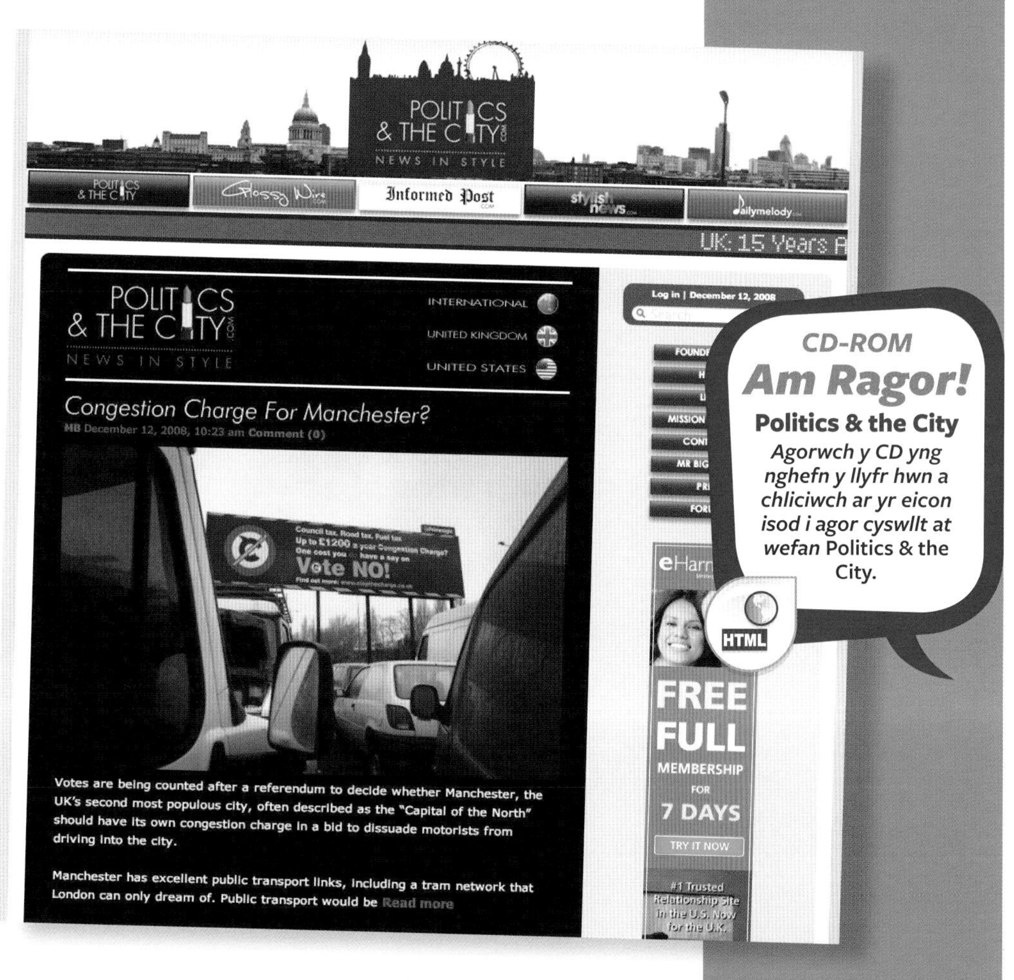

Testunau ategol ar gyfer yr ymchwiliad hwn

Gallai'r rhain gynnwys:

- gwefannau newyddion eraill, er enghraifft, bbc.co.uk neu news.sky.com
- newyddion am enwogion a newyddion eraill mewn cylchgronau wythnosol fel *Heat*, *OK*, *Reveal* a *Now*
- y sylw a roddir i'r newyddion mewn papurau newyddion tabloid fel y *Mirror*
- yr agoriad i gyfres deledu neu fersiwn ffilm *Sex and the City*.

Ffyrdd o gynnal yr ymchwiliad hwn

Gallai'r rhain gynnwys:

- Atgoffa'ch hun o'r technegau a'r derminoleg sy'n ofynnol i ymchwilio i godau a chonfensiynau'r *genre* ym Mhennod 3. Yna, gwnewch ddwy restr – yn gyntaf, rhestrwch brif gonfensiynau newyddion cyffredinol ac, yn ail, rhestrwch gonfensiynau newyddion am enwogion.
- Archwilio gwefan *Politics & the City* yn ofalus. Fe welwch ei bod wedi cael ei rhannu'n adrannau sy'n cynnwys newyddion y DU, newyddion y byd, newyddion am enwogion, newyddion ffasiwn a storïau o ddiddordeb dynol. Y cwestiwn y mae angen i chi ei ateb yw – pa mor nodweddiadol yw hyn o wefan newyddion?
- Edrych ar amryw o wefannau newyddion eraill. Pa bethau a welwch sy'n debyg rhyngddynt, a pha wahaniaethau? Sut maen nhw'n cymharu â'r testun yr ydych chi'n canolbwyntio arno? Crëwch siart, map meddwl neu graff olwyn i ddangos eich canfyddiadau.
- Edrych ar feysydd eraill o'r cyfryngau sy'n ymdrin â'r un math o newyddion â *Politics & the City*. Cymharwch *Politics & the City* hefyd ag agoriad *Sex and the City*. Beth mae hyn yn ei awgrymu am gynulleidfa darged y wefan?
- Nawr penderfynwch sut yr ydych yn mynd i gyflwyno canfyddiadau'ch ymchwiliad testunol. Edrychwch ar yr awgrymiadau ar dudalen 189.

Ymchwiliad testunol: naratif

Archwiliwch sut mae'r naratif yn cael ei lunio mewn bwletinau newyddion 60-90 eiliad fel *BBC News 90 Seconds Update*.

Testunau ategol ar gyfer yr ymchwiliad hwn

Gallai'r rhain gynnwys:

- bwletinau newyddion eraill
- enghreifftiau eraill o storïau newyddion sy'n ennyn diddordeb y gynulleidfa mewn papurau newydd, ar y teledu, ar ffonau symudol ac o ffynonellau newyddion ar wefannau.

Ffyrdd o gynnal yr ymchwiliad hwn

Gallai'r rhain gynnwys:

- Atgoffa'ch hun o'r gwaith ar strwythur naratif ym Mhennod 1: Ffilm a Phennod 2: Teledu yn y llyfr hwn. Atgoffwch eich hun hefyd o'r ffordd y caiff storïau eu trefnu mewn amryw o ffynonellau newyddion fel eu bod yn apelio at gynulleidfaoedd ac i wneud iddynt deimlo bod ganddynt gysylltiad â'r newyddion.
- Gwylio sawl bwletin newyddion 60-90 eiliad. Dewiswch ddwy neu dair stori a fydd, yn eich barn chi, yn creu lefel uchel o ddiddordeb mewn cynulleidfaoedd. Ymchwiliwch i'r ffordd y maent yn defnyddio iaith, lleisiau, delweddau a chlipiau sain efallai i gynyddu'r apêl i gynulleidfaoedd drwy adrodd stori.
- Nawr penderfynwch sut yr ydych yn mynd i gyflwyno canfyddiadau'ch ymchwiliad testunol. Edrychwch ar yr awgrymiadau ar dudalen 189.

Ymchwiliad testunol: cynrychioli

Archwiliwch i ba raddau y mae'r ffordd y caiff storïau newyddion eu cynrychioli yn atgyfnerthu safbwyntiau confensiynol yn rhaglen CBBC *Newsround* neu ar y wefan.

Testunau ategol ar gyfer yr ymchwiliad hwn

Gallai'r rhain gynnwys:

- un ai'r wefan neu'r rhaglen – yn dibynnu ar ba un yr ydych wedi'i ddewis fel y prif destun y byddwch yn canolbwyntio arno
- rhaglenni newyddion eraill fel y prif newyddion min nos ar BBC1, ITV neu S4C neu wefannau newyddion eraill
- papurau newyddion sy'n cael eu targedu at oedolion, er enghraifft, y *Mirror* neu'r *Guardian*
- papurau newyddion sy'n cael eu targedu at blant, er enghraifft, *Headliners* neu *First News*.

Ffyrdd o gynnal yr ymchwiliad hwn

Gallai'r rhain gynnwys:

- Atgoffa'ch hun o'r gwaith ar gynrychioli, yn cynnwys y ffordd y caiff y ddau ryw ac oed eu cynrychioli, ym Mhennod 1: Ffilm; Pennod 2: Teledu; a Phennod 4: Cylchgronau.
- Edrych ar amryw o gynrychioliadau newyddion mewn papurau newyddion neu ar wefannau i oedolion a'u cymharu â chynrychioliadau newyddion mewn papurau newydd neu wefannau i blant. Cyflwynwch eich canfyddiadau mewn ffordd ddiddorol.
- Dadansoddi un neu ddwy o raglenni *Newsround* CBBC neu ddiweddariadau dyddiol ar y wefan. Crëwch fap meddwl sy'n dangos fel mae *Newsround* yn defnyddio cynrychioliadau nodweddiadol o newyddion a hefyd yn symud oddi wrth gynrychioliadau nodweddiadol.
- Nawr penderfynwch sut yr ydych yn mynd i gyflwyno canfyddiadau'ch ymchwiliad testunol. Edrychwch ar yr awgrymiadau ar dudalen 189.

Y cynhyrchiad

Crëwch y dilyniant agoriadol ar gyfer rhaglen materion cyfoes newydd/diweddariad newyddion, yn targedu cynulleidfa ifanc. Bydd yn cael ei darlledu ar eich sianel newyddion ITV ranbarthol ar ôl prif newyddion min nos fel dewis amgen yn lle'r sianel newyddion leol.

Ymchwil

Efallai y byddwch am ystyried y canlynol:

- Gwylio cynifer ag y gallwch o fwletinau newyddion, rhaglenni materion cyfoes a rhaglenni newyddion. Cofnodwch brif gonfensiynau'r bwletinau, yn cynnwys:
  - sut mae'r dilyniant teitl yn cael ei greu
  - sut mae cerddoriaeth yn cael ei defnyddio i roi hunaniaeth arbennig i'r rhaglen
  - ble mae'r cyflwynwyr pan fyddant yn 'rhoi'r' newyddion i ni
  - sut mae'r cyflwynwyr wedi gwisgo, a sut maent yn siarad
  - trefn y storïau newyddion sy'n cael eu rhestru yn yr agoriad
  - yr iaith sy'n cael ei defnyddio wrth ddweud y storïau newyddion
  - sut mae storïau newyddion yn cael eu gwneud i ymddangos yn 'ddramatig'
  - sut mae storïau newyddion yn targedu cynulleidfa benodol.
- Cynhaliwch arolwg ymysg pobl ifanc yn eu harddegau i ganfod pa fath o raglen newyddion am eu hardal leol y bydden nhw'n fwyaf awyddus ei gwylio. Gwnewch nodiadau i'ch helpu gyda'ch gwaith cynllunio.
- Ewch ati i ddarganfod beth yw'r materion/problemau/prosiectau allweddol sy'n mynd rhagddynt yn eich ardal leol. Byddwch am i'ch rhaglen fod mor berthnasol a 'real' â phosibl.

Cynllunio

Erbyn hyn dylai fod gennych rai syniadau am y rhaglen newyddion yr ydych am ei gwneud. Dylech ddefnyddio'ch nodiadau ymchwil a'ch canfyddiadau i'ch helpu i gynllunio'ch cynhyrchiad. Gallai hyn gynnwys:

- Creu proffil o'ch cyflwynydd/cyflwynwyr gyda ffotograffau ac anodiadau am y nodweddion a fydd yn apelio at gynulleidfa ifanc.
- Penderfynu pa rannau o gynnwys y rhaglen newyddion sydd i ymddangos yn yr agoriad – gwnewch yn siŵr fod gennych amrywiaeth o faterion i roi sylw iddynt, ynghyd at amrywiaeth o ran lleoliadau, siaradwyr a 'phwysigrwydd' y storïau.
- Llunio bwrdd stori am y dilyniant agoriadol, gan ei gwneud yn glir sut mae'r teitlau, y gerddoriaeth, y testun ar-sgrin a'r delweddau yn gweithio gyda'i gilydd i creu ystyron ar gyfer eich cynulleidfa darged.
- Llunio sgript saethu i ddangos sut y byddwch yn paratoi'ch lleoliadau a saethiadau unigol.

Cynhyrchu

Edrychwch eto ar y gofynion o ran hyd y cynhyrchiad, ac edrychwch ar yr awgrymiadau ar wneud cynyrchiadau clyweled ar dudalen 193 yn y cyflwyniad i'r adran hon. Os ydych yn mynd i weithio fel rhan o grŵp, cofiwch hefyd edrych ar yr awgrymiadau ar waith grŵp (tudalen 189). Crëwch eich dilyniant agoriadol, gan wneud yn siŵr eich bod yn cyfeirio'n fanwl at eich gwaith cynllunio.

Gwerthuso

Gall eich gwerthusiad fod ar ffurf cyflwyniad neu adroddiad gyda darluniau. Dylai fod yn 400-850 o eiriau neu'r hyn sy'n cyfateb i hynny a dylech geisio dangos rhai o leiaf o'r canlynol:

- Sut y gwnaeth eich ymchwil i raglenni newyddion, materion cyfoes a bwletinau eich helpu i gynllunio strwythur eich dilyniant agoriadol.
- Sut y gwnaeth eich ymchwil i gynulleidfaoedd eich helpu i greu'r ystyron a'r cynrychioliadau yn eich agoriad.
- Pwy yw'ch cynulleidfa a sut yr ydych yn gobeithio y bydd yn ymateb i'ch testun (cofiwch ei brofi ar eich cynulleidfa i'ch helpu gyda hyn).
- Sut y defnyddioch dechnoleg mor effeithiol â phosibl. Bydd hyn yn cynnwys eich dewisiadau o ran cerddoriaeth, ffontiau testun a'r dylunio ar-sgrin, *montage* o ddelweddau a'r cynrychioliad o gyflwynwyr newyddion.
- Sut yr ydych yn gobeithio codi ymwybyddiaeth o'ch rhaglen newyddion newydd. Sut y byddwch chi'n ei hysbysebu ar ITV? A ydych yn bwriadu cael gwefan fel sgil-gynnyrch? A fyddwch yn taro bargen hysbysebu gyda phapur newydd i bobl ifanc?
- Unrhyw faterion preifatrwydd y bydd rhaid i chi eu trafod efallai. Mae'n gwbl bosibl y bydd eich delweddau'n dangos pobl dan 16. Pam y gallai hyn achosi problemau?

Asesiad dan Reolaeth: Cylchgronau

Dyma rai syniadau am ffyrdd o ymdrin ag ymchwiliadau testunol a'r dasg gynhyrchu ym maes cylchgronau. Ar gyfer eich asesiadau dan reolaeth, byddwch chi'n gweithio ar bwnc gwahanol ar gyfer y ddau ymchwiliad testunol a'ch cynhyrchiad ond rydym ni wedi grwpio'n hawgrymiadau yn feysydd cyfryngol. Fel arweiniad yn unig y bwriadwyd y syniadau hyn.

Ymchwiliad testunol: *genre*

Archwiliwch sut mae *Bliss* ar-lein yn cydymffurfio â chonfensiynau'r *genre*.

Testunau ategol ar gyfer yr ymchwiliad hwn

Gallai'r rhain gynnwys:

- copïau o gylchgrawn *Bliss*
- gwefannau cylchgronau ar-lein perthnasol eraill, er enghraifft, *Sugar*, *More*, *Elle* a *Girl*
- gemau consol a dargedir at ferched yn eu harddegau, er enghraifft, *Girl Game*
- rhaghysbysebion ffilm sy'n cael eu targedu at ferched yn eu harddegau, er enghraifft, *High School Musical 3*.

Ffyrdd o gynnal yr ymchwiliad hwn

Gallai'r rhain gynnwys:

- Atgoffa'ch hun o'r technegau a'r derminoleg sy'n ofynnol i ymchwilio i godau a chonfensiynau'r *genre* ym Mhennod 4. Yna, gwnewch restr o'r elfennau hynny sydd yn eich barn chi yn brif gonfensiynau cylchgronau i ferched yn eu harddegau. Defnyddiwch allbrint o glawr blaen rhifyn o gylchgrawn *Bliss* ac anodwch ef i ddangos ei gonfensiynau allweddol fel enghraifft o gylchgrawn nodweddiadol i ferched yn eu harddegau.

- Edrych ar enghreifftiau eraill o gylchgronau i ferched yn eu harddegau. Dewiswch y nodweddion allweddol y maent yn eu rhannu â chylchgrawn *Bliss*.
- Nawr, printiwch *giplun* o dudalen cylchgrawn ar-lein *Bliss* (gweler tudalen 210 am ran o dudalen we nodweddiadol). Gwnewch restr o'r prif bethau sy'n debyg ac yn wahanol rhwng y cylchgrawn a'r dudalen we.
- Archwiliwch y wefan ac ymwelwch â rhai o'r cysylltiadau, er enghraifft, gemau a rhaghysbysebion ffilm sy'n apelio at gynulleidfa o ferched yn eu harddegau. Penderfynwch beth mae'r wefan yn ei gynnig na cheir mohono yn y cylchgrawn.
- Nawr penderfynwch sut yr ydych yn mynd i gyflwyno canfyddiadau'ch ymchwiliad testunol. Edrychwch ar yr awgrymiadau ar dudalen 189.

Ymchwiliad testunol: naratif

Archwiliwch strwythur y naratif yn yr erthygl *'Hollywood UK'* am Simon Pegg o rifyn mis Medi 2008 o *Total Film*.

THE STAR SIMON PEGG

IF SIMON PEGG'S CAREER HAD A TAGLINE, IT would be 'Making Geekdom Cool Since 1999'. That's the year, of course, that Pegg evolved from stand-up and TV comedy bit-parter into the star-creator (with Jessica Stevenson and Edgar Wright) of *Spaced*. After 14 perfectly formed episodes, Pegg pulled the plug on his cult slacker sitcom and, with his muckers Wright and best friend/*Spaced* co-star Nick Frost, proceeded to giddily, affectionately rip the piss out of the walking-dead genre in *Shaun Of The Dead* and buddy-copdom's bloated extremism in *Hot Fuzz*. In the process, he became Britain's finest comedy export.

Today, *Total Film* is tête-à-têting with Pegg in a far more glamorous environment than *Spaced*'s grubby bombsite flat or Pegg's beloved north London pubs – the beachside Century Club in Cannes, where the 38-year-old writer-actor is tapping into the global media pipeline on behalf of his new comedy *How To Lose Friends & Alienate People*. Directed by *Curb Your Enthusiasm* veteran Robert Weide, Brit journo Toby Young's memoir of his disastrous stint at *Vanity Fair* has been turned into a comedy that shifts the non-stop anecdotal parade of humiliation of Young's tome into a more charming romp about a cynical Brit in America. It's the perfect role for Pegg, who has superseded Hugh Grant as the quintessential British everyman...

bit of a control freak so it was nice to let that go for a change"). Strongly playing on Pegg's vein of slapstick, some are pitching it as the *Hot Fuzz* version of *The Devil Wears Prada*. It's not a comparison that sits easily with Pegg. "*The Devil Wears Prada* for blokes? I don't know if that's right. I suppose the premise is similar in that it's like an outsider going to work for a big magazine but that's where the similarity ends."

And that's where one of the similarities with Young's book ends. The author endures a string of embarrassing situations trying to date fearsome New York career women who would never entertain a pudgy journalist without a high six-figure income and a house in the Hamptons. In the film, Pegg not only befriends Megan Fox's sexy ingénue, but he also bags Kirsten Dunst, who moves in the sort of Hollywood circles that are now available to Pegg. He adored his co-star.

"I love her to pieces," gushes Pegg. "She's brilliant. She's one of the most instinctively talented actresses I've ever worked with". Usually, when gush like this comes out of an actor's mouth, you know it's code for "I hated her fucking guts" but it sits at the core of Pegg's all-pervading charm that you know he's genuine. As for rubbing shoulders with A-listers, Pegg retains a healthy British cynicism to the star-fucker world.

'It's always nice to appreciate the craziness of everything'

SIMON PEGG

"The character, Sidney Young, is a sort of shameless self-publicist – I'm not really like that. Even though here we are in Cannes sort of demonstrating to the contrary," says Pegg, his khaki shorts-and-sandals combo helping to back up his point. "I made a decision early on not to play Toby but to treat the screenplay like a fiction. As much as he'd probably disagree, not many people know Toby, so it would be silly for me to try and ape him. It's like Nicole Kidman's prosthetic nose in *The Hours* – who knew Viriginia Woolf had a nose like that?"

How To Lose Friends... is the first script Pegg's ever read where he didn't want to whip out his red pen and start rewriting from page one ("I'm a

"It's always nice to appreciate the kind of craziness of everything," he muses. "But whereas Sidney adores it, I'm suspicious of it. I don't know if I really want to be part of that at all."

And that hasn't changed at all? Is the Pegg of today the same Pegg he was before JJ Abrams was emailing him, asking him to play Scotty in *Star Trek*? "I understand how you can change, but as long as you always appreciate that it's a facile thing, then you'll stay on top of it," he says.

"You want to continue to work and you want to continue to work with the best people and inevitably you sort of move up and start working on bigger films and it's very difficult to say, 'I'd better not do that because it will make me famous'". >>

Testunau ategol ar gyfer yr ymchwiliad hwn

Gallai'r rhain gynnwys:

- cylchgronau ffilm eraill, er enghraifft, *Empire*, *DVD* a *Blu Ray Magazine*
- erthyglau mewn cylchgronau am sêr ac enwogion o'r DU, fel Simon Pegg
- gwefannau i gefnogwyr, fel www.peggster.net.

Ffyrdd o gynnal yr ymchwiliad hwn

Gallai'r rhain gynnwys:

- Atgoffa'ch hun o strwythur naratif (tudalen 9). Darllenwch yr erthygl '*Hollywood UK*' a gwnewch nodiadau ar sut mae'r erthygl yn cael ei rhannu'n adrannau clir – Y Seren, Y Rebel, Y Cyfarwyddwr a'r Ieuenctid Disglair.
- Canolbwyntio ar yr adran gyntaf: Y Seren – Simon Pegg, ac ymchwilio i sut y caiff ei stori ei hadrodd yn yr erthygl. Efallai y byddwch am wneud nodiadau ar y ffordd y caiff yr erthygl ei chyflwyno a'i dirwyn i ben, y ffordd y cyfeirir at ffilmiau, y ffordd y caiff dyfyniadau eu defnyddio i ychwanegu at ein dealltwriaeth o Pegg fel seren, ac ati.
- Edrych ar y ffordd y mae cylchgronau eraill yn ysgrifennu am sêr o'r DU – gallai'r rhain fod yn gylchgronau print neu'n gylchgronau ar-lein.
- Archwilio gwefan Simon Pegg a chwilio am y pethau sy'n debyg a'r gwahaniaethau yn y ffordd y mae stori Pegg yn cael ei hadrodd.
- Nawr penderfynwch sut yr ydych yn mynd i gyflwyno canfyddiadau'ch ymchwiliad testunol. Edrychwch ar yr awgrymiadau ar dudalen 189.

Ymchwiliad testunol: cynrychioli

Archwiliwch sut mae'r diwydiant cylchgronau'n cael ei gynrychioli yn y gyfres deledu *Ugly Betty*.

Testunau ategol ar gyfer yr ymchwiliad hwn

Gallai'r rhain gynnwys:

- *Sex and the City*
- *Just Shoot Me!*
- *13 Going On 30* wedi'i gyfarwyddo gan Gary Winick
- *How to Lose a Guy in 10 Days* wedi'i gyfarwyddo gan Donald Petrie
- cylchgronau ffordd o fyw fel *Heat* a *More*.

Ffyrdd o gynnal yr ymchwiliad hwn

Gallai'r rhain gynnwys:

- Atgoffa'ch hun o'r gwaith ar gynrychioliadau, yn cynnwys cynrychioli digwyddiadau a materion ym Mhennod 1: Ffilm; Pennod 2: Teledu; a Phennod 6: Cerddoriaeth bop. Yna, gwyliwch o leiaf un bennod o *Ugly Betty* a gwnewch nodiadau am sut mae'r diwydiant cylchgronau a'i weithwyr yn cael eu cynrychioli. Fe sylwch ar unwaith fod y diwydiant cylchgronau'n cael ei gynrychioli fel un eithriadol o gystadleuol ac yn ddibynnol ar ddelwedd ac enwogrwydd. Canolbwyntir yn bendant iawn ar elw, cadw at derfynau amser a churo'r cystadleuwyr. Sut y byddech chi'n disgrifio argraff iadau Betty ei hun o'r diwydiant cylchgronau?
- Edrych ar amryw o destunau eraill sy'n canolbwyntio ar y diwydiant cylchgronau – gwnewch nodiadau am yr hyn sy'n debyg a'r gwahaniaethau rhyngddynt.
- Dewis golygfeydd allweddol o'r prif destun sy'n canolbwyntio ar agweddau o'r diwydiant cylchgronau a chreu rhestr o bwyntiau mewn perthynas â strwythur y sefydliad, y swyddi sy'n cael eu cyflawni gan y gweithwyr a rhai o brif flaenoriaethau'r cylchgrawn.
- Nawr penderfynwch sut yr ydych yn mynd i gyflwyno canfyddiadau'ch ymchwiliad testunol. Edrychwch ar yr awgrymiadau ar dudalen 189.

Y cynhyrchiad

Crëwch glawr blaen ynghyd ag un dudalen arall (gallai fod yn dudalen we) cylchgrawn o'ch dewis chi a fydd yn apelio at bobl yn eu harddegau. Gallai hwn fod yn gylchgrawn ffordd o fyw neu'n gylchgrawn diddordeb arbenigol – y peth pwysicaf yw teilwrio'ch cylchgrawn i adlewyrchu eich diddordebau chi!

Ymchwil

Efallai y byddwch am ystyried y canlynol:

- Ewch ati i ganfod pa gylchgronau sy'n bodoli'n barod sy'n cael eu targedu at bobl yn eu harddegau. Dyma rai enghreifftiau: *Heat*, *More*, *Kerrang!* a *NME*. Archwiliwch eu gwefannau ac ymwelwch â'r adrannau sy'n dweud wrthych am ddatblygiad a chynnwys y cylchgrawn, i'ch helpu i ymchwilio i'w llwyddiant.
- Edrychwch at floc teitl ac arddull ffontiau pob cylchgrawn, yn ogystal â'u cloriau blaen a'u tudalennau cynnwys nodweddiadol. Gwnewch siart i ddangos gwahanol gonfensiynau'r cylchgronau yr ydych wedi ymchwilio iddynt.
- Cynhaliwch arolwg cynulleidfa i ganfod beth y byddai pobl yn eu harddegau am ei gael mewn cylchgrawn newydd.

Cynllunio

Erbyn hyn dylai fod gennych rai syniadau am ddyluniad cylchgrawn newydd. Dylech ddefnyddio'ch nodiadau ymchwil a'ch canfyddiadau i'ch helpu i gynllunio'ch cynhyrchiad. Gallai hyn gynnwys:

- tynnu ffotograffau ar gyfer y ddelwedd ganolog ar y clawr blaen ac ar gyfer mewnosodiadau bach ar y dudalen cynnwys
- dylunio bloc teitl eich cylchgrawn – gallai hwn weithredu fel logo y byddwch yn ei ddefnyddio ar frig ac ar waelod pob tudalen
- creu drafftiau a dyluniadau ar gyfer y tudalennau yr ydych wedi'u dewis. Wedyn, dylech eu profi ar y gynulleidfa yr ydych wedi'i dewis er mwyn penderfynu pa rai yw'r rhai mwyaf effeithiol.

Cynhyrchu

Edrychwch eto ar yr awgrymiadau ar gyfer gwneud cynyrchiadau print ar dudalen 192 yn y cyflwyniad i'r adran hon. Cofiwch na chewch weithio mewn grŵp ar ddarnau cynhyrchu print. Anelwch at y safonau uchaf wrth greu'ch tudalennau cylchgrawn, a gwnewch yn siŵr eich bod yn cyfeirio'n fanwl at eich gwaith cynllunio. Ceisiwch wneud eich cynhyrchiad mor atyniadol a thrawiadol â phosibl.

Gwerthuso

Gall eich gwerthusiad fod ar ffurf cyflwyniad neu adroddiad gyda darluniau. Dylai fod yn 400-850 o eiriau neu'r hyn sy'n cyfateb i hynny a dylech geisio dangos rhai o leiaf o'r canlynol:

- Sut y gwnaeth eich ymchwil i gylchgronau sy'n cael eu targedu at bobl yn eu harddegau eich helpu i gynllunio strwythur a dyluniad eich cynhyrchiad.
- Sut y gwnaeth eich ymchwil i gynulleidfaoedd eich helpu i greu'r ystyron a'r cynrychioliadau yn y testun – ceisiwch ddangos sut yr arweiniodd eich dealltwriaeth o gynulleidfaoedd at y dewisiadau a wnaethoch o ran cynnwys eich tudalennau.
- Pwy yw'ch cynulleidfa a sut yr ydych yn gobeithio y bydd yn ymateb i'ch testun (cofiwch ei brofi ar eich cynulleidfa i'ch helpu gyda hyn).
- Sut y defnyddioch dechnoleg mor effeithiol â phosibl – tynnwch sylw at unrhyw gymysgu technolegau, megis defnyddio ffôn symudol neu gamera digidol i gynhyrchu delweddau, yna eu trin mewn pecyn fel Photoshop a'u gwreiddio yn eich testun drwy ddefnyddio pecyn cyhoeddi bwrdd gwaith fel Publisher i greu'r tudalennau.
- Esboniwch sut y bydd eich cylchgrawn yn cael ei farchnata fel teitl newydd mewn marchnad gystadleuol.

Asesiad dan Reolaeth: Comics, cartwnau ac animeiddio

Dyma rai syniadau am ffyrdd o ymdrin ag ymchwiliadau testunol a'r dasg gynhyrchu ym maes comics, cartwnau ac animeiddio. Ar gyfer eich asesiadau dan reolaeth, byddwch chi'n gweithio ar bwnc gwahanol ar gyfer y ddau ymchwiliad testunol a'ch cynhyrchiad ond rydym ni wedi grwpio'n hawgrymiadau yn feysydd cyfryngol. Fel arweiniad yn unig y bwriadwyd y syniadau hyn.

Ymchwiliad testunol: *genre*

Archwiliwch sut mae fersiwn ffilm cyfres gartwnau deledu *Scooby Doo* yn defnyddio confensiynau'r *genre*.

Testunau ategol ar gyfer yr ymchwiliad hwn

Gallai'r rhain gynnwys:

- y rhaghysbysebion a'r cloriau DVD ar gyfer ffilmiau *Scooby Doo* a *Scooby Doo 2*
- penodau o gyfres deledu Scooby Doo
- clawr gêm oddi ar gêm gonsol Scooby Doo fel '*Scooby Doo! Unmasked*'
- comedïau eraill sydd wedi pontio o'r teledu i gomedïau ffilm symudiadau real fel *The Magic Roundabout* a *Transformers*.

Ffyrdd o gynnal yr ymchwiliad hwn

Gallai'r rhain gynnwys:

- Atgoffa'ch eich hun o'r technegau a'r derminoleg sy'n ofynnol i ymchwilio i godau a chonfensiynau'r *genre* ym Mhennod 5. Yna, gwnewch ddwy restr – yn gyntaf, rhestrwch brif gonfensiynau cartwnau plant ac, yn ail, rhestrwch gonfensiynau addasiadau ffilm o gartwnau plant.
- Gwneud allbrint o un o gloriau DVD y ddwy ffilm *Scooby Doo* a hefyd o dudalen we oddi ar wefan Cartoon Network. Anodwch nhw i ddangos eu confensiynau *genre* – ceisiwch ddangos sut y maent yn debyg ac yn wahanol.
- Edrychwch ar destunau ategol eraill, er enghraifft, *Transformers*, a cheisiwch nodi beth sy'n digwydd pan fydd cartŵn yn cael ei addasu'n ffilm.
- Nawr penderfynwch sut yr ydych yn mynd i gyflwyno canfyddiadau'ch ymchwiliad testunol. Edrychwch ar yr awgrymiadau ar dudalen 189.

Ymchwiliad testunol: naratif

Archwiliwch pa mor gonfensiynol yw lluniad neu strwythur y naratif yn y comic *Birds of Prey*.

Testunau ategol ar gyfer yr ymchwiliad hwn

Gallai'r rhain gynnwys:

- comics DC eraill – yn enwedig gomics *Batman*
- cyfres deledu symudiadau real *Birds of Prey*
- cyfres deledu animeiddiedig *Batman: Gotham Knight*
- archarwyr eraill o gomics, yn enwedig y rhai sydd ag archarwresau benyw, er enghraifft, *Rogue* a *Wonder Woman*.

Ffyrdd o gynnal yr ymchwiliad hwn

Gallai'r rhain gynnwys:

- Atgoffa'ch hun o'r gwaith ar strwythur naratif ym Mhennod 5: Comics, cartwnau ac animeiddio. Atgoffwch eich hun hefyd o dechnegau comics, llunio byrddau stori ac adrodd stori (gweler tudalennau 106-110).
- Cymhwyso'ch gwybodaeth drwy ymchwilio i'r clawr blaen ac i un stori yn *Birds of Prey* – sut mae'r naratif wedi cael ei drefnu a sut mae'r stori'n cael ei hadrodd? Un o nodweddion trawiadol *Birds of Prey* yw ei bod yn dweud storïau am arwresau benyw cryf, yn hytrach nag arwyr gwryw.
- Cymharwch naratifau *Birds of Prey* gyda naratif un comic archarwr arall sydd wedi ei seilio ar arwresau.
- Ehangu'ch archwiliad i edrych ar y naratifau yng nghomics *Batman*, lle mae'r gwryw'n llywodraethu. Beth yw'r prif bethau sy'n debyg a'r prif wahaniaethau yn y ffordd y caiff y naratifau eu llunio?
- Nawr penderfynwch sut yr ydych yn mynd i gyflwyno canfyddiadau'ch ymchwiliad testunol. Edrychwch ar yr awgrymiadau ar dudalen 189.

Ymchwiliad testunol: cynrychioli

Archwiliwch sut mae'r cynrychioliadau o wrywod yn cael eu herio yng ngêm animeiddiedig Nintendo Wii, *Rayman Raving Rabbids.*

Testunau ategol ar gyfer yr ymchwiliad hwn

Gallai'r rhain gynnwys:

- gwefan rad ac am ddim gêm *Rayman Raving Rabbids*
- gemau animeiddiedig eraill sydd ag arwyr gwryw
- gwefannau rhyngweithiol animeiddiedig eraill, er enghraifft, *High School Detective.*

Ffyrdd o gynnal yr ymchwiliad hwn

Gallai'r rhain gynnwys:

- Atgoffa'ch hun o'r gwaith ar gynrychioliadau, yn cynnwys cynrychioli'r ddau ryw a chymeriadau ym Mhennod 1: Ffilm; Pennod 2: Teledu; a Phennod 5: Comics, cartwnau ac animeiddio. Yna, ymchwiliwch i gyflwyniad agoriadol gêm Wii *Rayman Raving Rabbids*.
- Ehangu'ch dadansoddiad i gynnwys y ffordd y caiff y rhan fwyaf o arwyr gwryw eu cynrychioli mewn gemau cyfrifiadurol sy'n adlewyrchiad mwy realistig o fywyd go iawn. Efallai yr hoffech wneud siart yn dangos y prif bethau sy'n debyg a'r prif wahaniaethau rhwng gemau eraill a *Rayman*.
- Edrych ar amryw o gemau animeiddiedig rhad ac am ddim ar wefannau sydd ag arwyr gwryw – sut mae'r rhain yn eich helpu i ddeall y ffordd y caiff arwyr gwryw eu cynrychioli mewn gemau animeiddiedig?
- Nawr penderfynwch sut yr ydych yn mynd i gyflwyno canfyddiadau'ch ymchwiliad testunol. Edrychwch ar yr awgrymiadau ar dudalen 189.

Y cynhyrchiad

Crëwch antur gyntaf arwr neu archarwr comic newydd wedi'i dargedu at blant dan 10.

Ymchwil

Efallai y byddwch am ystyried y canlynol:

- Ewch ati i ganfod pa stribedi comic sy'n bodoli'n barod sy'n cael eu targedu at blant ifanc ac sy'n seiliedig ar gymeriadau arwr neu archarwr. Enghreifftiau posibl fyddai *Justice League Unlimited*, *Super Friends* neu *Teen Titans Go!*
- Dewiswch un neu ddwy o storïau o gomics ac ymchwiliwch i'r technegau y maent yn eu defnyddio i'w gwneud yn drawiadol ac yn atyniadol i'w cynulleidfaoedd. Hefyd, dadelfennwch y storïau i'w pwyntiau allweddol i ganfod sut mae'r naratifau'n cael eu trefnu a'u strwythuro.
- Ymchwiliwch i sut y caiff blociau teitl comic eu creu – bydd angen i chi greu un eich hun yn fuan!
- Gwnewch holiadur i ganfod pa fathau o gymeriadau y byddai plant yn mwynhau darllen amdanynt efallai.

Cynllunio

Erbyn hyn dylai fod gennych rai syniadau ynglŷn â phrif nodweddion atyniadol eich stori gomic chi. Dylech ddefnyddio'ch nodiadau ymchwil a'ch canfyddiadau i'ch helpu i gynllunio'ch cynhyrchiad. Gallai hyn gynnwys:

- creu amlinelliad manwl o'ch arwr/archarwr ac o bosibl y dihiryn sy'n ei wrthwynebu. Tynnwch lun y cymeriad(au) a labelwch eu nodweddion allweddol
- mynd ati i ymarfer braslunio'ch cymeriad(au) yn sefyll mewn gwahanol ystumiau ac yn dangos gwahanol emosiynau
- dylunio bloc teitl eich comic – bydd hwn yn gweithredu fel logo i'r gyfres gomic a hwn yw'r peth cyntaf y bydd eich cynulleidfa yn ei weld ac yn ei adnabod
- cynllunio'ch antur gomic gyntaf drwy feddwl am 8-12 o fframiau/panelau a fydd yn cyflwyno'r cymeriadau, a hefyd yn dangos emosiwn, sain ac amser yn mynd heibio
- drafftio'r dudalen yn fras, gan fraslunio pob ffrâm a'i phrofi ar aelodau o'ch cynulleidfa.

Cynhyrchu

Edrychwch eto ar yr awgrymiadau ar gyfer gwneud cynyrchiadau print ar dudalen 192. Cofiwch na chewch weithio mewn grŵp ar ddarnau cynhyrchu print. Anelwch at y safonau uchaf wrth greu'ch tudalennau cylchgrawn, a gwnewch yn siŵr eich bod yn cyfeirio'n fanwl at eich gwaith cynllunio. Ceisiwch wneud eich cynhyrchiad mor atyniadol a thrawiadol â phosibl.

Gwerthuso

Gall eich gwerthusiad fod ar ffurf cyflwyniad neu adroddiad gyda darluniau. Dylai fod yn 400-850 o eiriau neu'r hyn sy'n cyfateb i hynny a dylech geisio dangos rhai o leiaf o'r canlynol:

- Sut y gwnaeth eich ymchwil i storïau arwyr/archarwyr comic eich helpu i greu'ch stori gomic eich hun fel ei bod mor drawiadol a chyffrous â phosibl.
- Sut y gwnaeth eich ymchwil i gynulleidfaoedd eich helpu i greu'r ystyron a'r cynrychioliadau yn y testun.
- Pwy yw'ch cynulleidfa a sut yr ydych yn gobeithio y bydd yn ymateb i'ch testun (cofiwch ei brofi ar eich cynulleidfa i'ch helpu gyda hyn).
- Sut yr aethoch ati i greu'r comic. Efallai i chi ddibynnu ar eich sgiliau dylunio graffig eich hun, neu efallai i chi ddefnyddio cyfuniad o fframiau graffig a fframiau yr ydych chi wedi'u tynnu. Tynnwch sylw at unrhyw gymysgu technolegau, megis defnyddio swigod siarad wedi'u printio ar ddelweddau a dynnwyd â llaw, neu ddefnyddio llenwi cyfrifiadurol i gael lliw bloc. Sylwch, os ydych wedi tynnu'ch comic â llaw ar A4, y gallwch gael ei chwyddo i A3 drwy fynd at argraffwr lleol, gyda'r canlyniad y bydd yn edrych yn sgleiniog a 'realistig', yn debyg i gomic.

Asesiad dan Reolaeth: Cerddoriaeth bop

Dyma rai syniadau am ffyrdd o ymdrin ag ymchwiliadau testunol a'r dasg gynhyrchu ym maes cerddoriaeth bop. Ar gyfer eich asesiadau dan reolaeth, byddwch chi'n gweithio ar bwnc gwahanol ar gyfer y ddau ymchwiliad testunol a'ch cynhyrchiad ond rydym ni wedi grwpio'n hawgrymiadau yn feysydd cyfryngol. Fel arweiniad yn unig y bwriadwyd y syniadau hyn.

Ymchwiliad testunol: *genre*

Archwiliwch i ba raddau y mae'r gwaith celf ar gyfer albwm Rihanna a ryddhawyd yn 2007, *Umbrella*, yn cydymffurfio â chonfensiynau *genre* RnB. Bydd rhaid i chi gael clawr albwm *Umbrella* er mwyn cwblhau'r ymchwiliad hwn.

Testunau ategol ar gyfer yr ymchwiliad hwn

Gallai'r rhain gynnwys:

- cloriau eraill ar gyfer caneuon ac albymau Rihanna, er enghraifft, *Disturbia* (2008) a *A Girl Like Me* (2006)
- fideo cerddoriaeth *Umbrella*
- enghreifftiau eraill o waith celf ar albymau RnB, er enghraifft, *When You're Mad* gan Neo a *Here I Stand* gan Usher.

Ffyrdd o gynnal yr ymchwiliad hwn

Gallai'r rhain gynnwys:

- Atgoffa'ch hun o'r technegau a'r derminoleg sy'n ofynnol i ddadansoddi codau a chonfensiynau'r *genre* ym Mhennod 6. Wedyn, gwnewch restr o'r hyn yw prif gonfensiynau RnB, yn eich barn chi. Defnyddiwch allbrint o'r gwaith celf ar albwm *Umbrella* ac anodwch ef i ddangos ei gonfensiynau allweddol fel enghraifft o gerddoriaeth RnB.
- Gwneud nodiadau am y fideo cerddoriaeth ac eglurwch pam mae'r gân RnB hon wedi bod mor boblogaidd gyda chynulleidfaoedd. Pa gysylltiadau allwch chi eu gweld rhwng y fideo a gwaith celf yr albwm?
- Edrych ar enghreifftiau eraill o waith celf ar gyfer albymau Rihanna – ydy'r ffordd y mae'n cynrychioli RnB wedi newid dros amser? Efallai y byddwch am edrych ar enghreifftiau eraill o waith celf ar albymau artistiaid RnB. Allwch chi weld elfennau sy'n debyg a gwahaniaethau yn y ffordd y mae pob un ohonynt yn cynrychioli RnB?
- Nawr penderfynwch sut yr ydych yn mynd i gyflwyno canfyddiadau'ch ymchwiliad testunol. Edrychwch ar yr awgrymiadau ar dudalen 189.

Ymchwiliad testunol: naratif

Eglurwch sut mae'r naratif wedi cael ei lunio yn y fideo cerddoriaeth *Now You're Gone* gan Basshunter.

Testunau ategol ar gyfer yr ymchwiliad hwn

Gallai'r rhain gynnwys:

- y fideos cerddoriaeth dilynol *Please Don't Go*, *Last Night* ac *All I Ever Wanted*. (Mae'r fideos hyn wedi'u mewnblannu yng ngwefan Basshunter yn ogystal â Hard2beat.com ac maent yn barhad o'r naratif yn *Now You're Gone*.)
- gwefan Basshunter, sy'n hynod o ryngweithiol ac yn cysylltu â'r syniad sydd wrth wraidd parhad y naratif o *Now You're Gone*.

Ffyrdd o gynnal yr ymchwiliad hwn

Gallai'r rhain gynnwys:

- Atgoffa'ch hun o strwythur naratif a swyddogaeth cymeriadau (tudalennau 9 a 103). Gwyliwch fideo cerddoriaeth *Now You're Gone* (ar y CD yn y llyfr hwn), a gwnewch nodiadau am sut mae'r naratif yn cael ei lunio, a sut mae'r cymeriadau'n cael eu cynrychioli yn y fideo. Ceisiwch benderfynu pa mor nodweddiadol yw'r naratif a cheisiwch nodi beth yw pwrpas yr arwr, yr arwres a'r cynorthwywyr yn y naratif.
- Ehangu'ch ymchwiliad ac edrych ar y fideos ategol *Please Don't Go*, *Last Night* ac *All I Ever Wanted*. Maent yn dilyn o *Now You're Gone* – ond sut maen nhw'n ychwanegu ystyr pellach at y prif naratif? Hefyd, archwiliwch wefannau Basshunter a/neu Hard2beat.com. Meddyliwch am y ffordd y mae'r cyfryngau'n cydgyfeirio a'r berthynas agos rhwng y fideo cerddoriaeth a gwefan yr artist yn ogystal â'r hysbysebion ar Hard2beat.com.

- Mae'r defnydd o dechnoleg hefyd yn enghraifft o gyfryngau modern yn cydgyfeirio. Sut a pham mae'r naratifau'n defnyddio technoleg ffôn symudol, cyfrifiadur, gwe-gam a chamcordydd?
- Nawr penderfynwch sut yr ydych yn mynd i gyflwyno canfyddiadau eich ymchwiliad testunol. Edrychwch ar yr awgrymiadau ynglŷn â hyn ar dudalen 189.

Ymchwiliad testunol: cynrychioli

Archwiliwch sut mae cyflwynwyr rhaglenni cerddoriaeth yn cael eu cynrychioli ar bodlediad Chris Moyles: *The Best of Chris Moyles.*

Testunau ategol ar gyfer yr ymchwiliad hwn

Gallai'r rhain gynnwys:

- gwefan gartref y BBC, sy'n rhoi gwybodaeth am wahanol ffyrdd o wrando ar y podlediad a sut i lwytho'r podlediadau i lawr yn llwyddiannus
- dyfyniadau oddi ar sioe frecwast Radio 1
- clipiau o raglenni MTV, yn canolbwyntio ar y cyflwynwyr
- gwefan *Sony Radio Academy Awards* sy'n rhoi manylion am raglenni cerddoriaeth boblogaidd eraill a'u cyflwynwyr
- rhifyn o gylchgrawn ffordd o fyw i ganolbwyntio ar y cynrychioliad o sêr ac enwogion.

Ffyrdd o gynnal yr ymchwiliad hwn

Gallai'r rhain gynnwys:

- Atgoffa'ch hun o'r gwaith ar gynrychioliadau, yn cynnwys cynrychioli sêr ac enwogion ym Mhennod 1: Ffilm; Pennod 2: Teledu; Pennod 4: Cylchgronau; a Phennod 6: Cerddoriaeth bop. Yna, gwrandewch ar un o bodlediadau Chris Moyles a gwnewch nodiadau am sut mae Chris a'r tîm yn cael eu cynrychioli – byddwch yn sylwi ar unwaith gyn lleied o gerddoriaeth sydd yn y podlediad, er bod llawer o gyfeiriadau at fandiau ac artistiaid. Canolbwyntir yn bendant iawn ar Chris a'i dîm. Sut y byddech chi'n disgrifio'r rhyngweithio rhwng y cyflwynwyr?
- Gwrando ar raglen frecwast Radio 1 i'w chymharu â'r podlediad. Ydy'r tîm yn cael ei gynrychioli yn yr un ffordd? Allwch chi ganfod tystiolaeth fod unrhyw rai o aelodau'r tîm yn cael eu cynrychioli mewn meysydd cyfryngol eraill, er enghraifft, y teledu?
- Gwneud ymchwil i un neu ddau o gyflwynwyr eraill sydd wedi ennill gwobrau am eu rhaglenni cerddoriaeth ar y radio. Oes ganddyn nhw bodlediadau? Ydyn nhw'n cael eu cynrychioli'n wahanol i dîm Radio 1? Hefyd, gwyliwch gyflwynydd rhaglen newyddion ar y teledu a gwnewch nodiadau am sut y mae'r cynrychioli yn debyg neu'n wahanol efallai.
- Nawr penderfynwch sut yr ydych yn mynd i gyflwyno canfyddiadau'ch ymchwiliad testunol. Edrychwch ar yr awgrymiadau ar dudalen 189.

Y cynhyrchiad

Crëwch fideo cerddoriaeth neu raghysbyseb ar gyfer rhaglen deledu newydd gan ddefnyddio cân o'ch dewis chi o'r *genre* roc amgen.

Ymchwil

Mae Radiohead yn cael ei ystyried gan lawer fel arweinydd ym maes fideos cerddoriaeth roc amgen arbrofol, felly byddai'n grŵp da i seilio'ch ymchwil arno. Efallai y byddwch am ystyried y canlynol:

- Dechreuwch drwy edrych ar ddisgyddiaeth y grŵp ac ewch ati i ganfod rhagor am rai o'i albymau: *Pablo Honey* (1993), *The Bends* (1995), *OK Computer* (1997), *Kid A* (2000), *Amnesiac* (2001), *Hail to the Thief* (2003), *In Rainbows* (2007). Printiwch neu gwnewch lungopi o gloriau dau o albymau Radiohead ac anodwch nhw i ddangos confensiynau'r *genre*.
- Chwiliwch am ffotograff o Radiohead ac ymchwiliwch i ddelwedd y band.
- Yn anarferol, roedd *In Rainbows* yn albwm rhad ac am ddim i'w lwytho i lawr. Gwyliwch y fideo cerddoriaeth *Jigsaw Falling Into Place* a gafodd ei ffilmio ar gyllideb fach, gan roi camerâu ar bennau'r band i greu effaith ddiddorol. Gwnewch nodiadau ar sut mae'r fideo cerddoriaeth wedi cael ei lunio a'i ffilmio.
- Cafodd cân Radiohead, *Nude*, ei defnyddio hefyd yn y rhaghysbyseb am ail dymor *Skins* ar E4. Gallwch weld y rhaghysbyseb ar wefan un ai E4 neu *Skins*. Sylwch ar y cysylltiad rhwng y gerddoriaeth/geiriau a'r delweddau a welir yn y rhaghysbyseb, i gyfleu ystyr.
- Cynhaliwch arolwg cynulleidfa i ganfod pwy sy'n mwynhau roc amgen a beth y maent yn ei ddisgwyl gan fideos cerddoriaeth roc amgen.

Cynllunio

Erbyn hyn dylai fod gennych rai syniadau am y gân yr ydych am ei defnyddio i greu eich cerddoriaeth fideo neu'ch rhaghysbyseb deledu eich hun. Dylech ddefnyddio'ch nodiadau ymchwil a'ch canfyddiadau i'ch helpu i gynllunio'ch cynhyrchiad. Gallai hyn gynnwys:

- Creu delwedd y band neu'r artist a chymryd 'ffotograff ar gyfer y wasg' i roi cliwiau am y *genre* y mae'n perthyn iddo.
- Penderfynu ar gynnwys y fideo/rhaghysbyseb a gwneud yn siŵr y bydd yn cwrdd â gofynion eich cynulleidfa darged.
- Llunio stori-fyrddau ar gyfer y fideo neu'r rhaghysbyseb, gan ei gwneud yn glir sut mae'r gerddoriaeth, geiriau'r gân a'r delweddau yn gweithio gyda'i gilydd i greu ystyron i'ch cynulleidfa.
- Llunio sgript saethu i ddangos sut y byddwch yn paratoi eich lleoliadau a saethiadau unigol.
- Creu logo un ai ar gyfer eich cwmni cynhyrchu cerddoriaeth neu ar gyfer y rhaglen deledu sy'n cael ei threialu.

Cynhyrchu

Edrychwch eto ar y gofynion o ran hyd y cynhyrchiad, ac edrychwch ar yr awgrymiadau ar wneud cynyrchiadau clyweled ar dudalen 193. Os ydych yn mynd i weithio fel rhan o grŵp, cofiwch hefyd edrych ar yr awgrymiadau ar waith grŵp (tudalen 191). Crëwch eich fideo/rhaghysbyseb, gan wneud yn siŵr eich bod yn cyfeirio'n fanwl at eich gwaith cynllunio.

Gwerthuso

Gall eich gwerthusiad fod ar ffurf cyflwyniad neu adroddiad gyda darluniau. Dylai fod yn 400-850 o eiriau neu'r hyn sy'n cyfateb i hynny a dylech geisio dangos rhai o leiaf o'r canlynol:

- Sut y gwnaeth eich ymchwil i fideos cerddoriaeth a'r *genre* roc amgen eich helpu i gynllunio strwythur eich testun.
- Sut y gwnaeth eich ymchwil i gynulleidfaoedd eich helpu i greu'r ystyron a'r cynrychioliadau yn y testun.
- Pwy yw'ch cynulleidfa a sut yr ydych yn gobeithio y bydd yn ymateb i'ch testun (cofiwch ei brofi ar eich cynulleidfa i'ch helpu gyda hyn).
- Sut y defnyddioch dechnoleg mor effeithiol â phosibl – tynnwch sylw at unrhyw dechnolegau cydgyfeiriol a ddefnyddiwyd, megis ffôn symudol mewn fideo cerddoriaeth neu saethiad o bennawd papur newydd.
- Sut yr ydych yn gobeithio dosbarthu eich testun. Fel Radiohead, efallai y byddwch am ddefnyddio fforwm sy'n darparu gofod am ddim fel YouTube neu bebo i'w ddosbarthu ar y Rhyngrwyd, neu ddefnyddio llwybrau sydd wedi ennill eu plwyf ers mwy o amser, fel cwmni cynhyrchu cerddoriaeth.

Asesiad dan Reolaeth: Hysbysebu a marchnata

Dyma rai syniadau am ffyrdd o ymdrin ag ymchwiliadau testunol a'r dasg gynhyrchu ym maes hysbysebu a'r cyfryngau. Ar gyfer eich asesiadau dan reolaeth, byddwch chi'n gweithio ar bwnc gwahanol ar gyfer y ddau ymchwiliad testunol a'ch cynhyrchiad ond rydym ni wedi grwpio'n hawgrymiadau yn feysydd cyfryngol. Fel arweiniad yn unig y bwriadwyd y syniadau hyn.

Ymchwiliad testunol: *genre*

Archwiliwch sut mae confensiynau'r *genre* yn cael eu herio yn hysbyseb cwningod plastisin Bravia Sony.

Testunau ategol ar gyfer yr ymchwiliad hwn

Gallai'r rhain gynnwys:

- fersiynau eraill o'r hysbyseb cwningod mewn ffurfiau clyweled a phrint
- hysbysebion Bravia eraill gan Sony fel yr hysbysebion peli sboncio a phaent yn ffrwydro
- enghreifftiau eraill o hysbysebion yn defnyddio technegau animeiddio
- enghreifftiau eraill o hysbysebion yn defnyddio pobl ac anifeiliaid 'real'.

Ffyrdd o gynnal yr ymchwiliad hwn

Gallai'r rhain gynnwys:

- Atgoffa'ch hun o'r technegau a'r derminoleg sy'n ofynnol i ddadansoddi codau a chonfensiynau'r *genre* ym Mhennod 7. Wedyn, gwnewch ddwy restr – yn gyntaf, rhestrwch brif gonfensiynau hysbysebion clyweled ac, yn ail, rhestrwch gonfensiynau animeiddio stop-symud.
- Cymhwyso eich dadansoddiad i nifer o hysbysebion Bravia Sony – pa gonfensiynau *genre* sy'n gyffredin i'r hysbysebion? Gwnewch fap meddwl i ddangos prif gonfensiynau pob hysbyseb yr ydych wedi'i hastudio.
- Ehangu eich ymchwil i edrych ar amryw o hysbysebion 'real' a hysbysebion wedi'u hanimeiddio. Gwnewch siart i ddangos y pethau sy'n debyg ac yn wahanol rhyngddynt.
- Dewis un hysbyseb sydd yn eich barn chi yn 'nodweddiadol' o hysbysebion clyweled, a gwneud rhestr pwyntiau bwled i ddangos sut mae hysbyseb cwningod Bravia Sony yn atgyfnerthu ac yn herio confensiynau nodweddiadol hysbysebion.
- Nawr penderfynwch sut yr ydych yn mynd i gyflwyno canfyddiadau'ch ymchwiliad testunol. Edrychwch ar yr awgrymiadau ar dudalen 189.

Ymchwiliad testunol: naratif

Archwilio sut mae'r naratif yn cael ei lunio yn hysbyseb e-gerddoriaeth Bluetooth.

Testunau ategol ar gyfer yr ymchwiliad hwn

Gallai'r rhain gynnwys:

- hysbysebion eraill am gerddoriaeth i'w llwytho i lawr – print, hysbysebion naid ar y Rhyngrwyd a chlyweled
- hysbysebion Qwikker eraill gan Bluetooth am ystod o gynnyrch – print, hysbysebion naid ar y Rhyngrwyd a chlyweled
- y wefan *eMusic*.

Ffyrdd o gynnal yr ymchwiliad hwn

Gallai'r rhain gynnwys:

- Atgoffa'ch hun o'r gwaith ar strwythur naratif ym Mhennod 1: Ffilm; Pennod 2: Teledu; a Phennod 7: Hysbysebu. Hefyd, atgoffa'ch hun o sut mae cynulleidfaoedd yn gwneud synnwyr o hysbysebion cydgyfeiriol sy'n defnyddio mwy nag un dechnoleg ac sydd i'w canfod mewn mwy nag un dechnoleg.
- Archwilio gwefan *eMusic*, a mynd i'r cysylltiadau ar y dudalen gartref. Gwnewch restrau o ble mae'r cysylltiadau'n mynd â chi, a beth maent yn ei roi/ei ddangos i ddefnyddwyr.
- Ymchwilio i un neu ddwy enghraifft o hysbysebion am gerddoriaeth i'w llwytho i lawr sy'n defnyddio gwahanol feysydd cyfryngol, er enghraifft, MTV, ffôn symudol, hysbysebion naid ar y Rhyngrwyd. Ceisiwch egluro sut maent wedi cael eu llunio fel eu bod yn cyfleu negeseuon neilltuol i gynulleidfaoedd.
- Edrych yn ofalus ar beth y mae hysbyseb eMusic Bluetooth yn canolbwyntio arno. Gludwch yr hysbyseb ar bapur ac ysgrifennwch anodiadau o'i chwmpas i ddangos sut y cafodd ei llunio fel bod cynulleidfaoedd yn gallu gweld ystyron ynddi.
- • Nawr penderfynwch sut yr ydych yn mynd i gyflwyno canfyddiadau eich ymchwiliad testunol. Edrychwch ar yr awgrymiadau ynglŷn â hyn ar dudalen 189.

CD-ROM

Am Ragor!

Gwefan visitbritain

Agorwch y CD yng nghefn y llyfr hwn a chliciwch ar yr eicon isod i agor cyswllt at wefan visitbritain.

HTML

Ymchwiliad testunol: cynrychioli

Archwiliwch i ba raddau y mae'r ffordd y caiff y DU ei chynrychioli yn atgyfnerthu safbwyntiau confensiynol ar wefan visitbritain.com.

Testunau ategol ar gyfer yr ymchwiliad hwn

Gallai'r rhain gynnwys:

- hysbysebion teledu a Rhyngrwyd am leoedd ym Mhrydain
- hysbysebion papurau newydd a chylchgronau am leoedd ym Mhrydain
- amryw o hysbysebion am wledydd eraill yn y byd
- cynrychioliadau o Brydain mewn bwletinau newyddion.

Ffyrdd o gynnal yr ymchwiliad hwn

Gallai'r rhain gynnwys:

- Atgoffa'ch hun o'r gwaith ar gynrychioliadau, yn cynnwys cynrychioli digwyddiadau a materion ym Mhennod 1: Ffilm; Pennod 2: Teledu; Pennod 4: Cylchgronau a Phennod 7: Hysbysebu.
- Edrych ar amryw o lyfrynnau teithio, gwefannau a hysbysebion papur newydd a chreu siart i ddangos nodweddion amlycaf sut mae lleoedd/cenhedloedd yn cael eu hysbysebu.
- Archwilio gwefan visitbritain.com yn drylwyr a rhestru ei nodweddion allweddol. Byddwch yn sylwi ar y delweddau'n newid ar banel mwyaf y dudalen gartref – mae'r rhain yn dangos ystod o gynrychioliadau o Brydain, ac yn cyfleu ymdeimlad o harddwch, ethnigrwydd, dosbarth, digwyddiadau i dwristiaid, teulu a gwahanol oedrannau.
- Defnyddio'ch ymchwil i edrych yn fanwl ar hysbysebion cyffredinol (mewn amryw o feysydd cyfryngol) sy'n hysbysebu Prydain. Gwnewch restr o'r nodweddion sy'n cael eu dangos amlaf.
- Cymharu'ch nodiadau ar wefan *visitbritain* gyda'r hyn yr ydych wedi'i ddysgu o'ch ymchwil am gynrychioli lleoedd/cenhedloedd.
- Nawr penderfynwch sut yr ydych yn mynd i gyflwyno canfyddiadau'ch ymchwiliad testunol. Edrychwch ar yr awgrymiadau ar dudalen 189.

Y cynhyrchiad

Crëwch hysbyseb ar gyfer comic neu hysbyseb ar ffurf ffotostori ar gyfer cylchgrawn sy'n cael ei dargedu at gynulleidfa yn yr arddegau.

Ymchwil

Efallai y byddwch am ystyried y canlynol:

- Edrychwch ar gynifer â phosibl o gylchgronau, ffotostorïau, stribedi comic a hysbysebion 'traddodiadol'. Cofnodwch brif gonfensiynau'r rhain yn cynnwys:
  - sut y caiff fframiau eu creu a'u llunio i ddweud 'stori' hysbyseb
  - sut y caiff technegau comic eu defnyddio i helpu i ddweud y stori, er enghraifft, blychau testun naratif, swigod siarad a meddwl
  - sut y caiff cymeriadau eu creu fel eu bod yn 'siarad' â'r gynulleidfa am eu rôl a'u swyddogaeth yn ogystal ag am y cynnyrch yn yr hysbyseb
  - sut y gwneir i hysbysebion mewn arddull ffotostori ymddangos yn 'ddramatig', er mwyn tynnu sylw at y *cynnyrch*
  - fel *mae'n rhaid* i hysbysebion mewn arddull ffotostori *ddangos mai hysbysebion ydyn nhw* (yn aml drwy ddefnyddio blwch testun bach ar frig neu ar waelod yr hysbyseb yn dweud 'Hysbyseb').

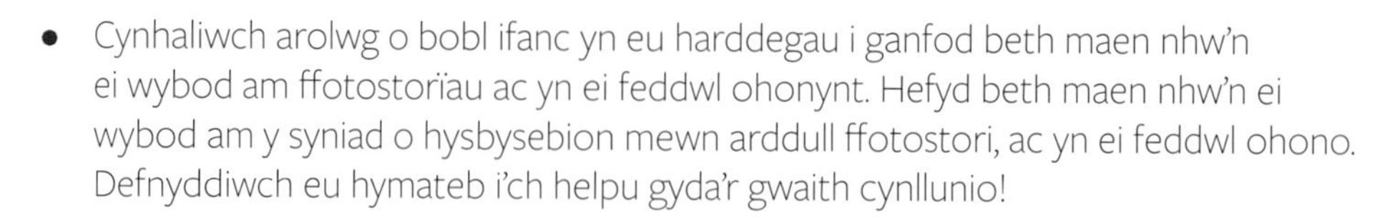

- Cynhaliwch arolwg o bobl ifanc yn eu harddegau i ganfod beth maen nhw'n ei wybod am ffotostorïau ac yn ei feddwl ohonynt. Hefyd beth maen nhw'n ei wybod am y syniad o hysbysebion mewn arddull ffotostori, ac yn ei feddwl ohono. Defnyddiwch eu hymateb i'ch helpu gyda'r gwaith cynllunio!

Cynllunio

Erbyn hyn dylai fod gennych rai syniadau am yr hysbyseb ffotostori ar gyfer cylchgrawn yr ydych am ei gwneud. Dylech ddefnyddio'ch nodiadau ymchwil a'ch canfyddiadau i'ch helpu i gynllunio'ch cynhyrchiad. Gallai hyn gynnwys:

- dewis y cylchgrawn yr ydych am roi'ch hysbyseb gomic neu hysbyseb ar ffurf ffotostori ynddo. Neu, gallech ddewis creu cylchgrawn newydd i roi'ch hysbyseb ynddo
- penderfynu ar funudau allweddol eich hysbyseb, gan sicrhau ei bod yn cynnwys yr holl negeseuon am y cynnyrch yr ydych wedi'i ddewis a fydd, yn eich barn chi, yn bwysig i'ch cynulleidfa darged
- creu bwrdd stori o'r hysbyseb yr ydych am ei gwneud, gan gynnwys rhestr o'r nodweddion a fydd yn apelio at gynulleidfa ifanc
- dewis y lleoliadau a'r actorion allweddol i ymddangos yn eich hysbyseb.

Cynhyrchu

Edrychwch eto ar yr awgrymiadau ar wneud cynyrchiadau print ar dudalen 192 yn y cyflwyniad i'r adran hon. Cofiwch na chewch weithio mewn grŵp ar ddarnau cynhyrchu print. Anelwch at y safonau uchaf wrth greu'ch hysbyseb ffotostori, a gwnewch yn siŵr eich bod yn cyfeirio'n fanwl at eich gwaith cynllunio. Ceisiwch ei gwneud mor lliwgar a thrawiadol â phosibl.

Gwerthuso

Gall eich gwerthusiad fod ar ffurf cyflwyniad neu adroddiad gyda darluniau. Dylai fod yn 400-850 o eiriau neu'r hyn sy'n cyfateb i hynny a dylech geisio dangos rhai o leiaf o'r canlynol:

- Sut y gwnaeth eich ymchwil i hysbysebion mewn cylchgronau a stribedi ffoto/comic eich helpu i gynllunio strwythur eich hysbyseb derfynol.
- Sut y gwnaeth eich ymchwil i gynulleidfaoedd eich helpu i greu'r ystyron a'r cynrychioliadau yn y testun.
- Pwy yw'ch cynulleidfa a sut yr ydych yn gobeithio y bydd yn ymateb i'ch testun (cofiwch ei brofi ar eich cynulleidfa i'ch helpu gyda hyn).
- Sut y defnyddioch dechnoleg mor effeithiol â phosibl. Bydd hyn yn cynnwys eich dewisiadau ynglŷn â gosodiad pob ffrâm (meddyliwch am y goleuadau a'r *mise-en-scène* yn arbennig), y ffontiau testun a'r dyluniad ar-sgrin, gosodiad y delweddau a'r ffordd y caiff y cymeriadau allweddol eu cynrychioli.
- Sut yr ydych yn gobeithio tynnu sylw at eich ffotostori yn y cylchgrawn. Sut y byddwch chi'n denu ac yn CADW sylw cynulleidfaoedd hyd yn oed ar ôl iddynt sylweddoli mai hysbyseb yw eich testun, nid rhan o'r cylchgrawn? Sut y byddwch chi'n llunio cysylltiadau â meysydd cyfryngol eraill a wnaiff hysbysebu'ch cynnyrch?
- Sut y gwnaethoch ystyried ymwybyddiaeth cynulleidfaoedd. Mae'n bwysig i'r gynulleidfa sylweddoli mai cynnyrch yw eich cynnyrch. Pam?

Rhestr Termau

Acen Sain y llais sy'n dweud wrthym o ba ran o'r wlad y daw'r cyflwynydd.

Angori Crisialu ystyr penodol sy'n perthyn i lun neu ffotograff, drwy ychwanegu capsiwn yn aml.

Ailryddhau Pan fydd cwmni recordiau'n rhyddhau caneuon a recordiwyd beth amser yn ôl a'u bod mwy na thebyg wedi gwerthu'n dda yn barod.

Anime Ffurf animeiddio Japaneaidd sy'n cyfuno symudiadau camera gyda fframiau llonydd.

Animeiddiad model Techneg animeiddio sy'n defnyddio modelau wrth raddfa y mae modd newid eu hystum.

Animeiddiadau Fersiynau clyweled o gomics sy'n cael eu defnyddio mewn amryw o ffurfiau cyfryngol megis ffilmiau a hysbysebion.

Archarwr Cymeriad arwrol sydd â phwerau arbennig a chyrch oes.

Arch-ddihiryn Y cymeriad sy'n gwrthwynebu'r archarwr – yn aml, mae ganddo yntau bwerau arbennig hefyd, sy'n cael eu defnyddio er drwg yn unig. Yr arch-ddihirod mwyaf cofiadwy yw'r rhai y mae ganddynt reswm i droi at ddrygioni, er enghraifft, Doctor Octopus yn *Spiderman*.

Arddull tŷ Y dull cyflwyno neu'r cynllun sy'n cael ei ffafrio gan orsaf radio neu gyhoeddwyr, sy'n gweddu i'r gynulleidfa.

Blocbyster Ffilm sydd â chyllideb enfawr, y disgwylir iddi fod yn llwyddiant mawr; mae'r enw'n deillio o'r rhesi hir o bobl yn aros mewn ciw o amgylch y bloc i gael gweld ffilmiau llwyddiannus.

Brand Math arbennig o gynnyrch, er enghraifft, jîns Levi.

Brandio Y nodweddion arbennig sy'n ein galluogi i adnabod cynnyrch.

Bwrdd Stori Mae'n dangos munudau allweddol stori gan ddefnyddio delweddau a nodiadau.

Camneidio Lle teimlwn fod yr uniad rhwng dau saethiad yn digwydd yn sydyn gan nad ydym yn disgwyl gweld yr hyn a ddaw nesaf.

Capsiwn Geiriau disgrifiadol nesaf at lun.

Categoreiddio Trefnu neu grwpio testunau cyffelyb, er enghraifft, cylchgronau, yn ôl y nodweddion sydd ganddynt yn gyffredin.

Codau a chonfensiynau Y pethau sy'n gwneud darn cyfryngol yr hyn ydyw, h.y. y pethau sy'n ei ddiffinio. Er enghraifft, rydym yn cysylltu ceffylau, sbardunau, salwnau a phelenni chwyn â ffilmiau cowbois, a goleuadau'n fflachio, actorion mewn siwtiau sgleiniog a diffyg disgyrchiant â ffuglen wyddonol. Yn yr un modd, rydym yn cysylltu teitlau coch, penawdau bras a chlecs am enwogion â'r papurau tabloid.

Confensiynau Nodweddion arferol math neilltuol o destun.

Copi Deunydd ar gyfer erthyglau sy'n ymddangos mewn papurau newydd neu gylchgronau.

Cydamseru gwefusau Lle mae person mewn fideo yn meimio fel bod symudiadau ei wefusau yn cyd-fynd â'r geiriau a glywir ar drac sain.

Cydgyfeiriol Pan fydd mwy nag un maes cyfryngol yn dod ynghyd, mewn perthynas fusnes yn aml – er enghraifft, comics a theledu.

Cyfathrebu ar sail profiad Lle mae'r defnyddwyr yn rhyngweithio â'r cynnyrch yn hytrach na dim ond edrych ar luniau ohono.

Cyfeiriad rhyngdestunol Pan fydd un testun cyfryngol yn dynwared neu'n cyfeirio at destun cyfryngol arall mewn ffordd y bydd llawer o ddefnyddwyr yn ei hadnabod.

Cyflymdra Pa mor gyflym mae rhywbeth yn digwydd neu y mae stori'n datblygu.

Cyfran o'r gynulleidfa Y nifer o bobl y mae cyfrwng neilltuol yn ei ddenu o'i gymharu â'i gystadleuwyr.

Cylchgronau arbenigol Cylchgronau sy'n canolbwyntio ar faes diddordeb penodol er mwyn apelio at gynulleidfa gul neu arbenigol.

Cylchgronau ffordd o fyw Cylchgronau sy'n ymdrin â llawer o bynciau a materion er mwyn apelio at gynulleidfa eang.

Cylchgronau sgleiniog Cylchgronau â phapur trwchus, 'sgleiniog', hysbysebion drud a phris clawr uchel.

Cylchrediad Y nifer o gopïau o bapur newydd sy'n cael eu gwerthu.

Cymeradwyaeth Rhoi canmoliaeth i rywbeth.

Cymeriad stoc Cymeriad cynorthwyol sydd yn aml yn dipyn o stereoteip – ei waith yw helpu'r prif gymeriadau, cael ei achub ganddynt neu farw!

Cymhorthdal Gostwng pris testun cyfryngol, fel cylchgrawn neu bapur newydd, drwy werthu gofod hysbysebu.

Cyn-gynhyrchu Gweithgareddau ar ddechrau'r broses gynhyrchu, e.e. syniadau, ceisiadau am gyllid, stori-fyrddau, ysgrifennu sgriptiau, cynllunio a dylunio, adeiladu setiau, castio ac ymarferiadau.

Cynhyrchu Saethu ar setiau pwrpasol neu mewn lleoliadau allanol.

Cynhyrchydd Y sawl sy'n gwneud cynnyrch.

Cynnig syniad ffilm Syniad am ffilm newydd a gyflwynir i gynhyrchwyr ffilm. Fel arfer mae'n cynnwys syniadau am blot, actorion posibl, hyrwyddo a marchnata.

Cynrychioli Sut mae pobl, lleoedd, digwyddiadau neu syniadau yn cael eu darlunio neu eu portreadu i gynulleidfaoedd mewn testunau cyfryngol. Weithiau, gwneir hyn yn syml drwy stereoteipiau fel y gall y gynulleidfa weld beth a olygir ar unwaith, ac weithiau mae'r ystyron yn llai amlwg.

Cynulleidfa darged Y grŵp penodol o bobl y mae testun cyfryngol yn cael ei dargedu ato.

Cynulleidfa Pobl sy'n darllen testun cyfryngol, yn edrych neu wrando arno neu'n ei ddefnyddio.

Cysylltiadau Yr ystyr cudd y tu ôl i ddelwedd, gair neu sŵn sy'n rhoi dyfnder i'r ddelwedd.

Dadadeiladu Tynnu cynnyrch cyfryngol yn ddarnau i weld sut mae'n gweithio a sut y cafodd ei lunio. Mae'n fwy na dim ond dadansoddi.

Darlledwr gwasanaeth cyhoeddus Sianel sy'n cael ei hariannu gan ffi drwydded y mae'n rhaid iddi ddarparu dewis o raglenni i apelio at bob grŵp cymdeithasol, er enghraifft, BBC1.

Darlledwr masnachol Sianel sy'n cael ei hariannu drwy arian hysbysebion, er enghraifft, ITV.

Darnau stoc o ffilm Deunydd sy'n cael ei gadw mewn llyfrgell, sy'n dangos rhywbeth perthnasol i'r stori newyddion.

Defnydd o'r cyfryngau Y testunau cyfryngol y byddwch yn eu gwylio, yn gwrando arnynt neu'n eu darllen.

Defnyddiwr eilaidd Rhywun sy'n gwylio, gwrando ar neu ddarllen testun cyfryngol gan wneud rhywbeth arall yr un pryd, fel siarad neu waith cartref.

Defnyddwyr Y bobl sy'n prynu, yn darllen, yn gwylio neu'n gwrando ar gynnyrch y cyfryngau.

Delweddau a gynhyrchir gan gyfrifiadur (CGI) Defnyddio graffigwaith cyfrifiadurol, yn enwedig graffigwaith cyfrifiadurol tri dimensiwn, mewn effeithiau arbennig

Demograff Y math o gynulleidfa sy'n gwylio neu'n darllen cynnyrch cyfryngol.

Demograffeg Gair arall am gategorïau o gynulleidfaodd.

Dilyniant agoriadol (neu ddilyniant teitl) Cyfres o saethiadau a cherddoriaeth neu graffeg sy'n ymddangos ar ddechrau rhaglen neu ffilm.

Dolen gyswllt Darn byr o siarad gan y cyflwynydd rhwng cerddoriaeth neu eitemau eraill.

Dull cyfarch Y ffordd y mae testun yn creu perthynas â'i gynulleidfa.

Dull dosbarthu Y ffordd y mae'r diwydiant cerddoriaeth yn dosbarthu traciau cerddoriaeth i'w gynulleidfa.

Dyhead Pan fydd cynulleidfa yn gweld ffasiwn, cyfwisgoedd, ffordd o fyw, ac ati, mewn cylchgrawn yr hoffent hwy eu cael eu hunain.

Dynodiad Dealltwriaeth o arteffactau'r cyfryngau – sut y maent yn edrych ac yn swnio.

Effeithiau arbennig Effeithiau gweledol neu sain, cyffrous a dynamig, a ddefnyddir i greu argraff mewn ffilmiau.

Enwogion Rhywun sy'n boblogaidd mewn un wlad am ymddangos mewn un maes cyfryngol, megis opera sebon.

Genre Math o destun cyfryngol (rhaglen, ffilm, cerddoriaeth boblogaidd ac ati) sydd â rhai nodweddion y gellir eu rhagweld.

Goddefol Ddim yn helpu'r naratif i symud yn ei flaen neu ddim yn helpu'r arwr.

Gofod cyfryngol Unrhyw ofod mewn papurau newydd, cylchgronau, ar y radio neu'r teledu, lle gellir gosod hysbysebion.

Golygu dilyniant Golygu sydd wedi'i fwriadu i wneud i un digwyddiad ddilyn yn naturiol o ddigwyddiad arall. Nid oes dim anarferol yn digwydd i wneud i'r gwyliwr sylwi bod golygu wedi digwydd.

Golygydd lluniau Y person sy'n gyfrifol am ddewis y ffotograffau sy'n cael eu cynnwys mewn papur newydd.

Gwefan rhwydweithio cymdeithasol Mae Facebook a Myspace yn enghreifftiau.

Gwerthoedd a dyheadau Y syniadau a'r cyrchnodau sy'n bwysig i bobl.

Gwerthoedd newyddion Pethau sy'n help i sicrhau bod stori'n cael ei chynnwys yn y newyddion.

Gwrthgymeriadau Cymeriadau a fydd yn chwarae gyferbyn â'r cymeriad canolog allweddol, un ai mewn perthynas (er enghraifft, yr arwr/arwres) neu mewn gwrthdaro (er enghraifft, yr arwr/dihiryn).

Hybrid Pan fydd o leiaf ddau *genre* yn dod ynghyd i greu *genre* newydd, er enghraifft, mae ffilmiau am archarwyr yn cyfuno *genres* comics archarwyr a ffilmiau llawn mynd.

Hysbysebu firaol Lledaenu hysbysebion drwy ddefnyddio atodiad at negeseuon e-bost. Gall roi cylchrediad eang iawn heb unrhyw gost.

Ideoleg System o werthoedd, credoau neu syniadau sy'n gyffredin i grŵp penodol o bobl.

Incwm gwario Yr arian sydd gan rywun ar ôl i'w wario ar ôl talu am hanfodion fel cartref a bwyd.

Is genre Gellir rhannu *genres* yn is-*genres*, er enghraifft, mae comedïau i bobl yn eu harddegau yn is-*genre* o gomedi.

Is-olygydd Y person sy'n gyfrifol am ddyluniad papur newydd.

Lleoli cynnyrch Rhoi brand neu gynnyrch i gynhyrchwyr cyfryngol – maent hwythau wedyn yn ei ddefnyddio fel celficyn er mwyn i'r cynnyrch gael ei weld mewn golau ffafriol.

Llwytho i lawr Unrhyw ffeil sydd ar gael ar weinyddwr pell i gael ei llwytho i lawr i gyfrifiadur cartref. Mae YouTube yn enghraifft o wefan rhannu ffeiliau.

Manga Comics Japaneaidd poblogaidd sydd wedi dylanwadu ar ffilmiau *anime*.

Marchnadoedd arbenigol Grwpiau bach sy'n cael eu targedu am eu bod yn rhannu'r un diddordebau, incwm, ac ati.

Marchnata Y broses o wneud cwsmeriaid yn ymwybodol o gynnyrch, gwasanaethau a syniadau yn y gobaith y byddant am eu prynu.

Mise-en-scène Ymadrodd Ffrangeg sydd yn llythrennol yn golygu 'gosod yn yr olygfa'.

Naratif Stori neu hanes.

Naratif aml-linynnol Pan fydd drama deledu yn dilyn mwy nag un stori a hefyd yn eu cydgysylltu neu'n eu cydblethu.

Nifer y darllenwyr Faint o bobl sy'n darllen papur newydd neu gylchgrawn. Mae'r ffigur hwn yn uwch na'r cylchrediad fel arfer oherwydd gall sawl person ddarllen yr un papur neu gylchgrawn.

Nod adnabod Fel logo, nodwedd o ffilm, cymeriad neu gwmni yr ydych yn ei hadnabod ar unwaith, er enghraifft, dyrnau gwyrdd yr Hulk.

Ôl-gatalog Yr holl waith blaenorol sydd wedi cael ei recordio gan artistiaid neu fandiau.

Ôl-gynhyrchu Gweithgareddau ar ddiwedd y broses gynhyrchu e.e. golygu, dybio sain, credydau, marchnata a hyrwyddo, grwpiau ffocws, rhaghysbysebion, erthyglau a nodweddion.

Oriau brig Yr oriau rhwng 6.00 p.m. a 10.30 p.m. pan fydd y rhan fwyaf o bobl yn gwylio'r teledu fel bod y ffigurau gwylio ar eu huchaf.

Papurau dalen lydan Yn draddodiadol, papurau newydd sy'n cael eu hargraffu mewn fformat mawr (tudalennau 37 cm wrth 58 cm); cânt eu hystyried yn fwy difrifol o ran eu cynnwys na'r papurau tabloid.

Papurau tabloid Yn draddodiadol, papurau newydd â thudalennau hanner maint papurau dalen lydan; fel arfer mae mwy o luniau ynddynt a gallant fod yn llai difrifol o ran eu tôn a'u cynnwys na'r papurau dalen lydan.

Pen isaf y farchnad Pobl ar incwm is sydd â llai o arian i'w wario ar bethau y tu hwnt i angenrheidiau sylfaenol bywyd.

Pen uchaf y farchnad Pobl sy'n gyfforddus eu byd, gydag incwm rhesymol.

Penarglwyddiaeth Y ffordd y dylanwadir ar bobl i dderbyn goruchafiaeth grŵp grymus sy'n gorfodi ei farn ar weddill y boblogaeth.

Porthora Lle mae gohebwyr neu olygyddion yn atal rhai materion ond yn caniatáu i eraill gael eu cynnwys mewn papurau newydd neu ddarllediadau newyddion.

Prif Ddefnyddiwr Rhywun sy'n canolbwyntio ar wylio, gwrando ar neu ddarllen testun cyfryngol.

Prif gymeriadau Y cymeriadau allweddol y mae'r testun a'r naratif yn troi o'u cwmpas.

Pris clawr Y pris a godir am y cylchgrawn – mae'n cael ei arddangos ar y clawr blaen.

Proffil y gynulleidfa Y mathau o bobl sy'n darllen, yn gwylio neu'n gwrando ar destun neilltuol.

Refeniw Yr arian sy'n cael ei gynhyrchu drwy werthu gofod hysbysebu mewn cylchgrawn neu bapur newydd, ar y teledu, ar wefannau ac ati.

Rhwydwaith Grŵp neu system gydgysylltiedig.

Saethiad cynnyrch (neu becyn) Llun o'r cynnyrch ei hun, er enghraifft, pecyn o greision ŷd.

Safbwynt Y safbwynt neilltuol y mae'r papur newydd am i'w ddarllenwyr ei gymryd tuag at stori.

Sêr Perfformwyr sy'n enwog yn rhyngwladol.

Sgil-gynhyrchion Nwyddau sy'n defnyddio cymeriadau o destun cyfryngol.

Siarter y BBC Y caniatâd swyddogol gan y llywodraeth i'r BBC godi ffi'r drwydded yn gyfnewid am raglenni o safon.

Stereoteipiau Pobl wedi'u grwpio gyda'i gilydd ar sail nodweddion syml y maent yn eu rhannu, heb ganiatáu ar gyfer unrhyw elfennau unigryw unigol.

Stereoteipiol Dangos grwpiau o bobl drwy gyfrwng rhai nodweddion y maent yn eu rhannu ond sydd wedi'u gorsymleiddio e.e. dangos menywod fel gwragedd tŷ sy'n cecru'n barhaus.

Strwythur naratif Y ffordd y caiff y stori ei threfnu a'i llunio o ran amser a digwyddiadau.

Tanseiliad Pan ddefnyddir techneg nad yw'n cyd-fynd â theori neu'r ffordd arferol o wneud rhywbeth (er enghraifft, pan fydd tro yn y naratif yn mynd ag ef i gyfeiriad newydd).

Teipograffeg Y dewis o ffont (arddull a maint), y dylunio graffig a'r gwaith gosod.

Teitl Teitl y papur newydd sy'n ymddangos mewn print bras ar dop y dudalen flaen.

Teitlau coch Papurau tabloid sydd â theitlau coch.

Templed Patrwm sy'n helpu i bennu ffurf y cynnyrch a ddaw ar ei ôl.

Testun Nid dim ond y gair ysgrifenedig ond testun ffilm, testun radio, ac ati.

Testunau cysylltiol Testunau cyfryngol sy'n defnyddio'r cymeriadau, a'r stori o bosibl, o destun mewn ffurf arall.

Tôn/naws Ansawdd a chymeriad llais neu ddarn o ysgrifennu.

Traws-blot Ffordd o ddilyn hynt gwahanol storïau drwy un bennod o gyfres ddrama deledu.

Trothwy amser Cytundeb rhwng sianelau daearol i beidio â dangos deunydd cignoeth tan ar ôl 9 p.m.

Tyndra Y cyffro a'r disgwyliadau'n cynyddu wrth i'r stori ddatblygu.

Uwchgwmnïau'r cyfryngau Corfforaethau mawr sy'n berchen ar fwy nag un cwmni yn y cyfryngau; weithiau, maent yn berchen ar nifer fawr o gwmnïau.

Ymchwil marchnata Darganfod beth mae cynulleidfaoedd yn ei hoffi, neu ddim yn ei hoffi, am agweddau o'r cyfryngau drwy gyfweliadau, arolygon a grwpiau ffocws.

Ymwybyddiaeth brand Gwneud yn siŵr fod y cyhoedd yn adnabod y cynnyrch ar amrantiad.

TGAU Astudio'r Cyfryngau CBAC
Cyfieithiad Cymraeg o *WJEC GCSE Media Studies* gan Many Esseen, Martin Phillips, John Ashton a Mike Edwards, a gyhoeddwyd yn wreiddiol yn Saesneg gan Heinemann.
Mae Heinemann yn nod masnach cofrestredig o eiddo Pearson Education Limited

Noddwyd gan Lywodraeth Cynulliad Cymru
Cyhoeddwyd dan nawdd Cynllun Adnoddau Addysgu a Dysgu CBAC
Cyhoeddwyd gyntaf 2010
12 11 10 09
10 9 8 7 6 5 4 3 2 1
Data Catalogio wrth Gyhoeddi y Llyfrgell Brydeinig
Mae cofnod catalog am y llyfr hwn ar gael oddi wrth y Llyfrgell Brydeinig.
ISBN 978 1 84851 307 5

Dyluniwyd a chynhyrchwyd gan Kamae Design, Rhydychen
Lluniau gwreiddiol © Pearson Education Limited 2009
Darluniau gan Tony Forbes
Cynllun y clawr gan Pete Stratton
Ymchwil lluniau gan Ginny Stroud-Lewis
Argraffwyd gan Gomer

Cydnabyddiaeth

Hoffai'r awdur a'r cyhoeddwr ddiolch i'r unigolion a'r sefydliadau canlynol am ganiatâd i atgynhyrchu ffotograffau:

© The Advertising Archives tt114, 149 (de), 156, 157, 159 (y lluniau i gyd), 224; © Alamy/Alex Segre t71; © Alamy/AllOver Photography t77 (top); © Alamy/Chris Fredriksson t127; gyda chaniatâd y BBC/S4C t43 (gwaelod); © Alamy/DEK C t124 (canol); © Alamy/Frances Roberts t12 (gwaelod); © Alamy/INTERFOTO Pressebildagentur t124 (canol chwith); © Alamy/Jon Arnold Images Ltd t145; © Alamy/Jon Challicom t32 (gwaelod); © Alamy/Roberto Herret t18; © Alamy/WoodyStock t77 (canol); © Art Directors a Trip/Helene Rogers t11 (y tri llun gwaelod); © Bettmann/CORBIS t128 (gwaelod); © Channel 4 tt36, 48; © Colin Jones/Topfoto t124 (top); © Corbis tt3 (gwaelod), 87 (top), 121; © Corbis/Angelo Hornak t14 (top); © Corbis/Bettmann tt15 (top), 124 (chwith eithaf), 149 (chwith); © Corbis/Challenge Roddie t104 (canol); © Corbis/Denis O'Regan t138; © Corbis/Neal Preston t124 (ail o'r chwith); © Corbis/Reuters/Ray Stubblebine t24; © Corbis/Rune Hellestad t133 (gwaelod); © Corbis/Saba/Louise Gubb t58; © Corbis/Sygma t6; © Corbis/Wally McNamee t168; © Daniel Attia/zefa/Corbis t68; © David James/Warner Bros/ZUMA/Corbis t111; © Getty Images tt104 (de), 124 (ail o'r dde), 147, 153; © Getty Images/AFP tt22, 184; © Getty Images/Felbert+Eickenberg t32 (top); © Getty Images/Film Magis tt88, 89 (canol chwith), 219; © Getty Images/Lichfield Archive tt135 (ail o'r gwaelod), 139; © Getty Images/Lonely Planet t59 (top); © Getty Images/Michael Ochs Archives t124 (trydydd o'r chwith, trydydd o'r dde); © Getty Images/Photodisc t59 (gwaelod); © Getty Images/Popperfoto t124 (de canol); © Getty Images/WireImage tt124 (de eithaf), 126; © Ian West/PA Wire/PA Photos t43 (top); © The Illustrated London News Photo Library t52; © Image Source Pink/Alamy t28; © INTERFOTO Pressebildagentur/Alamy t47; © ITV t38; © ITV Granada t42; © The Kobal Collection tt135 (gwaelod), 136; © The Kobal Collection/ABC-Tv/Danny Feld tt44 (gwaelod), 212; © The Kobal Collection/ABC-TV/Moshe Brakha t41; © The Kobal Collection/Allied Artists t4; © The Kobal Collection/Celluloid Dreams/Hammer & Tongs t196; © The Kobal Collection/Columbia tt115, 135 (top); © The Kobal Collection/Destination Films/Gullane Pics t102; © The Kobal Collection/Dreamworks/Aardman Animations t116; © The Kobal Collection/Dreamworks LLC t181; © The Kobal Collection/Focus Features t17 (de top); © The Kobal Collection/Focus Features/Greg Williams t33; © The Kobal Collection/HANNAH BARBERA PRODS/ATLAS ENTERTAINMENT; © The Kobal Collection/Marvel Enterprises tt17 (chwith top), 195; © The Kobal Collection/MGM/United Artists/Sony t165; © The Kobal Collection/Monarchy/Regency t162; © The Kobal Collection/NBC-TV t200; © The Kobal Collection/Polygram/Suzanne Hanover t11 (top); © The Kobal Collection/STUDIO GHIBLI t120; © The Kobal Collection/20th Century Fox t104 (chwith); © The Kobal Collection/20th Century Fox-film corporation t5 (de); © The Kobal Collection/20th Century Fox/Marvel t112; © The Kobal Collection/United Artists t135 (ail o'r top); © The Kobal Collection/Universal TV/NBC t202; © The Kobal Collection/Walt Disney Pictures t117; © The Kobal Collection/Warner Bros Pictures tt5 (chwith), 15 (gwaelod), 17 (de gwaelod), 118; © The Kobal Collection/Warner Bros/Castle Rock Ent. t17 (chwith gwaelod); © Mandy Esseen t89 (chwith gwaelod, de gwaelod); © Martin Phillips tt173 (chwith a de), 178 (chwith a de); © Matthew Birchall/Alamy t87 (de gwaelod); © Michael Germana/Starmax/EMPICS Entertainment/PA Photos t89 (de top); © NASA/HSTI; © PAPhotos t44 (top); © Paul Kane/Getty Images t134; © Pearson Education/Tudor Photography t172; © Photoshot/UPPA t35; © Rex Features t49; © Raymond Press Agency t65; © Rex Features t69; © Rex Features/FremantleMedia Ltd t143; © Shutterstock t133 (top); © Shutterstock/Andriy Doriy t12 (top); © Shutterstock/foto.fritz t30 (gwaelod); © Shutterstock/ifong t77 (gwaelod); © Shutterstock/LesPalenik t29 (chwith); © Science Photo Library/Sheila Terry t30 (top); © Shutterstock/Ljupco Smokovski t29 (de); © Shutterstock/rook76 t14 (gwaelod); © 2006 TopFoto/Ken Russell t123; © Wikipedia t131.

Gwnaed pob ymdrech i gysylltu â dalwyr hawlfraint deunydd sy'n cael ei atgynhyrchu yn y llyfr hwn. Caiff unrhyw fethiant i gydnabod hawlfraint ei unioni mewn argraffiadau dilynol os hysbysir y cyhoeddwr o'r methiant.

Pennod 1: Defnyddiwyd clawr cylchgrawn *Empire*, © Empire, gyda chaniatâd; logos BBFC: Eiddo Bwrdd Dosbarthu Ffilmiau Prydain yw'r symbolau dosbarthu hyn ac mae iddynt amddiffyniad nod masnach a hawlfraint. Fe'u defnyddiwyd gyda chaniatâd y BBFC; **Pennod 2**: Defnyddiwyd y dyfyniad o siarter y BBC gyda chaniatâd y BBC; Defnyddiwyd logo Ofcom gyda chaniatâd Ofcom; Defnyddiwyd amserlenni teledu BBC 1 a BBC 2 gyda chaniatâd caredig cylchgrawn y *Radio Times*; Defnyddiwyd dyfyniad Peter Fincham gyda chaniatâd y BBC; Defnyddiwyd amserlenni teledu E4 gyda chaniatâd caredig cylchgrawn y *Radio Times*; **Pennod 3**: Defnyddiwyd dyfyniad Edward R. Murrow, © Edward R. Murrow, gyda chaniatâd caredig yr ystâd; Defnyddiwyd teitl y *Sun* gyda chaniatâd NI Syndication Ltd.; Defnyddiwyd tudalen flaen y *Sun* ('It's the Sun wot won it') gyda chaniatâd NI Syndication Ltd.; Defnyddiwyd tudalen flaen *The Times* ('Major plans reshuffle today') gyda chaniatâd NI Syndication Ltd.; Defnyddiwyd tudalen flaen *The Times* ('When war came to America') gyda chaniatâd NI Syndication Ltd.; Defnyddiwyd darn o'r *Daily Mail* a'r dudalen flaen ('Time's up for happy hour') gyda chaniatâd y *Daily Mail*; 'You're Spuddy Clever Walter' o *Hold Ye Front Page: 2000 Years of History on the Front Page of the 'Sun'* gan John Perry a Neil Roberts, © 1999. Defnyddiwyd gyda chaniatâd HarperCollins Publishers; 'Monkey Nutter' o Hold Ye Front Page: 2000 Years of History on the Front Page of the 'Sun' gan John Perry a Neil Roberts, © 1999. Defnyddiwyd gyda chaniatâd HarperCollins Publishers; Defnyddiwyd darn o'r *Daily Mail*('Shameless') gyda chaniatâd y *Daily Mail*; **Pennod 4**: Defnyddiwyd clawr cylchgrawn *Elle* gyda chaniatâd caredig *Elle*, Paris; Defnyddiwyd ciplun oddi ar *ElleUK.com* gyda chaniatâd caredig *Elle*, Paris; Defnyddiwyd ciplun oddi ar wefan BFI gyda chaniatâd caredig Sefydliad Ffilm Prydain; Defnyddiwyd clawr cylchgrawn *Asiana* gyda chaniatâd caredig I & I Media Limited; Defnyddiwyd clawr a thudalen gynnwys cylchgrawn *Shout* gyda chaniatâd caredig D.C. Thomson; Defnyddiwyd clawr *Angler's Mail* gyda chaniatâd caredig IPC Media; Defnyddiwyd ciplun oddi ar empireonline.com gyda chaniatâd caredig cylchgrawn *Empire*. www.empireonline.com; Defnyddiwyd adolygiad ffilm oddi ar *empireonline.com* gyda chaniatâd caredig cylchgrawn *Empire*. www.empireonline.com; Defnyddiwyd clawr cylchgrawn *Empire* gyda chaniatâd caredig cylchgrawn *Empire*. www.empireonline.com; Defnyddiwyd clawr cylchgrawn *NME* gyda chaniatâd caredig IPC Media, un o gwmnïau Time Warner; Defnyddiwyd clawr y *Radio Times* gyda chaniatâd caredig cylchgrawn y *Radio Times*; Defnyddiwyd clawr *Thomas and Friends* gyda chaniatâd Egmont; Defnyddiwyd logo IPC Media gyda chaniatâd IPC Media; Defnyddiwyd clawr cylchgrawn *PC Gamer* gyda chaniatâd Future Publishing Ltd.; **Pennod 5**: Defnyddiwyd clawr *Dandy* gyda chaniatâd caredig D.C. Thomson; Defnyddiwyd clawr *Beano* gyda chaniatâd caredig D.C. Thomson; Defnyddiwyd clawr y *Fantastic Four*: nod masnach a © 2009 Marvel Characters Inc., gyda chaniatâd; Defnyddiwyd clawr cylchgrawn *Shidoshi* gyda chaniatâd caredig Antarctic Press; **Pennod 6**: Defnyddiwyd erthygl *Numa Numa* gyda chaniatâd caredig The Salzburg Academy on Media & Global Change; Defnyddiwyd dau glawr oddi ar gylchgrawn Mixmag gyda chaniatâd caredig Development Hell Ltd.; Defnyddiwyd dyfyniad David Hepworth o gylchgrawn *Mixmag* gyda chaniatâd Development Hell; Defnyddiwyd dyfyniad Keris Ferguson gyda chaniatâd caredig This is Fake DIY; **Pennod 7**: Defnyddiwyd darn o'r *Daily Mail* ('Free DVD inside') gyda chaniatâd y *Daily Mail*; Defnyddiwyd clawr y *Radio Times* gyda chaniatâd caredig cylchgrawn y *Radio Times*; Defnyddiwyd yr erthygl am Wayne Rooney a'i lun o gylchgrawn *Toxic* gyda chaniatâd Egmont; **Pennod 8**: Daeth data cynulleidfaoedd BBC Radio 1 am y cyfnod yn gorffen Medi 2008 oddi ar wefan RAJAR (Radio Joint Audience Research): www.rajar.co.uk; **Pennod 10**: ciplun oddi ar dudalen gartref www.indianajones.co.uk; ciplun oddi ar dudalen gartref www.news.politicsandthecity.com; ciplun oddi ar dudalen gartref www.mybliss.co.uk; Defnyddiwyd erthygl Simon Pegg sydd i'w weld yng nghylchgrawn *Total Film* gyda chaniatâd Future Publishing Ltd.; Defnyddiwyd hysbyseb Bluetooth gyda chaniatâd caredig Qwikker; Atgynhyrchwyd ciplun oddi ar dudalen gartref www.visitbritain.co.uk diolch i VisitBritain.

Cytundeb Trwydded Un Defnyddiwr: CD-ROM TGAU Astudio'r Cyfryngau CBAC

Rhybudd:
Mae hwn yn gytundeb sy'n rhwymo mewn cyfraith rhyngoch Chi (y defnyddiwr neu'r sefydliad prynu) a Pearson Education Limited o Edinburgh Gate, Harlow, Essex, CM20 2JE, y Deyrnas Unedig ('PEL').

Drwy ddal y Drwydded hon, unrhyw gyfryngau meddalwedd neu ddeunyddiau ysgrifenedig cysylltiol neu drwy wneud unrhyw rai o'r gweithgareddau a ganiateir, yr ydych yn cytuno i gael eich rhwymo gan delerau ac amodau'r Drwydded hon. Os nad ydych yn cytuno i gadw telerau ac amodau'r Drwydded hon, peidiwch â pharhau i ddefnyddio CD-ROM TGAU Astudio'r Cyfryngau CBAC a dychwelwch y cyhoeddiad yn ei gyfanrwydd (y Drwydded hon a'r holl feddalwedd, y deunyddiau ysgrifenedig, y deunydd pacio ac unrhyw elfen arall a dderbyniwyd gyda ef) yn ddiymdroi gyda'ch derbynneb i'ch cyflenwr i gael ad-daliad llawn.

Hawliau Eiddo Deallusol:
Mae'r CD-ROM TGAU Astudio'r Cyfryngau CBAC hwn yn cynnwys meddalwedd a data hawlfraint. Mae'r holl hawliau eiddo deallusol, yn cynnwys yr hawlfraint, yn eiddo i PEL neu ei drwyddedwyr a byddant yn parhau i berthyn iddo/iddynt bob amser. Dim ond y disg y cyflenwir y feddalwedd arno sy'n eiddo i chi. Os na fyddwch yn parhau i wneud dim ond yr hyn y caniateir ichi ei wneud yn unol â chynnwys y Drwydded hon byddwch yn torri'r Drwydded a bydd gan PEL yr hawl i derfynu'r Drwydded hon drwy rybudd ysgrifenedig ac i weithredu i adennill oddi wrthych iawndal am unrhyw niwed a ddioddefwyd gan PEL am ichi dorri amodau'r drwydded.

Mae enw PEL, logo PEL a phob nod masnach arall sy'n ymddangos ar y feddalwedd ac ar CD-ROM TGAU Astudio'r Cyfryngau CBAC yn nodau masnach o eiddo PEL. Ni chewch ddefnyddio unrhyw nodau masnach o'r fath i unrhyw bwrpas o gwbl ac eithrio fel y maent yn ymddangos ar y feddalwedd ac ar CD-ROM TGAU Astudio'r Cyfryngau CBAC.

Cewch, fe gewch chi:
1. ddefnyddio'r CD-ROM TGAU Astudio'r Cyfryngau CBAC hwn ar eich cyfrifiadur personol fel un defnyddiwr unigol. Dim ond i'r diben o greu copi wrth gefn y cewch wneud copi o CD-ROM TGAU Astudio'r Cyfryngau CBAC ar ffurf y gall peiriant ei darllen. Rhaid i'r copi wrth gefn gynnwys yr holl wybodaeth hawlfraint sydd wedi'i chynnwys yn y gwreiddiol.

Na, ni chewch chi:
1. gopïo'r CD-ROM TGAU Astudio'r Cyfryngau CBAC hwn (ac eithrio i wneud un copi er mwyn creu copi wrth gefn fel y nodwyd yn y tabl Cewch, fe gewch chi uchod);

2. newid, dadgydosod nac addasu'r CD-ROM TGAU Astudio'r Cyfryngau CBAC hwn, na'i ddadsaernïo, ei ddadgrynhoi na chreu cynnyrch deilliadol o gynnwys y gronfa ddata nac unrhyw feddalwedd sydd wedi'i chynnwys arno mewn unrhyw ffordd;

3. cynnwys unrhyw ddeunyddiau neu ddata meddalwedd oddi ar CD-ROM TGAU Astudio'r Cyfryngau CBAC mewn unrhyw gynnyrch neu ddeunyddiau meddalwedd eraill;

4. gosod, hurio, rhoi ar fenthyg, is-drwyddedu na gwerthu CD-ROM TGAU Astudio'r Cyfryngau CBAC;

5. copïo unrhyw ran o'r dogfennau ac eithrio lle nodir yn wahanol yn benodol;

6. defnyddio'r feddalwedd mewn unrhyw ffordd nad yw wedi cael ei phennu uchod heb ganiatâd ysgrifenedig PEL ymlaen llaw;

7. trin y feddalwedd, CD-ROM TGAU Astudio'r Cyfryngau CBAC neu unrhyw gynnwys o eiddo PEL mewn ffordd ddifrïol o gwbl na'u defnyddio mewn ffordd a fyddai'n dwyn anfri ar PEL neu'n peri i PEL wynebu atebolrwydd i unrhyw drydydd parti.

Rhoi Trwydded:
Mae PEL yn rhoi i chi, ar yr amod na wnewch ddim ond yr hyn sy'n cael ei ganiatáu o dan y tabl 'Cewch, fe gewch chi' uchod, ac na wnewch unrhyw un o'r pethau o dan y tabl 'Na, ni chewch chi' uchod, Drwydded anghyfyngol, anhrosglwyddadwy i ddefnyddio'r CD-ROM TGAU Astudio'r Cyfryngau CBAC hwn.

Bydd telerau ac amodau'r Drwydded hon mewn grym pan fyddwch yn defnyddio'r CD-ROM TGAU Astudio'r Cyfryngau CBAC hwn.

Gwarant Gyfyngedig
Mae PEL yn gwarantu nad oes ar y disg neu'r CD-ROM y cyflenwir y feddalwedd arno unrhyw ddiffygion o ran defnydd a saernïaeth mewn defnydd arferol am naw deg (90) diwrnod o'r dyddiad y derbyniwch ef. Mae'r warant wedi'i chyfyngu i chi ac ni cheir ei throsglwyddo.

Mae'r warant gyfyngedig hon yn ddi-rym os oes unrhyw ddifrod wedi deillio o ddamwain, camdriniaeth, camddefnydd, cynnal a chadw neu addasiad gan rywun ar wahân i PEL. Ni fydd PEL o dan unrhyw amgylchiadau yn atebol am unrhyw ddifrod o gwbl yn deillio o osod y feddalwedd, hyd yn oed os hysbyswyd ef o'r posibilrwydd o ddifrod o'r fath. Ni fydd PEL yn atebol am unrhyw golled na niwed o unrhyw fath a ddaw i ran unrhyw barti yn sgil dibynnu ar neu atgynhyrchu unrhyw gamgymeriadau yng nghynnwys y cyhoeddiad.

Nid yw PEL yn gwarantu bod swyddogaethau'r feddalwedd yn ateb eich gofynion na bod y cyfryngau yn gydnaws ag unrhyw system gyfrifiadurol y'u defnyddir arni nac y bydd gweithrediad y feddalwedd yn anghyfyngedig neu heb wallau. Chi sy'n gyfrifol am ddethol y feddalwedd i gyflawni'r canlyniadau yr ydych yn eu ceisio ac am osod y feddalwedd, am y defnydd ohoni ac am y canlyniadau a geir ohoni.

Ni fydd PEL yn atebol am unrhyw golled na niwed o unrhyw fath (ar wahân i anaf personol neu farwolaeth) yn deillio o ddefnyddio'r CD-ROM TGAU Astudio'r Cyfryngau CBAC hwn nac am unrhyw wallau, diffygion neu namau ynddo, pa un y caiff y gyfryw golled neu niwed ei hachosi gan esgeulustod neu fel arall.

Cyfanswm atebolrwydd PEL a'ch unig feddyginiaeth chi fydd cael copi newydd yn rhad ac am ddim o'r elfennau nad ydynt yn cyflawni'r warant hon.

Ni fydd unrhyw wybodaeth na chyngor (llafar, ysgrifenedig nac fel arall) a roddir gan PEL neu asiantau PEL yn creu gwarant nac mewn unrhyw ffordd yn cynyddu cwmpas y warant hon.

I'r graddau y mae'r gyfraith yn eu caniatáu, mae PEL yn ymwrthod â phob gwarant arall, boed y rheini'n ddatganedig neu'n oblygedig, yn cynnwys fel enghraifft ac nid i gyfyngu, warantau marchnadwyedd ac addasrwydd i bwrpas neilltuol mewn perthynas â'r CD-ROM TGAU Astudio'r Cyfryngau CBAC hwn.

Terfynu:
Bydd y Drwydded hon yn terfynu'n awtomatig heb rybudd gan PEL os methwch gydymffurfio ag unrhyw un o'i darpariaethau neu os bydd y sefydliad prynu'n mynd yn fethdalwr neu'n mynd i law'r derbynnydd, yn ymddiddymu neu'n mynd i weinyddiaeth allanol gyffelyb. Gall PEL derfynu'r Drwydded hon hefyd drwy roi rhybudd ysgrifenedig. Pan derfynir y Drwydded am ba reswm bynnag, yr ydych yn cytuno i ddinistrio CD-ROM TGAU Astudio'r Cyfryngau CBAC ac unrhyw gopïau wrth gefn ac i ddileu unrhyw ran o CD-ROM TGAU Astudio'r Cyfryngau CBAC sydd wedi'i storio ar eich cyfrifiadur.

Cyfraith Lywodraethu:
Caiff y Drwydded hon ei llywodraethu gan gyfraith Loegr a'u dehongli yn unol â hi.